LARA ADRIAN
Vertraute der Sehnsucht

Weitere Romane von Lara Adrian sind bei LYX in Vorbereitung.

LARA ADRIAN

VERTRAUTE DER SEHNSUCHT

Roman

Ins Deutsche übertragen von
Katrin Kremmler und Lisa Kuppler

LYX

EGMONT

Die Originalausgabe erschien Februar 2013 unter dem Titel *Edge of Dawn*
bei Delacorte Press, an imprint of The Random House Publishing Group,
a division of Random House, Inc., New York.

Deutschsprachige Erstausgabe Februar 2013 bei LYX
verlegt durch EGMONT Verlagsgesellschaften mbH,
Gertrudenstraße 30–36, 50667 Köln
Copyright © 2013 by Lara Adrian, LLC
This translation is published by arrangement with Delacorte Press,
an imprint of The Random House Publishing Group,
a division of Random House, Inc.
Copyright © der deutschsprachigen Ausgabe 2013
bei EGMONT Verlagsgesellschaften mbH
Alle Rechte vorbehalten

1. Auflage
Redaktion: Nicola Härms
Satz: Greiner & Reichel, Köln
Printed in Germany (671575)
ISBN 978-3-8025-8884-6

www.egmont-lyx.de

Aus dem geheimen historischen Archiv des Ordens
Washington, D. C., Hauptquartier

26. Dezember

Das Jahr spielt keine Rolle mehr, ebenso wenig wie das Datum. Angesichts dessen, was derzeit in der Welt passiert, nehme ich an, dass die Geschichtsschreibung fortan nur noch von einem *Davor* und einem *Danach* sprechen wird. Bevor die Menschheit von der Existenz der Vampire erfuhr und danach. Nach jenem unheilvollen Moment, als ein machtbesessener Vampir namens Dragos Hunderte der todbringendsten Stammesvampire – wilde, blutrünstige Rogues – befreite und jene eingekerkerten Monster auf eine arglose und gänzlich unvorbereitete Menschheit losließ. Noch während ich das hier schreibe, kann ich selbst kaum fassen, was ich mit eigenen Augen sehe.

Das Gemetzel ist unbeschreiblich. Die Panik beispiellos. Ich kann den Blick kaum abwenden von den Grausamkeiten in den Nachrichten oder im Internet, die uns hier in Maine, im vorläufigen Quartier des Ordens, unablässig erreichen. Ausnahmslos jeder Bericht zeigt schreiende Männer, Frauen und Kinder – hysterische Menschenmengen in dunklen Gassen auf ihrer panischen Flucht vor den tödlichen Verfolgern, die kein Einziger von ihnen abschütteln kann. Städte, die in Flammen aufgehen, verlassene, ausgebrannte Autos inmitten qualmender Ruinen, Geschützfeuer und schwelendes Elend. Wo man auch hinblickt, nichts als Blutvergießen und Mord.

Lucan und die übrigen Krieger des Ordens haben sich in Boston mobilisiert, um gegen die Gewalt vorzugehen, doch unsere Soldaten sind nicht mehr als ein Dutzend Stammesvampire, die gegen die Hundertschaften von Rogues antreten, die weltweit in die großen Städte strömen und diese regelrecht überschwemmen. Wenn endlich ein neuer Morgen anbricht und die Rogues zurück in die Schatten drängt, mag die Anzahl der Opfer weit in die Tausende gehen. Und der unweigerliche Schaden, der inmitten jenes blutigen Chaos' entstanden ist – ein tiefes Misstrauen zwischen Menschen und Vampiren – wird vielleicht niemals zu beheben sein.

Jahrhunderte der Verschwiegenheit und des Friedens, in einer einzigen Nacht zunichtegemacht …'

345. Tag, N. E. M.

Fast ein Jahr ist seit der Ersten Morgendämmerung vergangen. So wird sie genannt – die Dämmerung jenes ersten Morgens nach den blutigen Angriffen der Rogues, welche die Welt für immer verändert haben. Die Erste Morgendämmerung. Was für ein hoffnungsvoller, unschuldiger Begriff für einen solchen Moment des Grauens. Doch das Verlangen nach Hoffnung ist verständlich. Es ist unerlässlich, solange die Wunden jener entsetzlichen Nacht und des ungewissen Morgens danach immer noch frisch sind.

Niemand versteht das Bedürfnis nach Hoffnung besser als der Orden. Die Krieger haben zwölf harte Monate lang gekämpft, um einen Anschein von Ruhe, einen Anschein von Frieden herzustellen. Dragos existiert nicht mehr. Die Rogues, die ihm als persönliche Massenvernichtungswaffen dienten, sind ihrerseits vernichtet. Die Monate des Blutvergießen und der Panik sind vorüber. Doch Misstrauen und Hass schwelen auf beiden Seiten. Es sind prekäre Zeiten, und ein winziger Funken Gewalt könnte eine neue Katastrophe entfachen.

In zwei Wochen soll Lucan im Namen der Stammesvampire vor den versammelten Nationen der Welt sprechen. In aller Öffentlichkeit wird er für den Frieden plädieren. Im Stillen hat er uns jedoch gewarnt, dass Menschen und Vampire ebenso gut in einen neuerlichen Krieg gestürzt werden könnten …

4. August, 10 N. E. M.

Bisweilen kommt es mir so vor, als wären seit jener Ersten Morgendämmerung vor zehn Jahren an die hundert Jahre des Blutvergießens und des Tötens vergangen. Die Kriege dauern an. Allerorts eskaliert die Gewalt. Anarchie regiert in den meisten größeren Städten und begünstigt kriminelle Aktivitäten rebellischer Banden und militanter Gruppen, als wäre das unablässige Morden auf beiden Seiten noch nicht genug.

Tag für Tag erreichen uns hier im Hauptquartier in D. C. ernüchternde Berichte aus den regionalen Kommandozentralen, die über die ganze Welt verstreut sind. Der Krieg verschärft sich weiter. Und beide Seiten üben sich in Schuldzuweisungen, die die Spannungen nur noch vertiefen und Öl auf eine ohnehin schon lodernde Flamme gießen. Unsere Hoffnungen auf einen dauerhaften Frieden zwischen Menschen und Stammesvampiren erscheint unwahrscheinlicher denn je.

Wenn ich mir den Zustand des Konflikts nach zehn Jahren an-
sehe, frage ich mich mit Grauen, was die Zukunft wohl bringen
mag …

1

Menschen.

Die Nacht war voll von ihnen.

Sie verstopften die dunklen Gehsteige und Straßenecken im alten Bostoner Viertel North End, strömten aus den offenen Eingängen von Dance-Clubs und Cocktailbars. Sie schlenderten umher, blieben stehen, unterhielten sich und füllten die mitternächtlichen Straßen mit zu vielen Stimmen und zu vielen schwitzenden Körpern in der ungewöhnlich heißen Juninacht.

Und sie ließen einem zu wenig Platz im Gewühl, als dass man die nervösen Seitenblicke hätte ignorieren können – diese unzähligen schnellen Blicke von Leuten, die so taten, als hätten sie die vier Ordenskrieger nicht bemerkt und als wären sie kein bisschen schockiert, sie jetzt mitten durch die ehemalige Sperrzone der Stadt stapfen zu sehen.

Mira, die einzige Frau der Einheit, die jetzt nach Dienstschluss unterwegs war, ließ ihren harten Blick über die Menge der Homo-sapiens-Zivilisten schweifen. Zu schade, dass sie und ihre Kameraden Straßenkleidung und diskret verborgene Waffen trugen. Ihre Kampfmontur und ein Arsenal schwerer automatischer Waffen wären ihr lieber gewesen. Dann hätten die guten Bürger von Boston wirklich einen Grund gehabt, sie in offenem Entsetzen anzustarren.

»Seit zwanzig Jahren wissen die Menschen von unserer Existenz, und die meisten glotzen uns immer noch an, als wären wir gekommen, um ihre Halsschlagadern zu plündern«, sagte einer der drei Stammesvampire, der neben ihr ging.

Mira warf ihm einen ironischen Blick zu. »Sperrstunde ist erst um Mitternacht, bis dann dürft ihr noch legal Nahrung zu euch nehmen, also rechnet hier nicht mit einem begeisterten Empfang. Außerdem kann es nicht schaden, wenn sie Angst vor uns haben, Bal. Besonders wenn wir mit ihrer Spezies zu tun haben.«

Balthazar, ein muskulöser Riese mit olivfarbener Haut, begegnete ihrem Blick mit einem grimmigen Verständnis in seinen goldenen Adleraugen. Der dunkelhaarige Vampir war vor fast zwei Jahrzehnten zum Orden gestoßen, in den finsteren ersten Jahren nach der sogenannten Ersten Morgendämmerung, der Zeit, als die Menschen erfuhren, dass nicht sie das größte Raubtier auf diesem Planeten waren.

Mit dieser Tatsache hatten sie sich nicht gerade problemlos abgefunden. Und genauso wenig kampflos.

In der Zeit danach hatte es auf beiden Seiten zahlreiche Todesopfer gegeben. Unzählige Jahre, geprägt von Tod und Blutvergießen, Kummer und Misstrauen, waren gefolgt. Sogar jetzt noch war der Waffenstillstand zwischen den Menschen und dem Stamm brüchig. Während die Regierungsoberhäupter beider Völker der Erde, der Menschen und der Vampire, versuchten, durch Verhandlungen einen dauerhaften Frieden zum Wohle aller zu schaffen, gab es in beiden Lagern immer noch private Fehden und Konflikte. Der Krieg zwischen Menschheit und Stamm war noch nicht vorüber, aber er hatte sich in den Untergrund verlagert, inoffiziell und illegal, aber deshalb nicht weniger tödlich.

Ein dumpfer, kalter Schmerz erfüllte Miras Brust bei dem Gedanken an all den Kummer und das Leid, die sie in den Jahren seit ihrer Kindheit unter dem Schutz des Ordens mit angesehen hatte und dann auch noch während ihrer knallharten Kampfausbildung, die sie zu der Kriegerin gemacht hatte, die sie heute war. Sie versuchte, den Schmerz zu verdrängen, aber es wollte ihr kaum gelingen, und schon gar nicht heute Nacht.

Und dieser persönliche Teil des Krieges, der ihr so vertraut war wie nichts anderes in ihrem Leben, verlieh ihrer Stimme jetzt einen rauen, schneidenden Unterton. »Die Menschen sollen ruhig Angst um ihre Hälse haben. Dann sind sie vielleicht weniger geneigt, die Radikalen in ihren Reihen zu tolerieren, die den ganzen Stamm vernichtet sehen wollen.«

Hinter ihr ertönte das tiefe, leise Lachen eines ihrer Kameraden. »Hast du je eine PR-Karriere in Erwägung gezogen, Captain?« Sie zeigte ihm über die Schulter den gestreckten Mittelfinger und ging weiter, ihr langer blonder Zopf schlug wie ein Schwanz gegen ihren lederbekleideten Po. Webbs Lachen wurde lauter. »Okay, dachte ich auch nicht.«

Wenn jemand für diplomatische Missionen geeignet war, dann Julian Webb. Schön wie ein Adonis, liebenswürdig, mit einwandfreien Manieren und einem betörenden Charme, wenn er ihn anknipste. Dass Webb der kultivierten, privilegierten Stammeselite entsprang, war offensichtlich, auch wenn er seine Familie nie erwähnte. Seine Herkunft und seine Gründe, dem Orden beizutreten, waren ein Geheimnis, das er nur mit Lucan Thorne geteilt hatte, und der Gründer und Anführer des Ordens behielt es für sich.

Manchmal fragte sich Mira, ob das der Grund war, warum Lucan persönlich Webb letztes Jahr ihrem Team zugeteilt hatte – damit er sie für ihn und den Rat im Auge behielt und sicherstellte, dass die Zielvorgaben des Ordens eingehalten wurden ohne irgendwelche … Probleme. Nach ihrer demütigenden Verwarnung wegen Ungehorsam durch den Rat vor achtzehn Monaten wäre Mira absolut nicht überrascht, wenn Lucan Webb damit beauftragt hätte, ihre eventuellen Patzer als Anführerin des Teams auszubügeln. Aber sie hatte sich nicht halb totgearbeitet und bis zum Umfallen trainiert für diesen Posten im Orden, nur um ihn jetzt wegzuwerfen.

Es war höchst ungewöhnlich – tatsächlich praktisch nie vorgekommen –, dass eine Frau im Orden zum Captain eines Krieger-Teams aufgestiegen war. Dieser Gedanke erfüllte sie jetzt noch mit Stolz. Sie hatte sich als kompetent und würdig erwiesen, sich gnadenlos geschunden, um sich den Respekt der Ältesten des Ordens und der anderen Krieger zu verdienen, mit denen sie trainierte – Respekt, den sie schließlich durch Blut, Schweiß und sture Entschlossenheit errungen hatte.

Mira war keine Stammesvampirin. Sie verfügte nicht über die übernatürliche Geschwindigkeit oder Kraft der Spezies und auch nicht über deren Unsterblichkeit, die sie als Stammesgefährtin – die Tochter einer Homo-sapiens-Mutter und eines Vaters von noch ungeklärter genetischer Abstammung – durch die Blutsverbindung mit einem Stammesvampir erlangen konnte. Wurde eine solche Verbindung nicht eingegangen, alterten und starben Mira und die anderen Stammesgefährtinnen genau wie Normalsterbliche.

Mit neunundzwanzig und ohne Blutsverbindung begann sie die körperlichen und mentalen Folgen ihrer kräftezehrenden Laufbahn bereits zu spüren. Die Wunde, die sie seit acht Jahren in ihrem Herzen trug, machte es auch nicht besser. Zudem hätte ihr Disziplinarverfahren vor anderthalb Jahren für Lucan eigentlich ein Grund sein müssen, um ihr wieder einen Schreibtischjob zuzuteilen. Aber noch hatte er es nicht getan, und sie würde verdammt sein, wenn sie ihm noch mehr Gründe dafür lieferte.

»Sturm zieht auf«, murmelte das dritte Mitglied ihres Teams neben ihr. Mira wusste, dass Torin nicht vom Wetter redete. Wie ein Löwe, der seine neue Umgebung in Augenschein nahm, legte der riesige Vampir seinen dunkelblonden Kopf in den Nacken, sah zum wolkenlosen Nachthimmel auf und atmete tief ein.

Zwei Zöpfe mit winzigen eingeflochtenen Glasperlen rahmten seine rasiermesserscharfen Wangenknochen und seine wie gemeißelt wirkenden Züge – ein unkonventioneller, exotischer Look für einen so tödlichen Krieger und ein Hinweis auf Torins Vergangenheit als Besucher. Die glitzernden Zöpfe schwangen leicht gegen den Rest seiner dichten, schulterlangen Mähne, als er ausatmete und seinen eindringlichen Blick auf Mira richtete. »Keine gute Nacht, um hier unten zu sein. Da liegt was Finsteres in der Luft.«

Sie spürte es auch, sogar ohne Torins übersinnliche Fähigkeit, Veränderungen des Energiefeldes um ihn herum zu erkennen und zu interpretieren.

Der Sturm, den er spürte, tobte in ihr.

Er hatte einen Namen: Kellan.

Die Silben seines Namens rollten wie Donner durch ihren Sinn. Es tat immer noch weh, an ihn zu denken, sogar nach all der langen Zeit. Seit seinem Tod wurde der Aufruhr der Gefühle, den er hinterlassen hatte, immer heftiger in Mira, besonders um diese Jahreszeit. Ob aus Kummer oder weil sie seinen Tod immer noch nicht wahrhaben wollte – sie klammerte sich mit Zähnen und Klauen an ihre Erinnerungen an Kellan. Das war mit Sicherheit ungesund, aber die Hoffnung konnte grausam und hartnäckig sein.

Es gab immer noch einen Teil von ihr, der darum betete, dass das alles nur ein böser Traum gewesen wäre, aus dem sie irgendwann wieder aufwachen würde. Eines Tages würde sie aufblicken und der junge Stammesvampir würde von einer Mission heimkehren, gesund und munter. Eines Tages würde sie seine tiefe Stimme an ihrem Ohr hören, die sie beim Sparring im Trainingsraum spielerisch herausforderte, ein heiseres Knurren mit nur mühsam gezügeltem Verlangen, wenn sie im gespielten Zweikampf ineinander verschlungen auf der Matte landeten.

Sie würde wieder die Kraft seines Kriegerkörpers spüren: riesig, solide und unverwundbar. Sie würde in seine grüblerischen haselnussbraunen Augen sehen, seine zerzausten Locken berühren, die kupferbraun schimmerten wie ein alter Penny und sich in ihren Fingern weich wie Seide anfühlten. Sie würde wieder seinen würzigen Geruch nach Leder riechen, spüren, wie sein Puls sich beschleunigte, die heißen bernsteinfarbenen Funken in seinen Augen aufblitzen sehen und das weiße Schimmern seiner Fänge, die herausschossen, wenn ihn das Verlangen überwältigte, das er sonst so fest unter Kontrolle hatte.

Eines Tages würde sie die Augen öffnen und Kellan Archer würde wieder nackt neben ihr in ihrem Bett schlafen, wie damals in der Nacht, bevor er im Kampf von menschlichen Rebellen getötet worden war.

Hoffnung, dachte sie sarkastisch, *ist eine herzlose Schlampe.*

Wütend auf sich selbst, auf ihre Schwäche, ging sie zügiger weiter, auf die nächste Ecke zu, wo eben ein halbes Dutzend Menschenpaare aus einer trendigen Hotelbar gekommen waren und jetzt an der roten Ampel standen. Auf der Straßenseite gegenüber nahm sich eines der allgegenwärtigen Faceboards der Stadt die Freiheit, ihre Netzhäute zu scannen, und spielte dann eine nervige Werbung ab, die genau auf die Zielgruppe abgestimmt war, die gerade am Zebrastreifen auf Grün wartete.

Mira stöhnte auf, als eine digitale 3-D-Version des Business-Tycoons Reginald Crowe, eines der reichsten Männer des Planeten, die Paare mit ihren Namen ansprach und ihnen einen günstigen Sonderpreis versprach, wenn sie in Häusern seiner Luxushotelkette übernachteten. Crowes Gesicht war dieses Jahr überall, in der Presse und in Talkshows, auf Unterhaltungsblogs und Nachrichtenseiten im Internet … anscheinend gab es überall eine Webcam oder ein Kamerateam, vor dem er sich über seine neueste Zuwendung im Bereich technologischer

Forschungen auslassen konnte – den bedeutendsten Wissen-schaftspreis seiner Art. Es musste den Milliardär ärgern, dass weder diese Story noch die Ankündigung, dass Crowe den bevor-stehenden Gipfel des Rates der Globalen Nationen unterstützte, dasselbe Medieninteresse erregte wie seine kürzlich erfolgte Scheidung von Ehefrau Nummer sechs.

»Gehen wir weiter«, sagte sie und trat vom Bordstein, um dem Warten an der Ampel zu entkommen.

Sie führte ihr Team die Straße hinauf zum *Asyl*, einer Eck-kneipe und Bar, die in den letzten Jahren ein inoffizielles neu-trales Gebiet für eine gemischte Klientel von Vampiren und Menschen geworden war. Sie wollten sich dort heute Nacht mit einer anderen Einheit des Ordens treffen. Mira war nicht besonders nach Gesellschaft – schon gar nicht in dieser Stadt, in dieser Nacht –, aber die beiden Teams hatten sich eine kleine Siegesfeier verdient. Die letzten fünf Monate hatten sie alle hart an einer gemeinsamen Mission gearbeitet. Bei der verdeckten Operation hatte es sich um genau die Art von Spezialeinsatz gehandelt, die in den letzten beiden Jahrzehnten zum Marken-zeichen des Ordens geworden war.

Dank der vereinten Anstrengungen von Miras Einheit und der des anderen Teams, das sie jetzt an einem Tisch im hinteren Teil des *Asyl* erwartete, gab es eine internationale Paramiliz weniger, die dem Rat der Globalen Nationen Ärger machte. Das Timing für diesen Sieg konnte nicht besser sein: In nur einer Woche würden sich Regierungsoberhäupter, Würdenträger und VIPs aus der ganzen Welt, Repräsentanten der Menschheit und des Stammes, zu einem Gipfel in Washington, D.C., versammeln und dort einen Medienzirkus über Frieden und Solidarität ver-anstalten. Alle Ältesten des Ordens würden daran teilnehmen, inklusive Miras Adoptiveltern, Nikolai und Renata.

Zu Hause in Montreal wartete das blutsverbundene Paar

immer noch auf ihre Rückmeldung, ob sie sie begleiten würde. Obwohl beide nichts gesagt hatten, wusste Mira, dass Nikolai und Renata sie in der Hoffnung eingeladen hatten, dass sie etwas unter die Leute kam und dort vielleicht jemanden kennenlernte, der als zukünftiger Partner infrage kam. Außerdem war es ein gut gemeinter, wenn auch plumper Versuch, sie vom Schlachtfeld fernzuhalten, wenn auch nur für eine kleine Weile.

Sie musste ein finsteres Gesicht gemacht haben, als sie mit ihrem Team am Tisch ankam, denn als sie sich setzte, warf ihr der Captain der anderen Einheit, der ihr gegenübersaß, einen besorgten Blick zu.

»Alles okay?« Nathans Stimme war ausdruckslos und kaum zu verstehen bei der wummernden Musik und dem Lärm, der von der Bar und der Tanzfläche des *Asyl* herüberdrang. Seine blaugrünen Augen unter dem militärisch kurz geschorenen schwarzen Haar blickten sie unverwandt an. »Ich war mir nicht sicher, ob du das packen würdest.«

Nicht sicher, ob sie es verkraften würde, wieder zurück in Boston zu sein. Besonders an Kellans Todestag.

Sie verstand, was er meinte, auch ohne dass er es aussprach. Er kannte sie zu gut, war einer ihrer ältesten, besten Freunde. Er kannte sie fast so lange wie Kellan – länger sogar, jetzt, wo Kellan seit acht Jahren tot war. Auch Nathan war damals dabei gewesen, direkt neben Mira. Er hatte sie von dem Feuer und den fallenden Trümmern zurückgehalten, als das Lagerhaus in den dunklen Nachthimmel explodiert war. Und er hatte an ihrem Krankenbett gestanden, als sie Tage später aufgewacht war und erfahren musste, dass keine Spur von Kellan oder dem menschlichen Re-bellenabschaum gefunden worden war, dem er in das verminte Gebäude gefolgt war. Es war eine tödliche Falle gewesen.

Mira räusperte sich, hatte nach all den Jahren immer noch den Geschmack von Asche und Rauch im Mund. »Nein, ist schon okay. Mir geht's gut.« Er glaubte ihr kein Wort. Sie wandte sich von seinem prüfenden Blick ab und sah in die Runde der Krieger, die um den Tisch versammelt war. »Falls ich es nicht schon gesagt habe: gute Arbeit, von euch allen. Wir haben zusammen wirklich was geleistet.«

Torin und Webb nickten zustimmend, doch Bal warf den drei Mitgliedern von Nathans Team ein schiefes Grinsen zu. »Der Captain hat recht. Ist ein Vergnügen, mit euch Mädels zu arbeiten. Schließlich braucht jeder gute Chirurg jemanden, der das Blut und die Eingeweide aufwischt und ihm die Instrumente reicht.«

»Ich zeig dir gleich mein Instrument«, witzelte Elijah zurück, Nathans Vize, ein braunhaariger Stammeskrieger mit dem rauen Look eines Cowboys, einem strahlenden Lächeln und der langsamen, gedehnten Sprechweise der Texaner. »Und was chirurgische Präzision angeht, haben wir euch um Längen geschlagen. Habt ihr Jax da drüben gesehen? Das reinste Gedicht. Zwei von diesen Scheißrebellen waren so dumm, das Feuer auf uns zu eröffnen, aber Jax hat sie beide gleichzeitig mit seinem japanischen Wurfstern erwischt.« Eli fuhr erst sich und dann seinem Teamkameraden Rafe, der neben ihm saß, mit dem Finger quer über die Kehle und machte dabei ein leises Pfeifgeräusch. »Das war echt der Hammer, Jax.«

Jax nahm das Lob mit einem milden Nicken entgegen. Der riesige, schwarzhaarige Halbasiate war bekannt für seine tödliche Grazie und seine Zielsicherheit mit den rasiermesserscharfen Wurfsternen, die er selbst herstellte und immer mit sich führte. Mira brauchte nicht nachzusehen, um zu wissen, dass Jax auch jetzt etwa ein halbes Dutzend seiner Shuriken am Körper trug.

Auch sie führte ihre speziell für sie angefertigten Dolche immer mit sich, seit sie gelernt hatte, damit umzugehen. Sie waren immer griffbereit, obwohl der Einsatz von Waffen jeder

Art in den zivilen Sektoren der Stadt verboten war. Nur uniformierte Beamte der Joint Urban Security Taskforce Initiative Squad, JUSTIS, der Polizeitruppe der Regierung, die aus handverlesenen Vampiren und Menschen bestand, waren berechtigt, offen Waffen zu tragen oder in nicht militärischen Situationen tödliche Gewalt anzuwenden.

In Gedanken wieder bei den Einzelheiten ihrer erfolgreich abgeschlossenen Mission nickte Mira Nathans anderem Teammitglied, dem blonden, blauäugigen Xander Raphael zu. »Das war erste Klasse, wie du uns Deckung gegeben hast, damit wir das Hauptquartier der Rebellen stürmen konnten«, sagte sie zu ihm. »Ohne dich hätten wir das nicht geschafft. Du bist verdammt gut, Kleiner.«

»Danke.« Rafe war schon lange kein Kind mehr, aber Mira hatte ihn schon als Baby gekannt. Er war der letzte Neuzugang der Gruppe, die jetzt um den Tisch saß, und hatte erst vor zehn Monaten seine Ausbildung abgeschlossen. Mira war fast zehn Jahre älter als er, aber der junge Stammesvampir war absolut kompetent und erstaunlich klug für sein Alter. Er war der Sohn eines Ordensältesten, Dante, und seiner Gefährtin Tess. Wie alle Stammesvampire hatte Rafe die übernatürliche Gabe seiner Mutter geerbt. Tess' Fähigkeit, durch Berührung zu heilen, bedeutete einen Konflikt für ihren Sohn, der auch den Mut und die praktisch beispiellose Kampffähigkeiten seines Vaters geerbt hatte.

Rafes anderes mütterliches Erbe waren sein helles Haar und seine blauen Augen. An Tess wirkten die honigblonden Locken und die aquamarinblauen Augen umwerfend, unendlich feminin. Und nach Rafe mit seinen fast zwei Metern und dem schlanken, muskulösen Körper drehte sich jede Frau in seiner Nähe um.

So auch die Brünette Anfang zwanzig, die ihren Tisch von der Bar aus mit einer Gruppe von Freundinnen beobachtete. Sie tat gerade alles, um Rafes Aufmerksamkeit zu erregen, und hatte es endlich geschafft. Zweifellos wusste er, was das hübsche Mädchen ihm anbieten würde. Mira sah den Funken männlicher Arroganz aufblitzen, als der Krieger den Mundwinkel hob, bevor er und einige andere Männer am Tisch sich zu ihr umsahen und sie ansprachen.

»Hi«, sagte die junge Frau zu ihnen, und ihr Blick verweilte am längsten auf Rafe. Sie hatte ihre Wahl getroffen, daran bestand kein Zweifel.

»Selber hi«, antwortete Eli für den Rest des Tisches. »Wie heißt du, meine Schöne?«

»Ich bin Britney.« Sie lächelte ihn und die anderen Männer flüchtig an, dann kehrte ihr Blick wieder zu Rafe zurück. »Meine Freundinnen haben gewettet, dass ich mich nicht traue, zu euch rüberzukommen.«

Rafe lächelte. »Ach ja?« Seine Stimme war tief und lässig, die Stimme eines Mannes, der sich seiner Wirkung auf das andere Geschlecht vollkommen bewusst war. Oder, in diesem Fall, auf eine andere Spezies.

»Ich habe ihnen gesagt, dass ich keine Angst habe«, fuhr Rafes Verehrerin fort. »Ich habe ihnen gesagt, dass ich neugierig bin, wie es sich wohl anfühlt …« Sie warf den Kopf zurück, nervös, aber kokett. »Ich meine, wie *du* dich wohl anfühlst …«

Bissgeile Normalsterbliche, dachte Mira und verdrehte amüsiert die Augen. Trotz der ständigen bewaffneten Konflikte zwischen den Menschen und dem Stamm gab es jede Menge Frauen – und auch Männer –, die für den erotischen Kick eines Vampirbisses nur allzu gerne bereit waren, ihre frischen roten Zellen zu spenden.

Balthazar kicherte. »Sehr mutig von dir, ganz alleine zu uns rüberzukommen, Whitney.«

»Britney.« Sie kicherte, nervös, aber entschlossen. »Wie auch immer, sie sagten, ich solle es tun, also … hier bin ich.« Sie leckte sich die Lippen und schob sich langsam näher an Rafe heran. Dann strich sie sich ihr langes braunes Haar über die Schulter zurück und entblößte ihren zarten weißen Hals, und Mira spürte, wie die instinktive Reaktion von mehr als einem Stammesvampir am Tisch die Luft zum Vibrieren brachte.

»Deine Freundinnen brauchen gar nicht so schüchtern zu sein.« Miras Sinne waren im Winterschlaf, aber Torins Stimme war so rauchig, dunkel und einladend, dass sogar sie ein elektrisches Prickeln spürte. Als er durch die geöffneten Lippen Atem holte, waren die perlweißen Spitzen seiner Fänge zu sehen. »Ruf sie rüber, und dann sehen wir mal, ob sie auch so mutig sind wie du, Britney.«

Als das Mädchen die anderen aufgeregt herwinkte, stand Mira vom Tisch auf. Die Krieger hatten eben eine Mission erfolgreich abgeschlossen und sich eine Belohnung verdient. Sie hatten ein Recht darauf, das unmoralische Angebot anzunehmen, das ihnen hier gemacht wurde. Aber das bedeutete nicht, dass sie zuschauen musste.

»Die legale Frist für eure Nahrungsaufnahme läuft um Mitternacht aus, Jungs. In genau zehn Minuten, falls einer von euch sich wegen der Gesetze Sorgen macht.«

Jetzt stand auch Nathan auf, der einzige Vampir, den es offenbar kaltließ, dass sich ihnen mehrere warme, hübsche junge Frauen für heute Nacht als Blutwirtinnen zur Verfügung stellten. »Wo willst du hin?«

»Ich lasse euch trinken. Bin in ein paar Minuten wieder da.«

Er runzelte die Stirn. »Ich komme mit …«

»Nein, bleib nur.« Sie hob eine Hand und nickte in die Richtung der Frauen, die eben zu ihnen herüberkamen. »Diese dummen Jungs kann man weiß Gott nicht ohne erwachsene Aufsicht alleine lassen.«

Mit dieser Stichelei erntete sie die gespielte Empörung von

Eli, Bal und den anderen, aber Nathans Blick blieb düster. Als er seine breiten Lippen zusammenpresste, streckte sie die Hand aus und legte sie an seine Wange. Sie spürte, wie er sich unter der Berührung anspannte, und plötzlich wünschte sie, sie könnte die sanfte Geste wieder zurücknehmen. »Amüsier dich nur, Nathan. Du hast es dir auch verdient, weißt du.« Sie entfernte sich vom Tisch. »Zehn Minuten«, rief sie über die Schulter. »Und irgendjemand ist bitte so nett und sorgt dafür, dass hier ein Drink auf mich wartet, wenn ich zurückkomme.«

Alles war gut, bis sie den Ausgang erreichte. Dann senkte sich die Last, gegen die sie die ganze Nacht angekämpft hatte, wie Blei auf ihre Brust und heiße Tränen traten ihr wie Nadeln in die Augen.

»Scheiße. Kellan ...« Sein Name entfuhr ihr mit einem heiseren Keuchen, als sie sich gegen die Außenwand des Clubs sinken ließ, einige Meter neben dem Getümmel am Eingang. Gott, sie hasste es, wie sehr es wehtat, an ihn zu denken. Sie hasste es, dass es ihr immer noch nicht gelungen war, sich von der Erinnerung an ihn zu befreien, die sie immer noch in ihrem Griff hatte. Nein, durch seinen Tod war auch etwas in ihr gestorben. Etwas tief in ihr war zerbrochen, an einem Ort, den nur er hatte berühren können, vorher und seither.

Mira ließ den Kopf hängen und machte sich nicht die Mühe, die blonden Haarsträhnen zurückzustreichen, die sich aus ihrem Zopf gelöst hatten und ihr jetzt wie ein Schleier ins Gesicht fielen. Sie stieß einen leisen Fluch aus und versuchte, sich wieder unter Kontrolle zu bekommen. Mit zitternden Fingern wischte sie sich die Tränen von den Wangen und stieß einen frustrierten Seufzer aus. »Verdammt. Reiß dich zusammen, Kriegerin.«

Der wütende Selbsttadel nützte immerhin so viel, dass sie die Schultern straffen konnte. Aber es war das hohe Gekicher eines Menschen aus der Menge neben ihr, das sie wirklich aus ihrem

Selbstmitleid riss. Dieses wiehernde Lachen würde Mira überall wiedererkennen. Allein schon bei dem Geräusch brannten ihre Adern heiß vor Verachtung.

Sie erspähte den Kopf des jungen Mannes – seine lächerliche rote Irokesenfrisur wippte in einer Gruppe von kleinen Dieben und Unruhestiftern auf und ab. Sie gingen gerade an der Menge vorbei, die am Clubeingang auf Einlass wartete. Dieser hellrote Haarkamm, zusammen mit seiner typischen Lache, hatte dem Kleinkriminellen seinen Spitznamen eingebracht: Rooster, der Gockel.

Scheißkerl.

Sie hatte ihn seit Jahren nicht gesehen, und ihr Blut kochte, als sie ihn jetzt entdeckte. Dieser bekannte Sympathisant der Rebellen stolzierte hier mit seinen einschlägig vorbestraften Kumpels herum, obwohl er doch in irgendeinem Knast verrotten sollte. Oder noch besser: Er sollte zuckend an den Spitzen ihrer Dolche verenden.

Als der rote Hahnenkamm mit seinen vier Freunden um die nächste Straßenecke verschwand, zischte Mira einen Fluch. Nicht ihr Problem, was Rooster gerade im Schilde führte. Nicht ihr Zuständigkeitsbereich, sogar wenn sich herausstellte, das er wie üblich auf illegale Machenschaften aus war.

Und trotzdem …

Aus einem Impuls heraus ging sie los, sogar wider besseres Wissen. Rooster belieferte manchmal bewaffnete Milizen der Menschen und Rebellensplittergruppen, und diese gelegentlichen Bündnisse machten ihn zu Miras ständigem Feind. Sie folgte ihm und seinen Freunden vorsichtig aus sicherer Entfernung. Die dicken Gummisohlen ihrer Stiefel waren lautlos auf dem Asphalt, als sie zu ihnen aufholte.

Die Männer schlurften bis zur nächsten Straßenecke und betraten den Seiteneingang eines anderen Clubs, der vor langer

Zeit eine beliebte Adresse in North End gewesen war. Die ehemalige neugotische Kirche war jetzt alles andere als heilig und viel heruntergekommener als noch vor zehn Jahren. Graffiti und alte Einschusslöcher aus den Kriegen hatten das verblassende Schild mit dem Namenszug *LaNotte* an der Seitenwand des alten roten Klinkerbaus fast unlesbar gemacht. Heute pulsierte der Club nicht mehr von seidigem Trance und Synth, denn der aktuelle Eigentümer bevorzugte Electro-Industrial-Bands mit wildem Schreigesang – bestens geeignet, um das raue Gegröle und die blutdürstigen Anfeuerungsrufe der Gäste im Kellergeschoss des Etablissements zu übertönen, wo sich die illegale Kampfarena befand.

Zu diesem Teil des Clubs waren Rooster und seine Kumpels jetzt unterwegs, und Mira folgte ihnen. Beißender Zigarettenqualm und Alkoholdunst hingen wie dicker Nebel in der Luft. Am unteren Ende der steilen Treppe herrschte dichtes Gedränge, und hinter dem Eingang und um die riesige stahlvergitterte Kampfarena in der Raummitte wurde es noch enger.

Im Stahlkäfig umkreisten einander zwei riesige Stammesvampire in blutigem Nahkampf. Rund um die Arena standen Dutzende rufende und johlende menschliche Zuschauer, die Wetten auf ihren Favoriten abgeschlossen hatten. Der Kampf dauerte offenbar schon eine Weile, der Blutmenge im Ring und der aufgepeitschten Stimmung der Zuschauer nach zu urteilen. Mira hatte solche illegalen Kämpfe schon früher gesehen und verzog keine Miene beim Anblick der beiden Vampire, die wie Gladiatoren nur Ledershorts und stählerne U-förmige Halsringe trugen. Die Knöchel ihrer fingerlosen Lederhandschuhe waren mit Titanspikes besetzt, die bei jedem Schlag Fleisch und Muskeln zerfetzten.

Rooster und seine Kumpels blieben stehen und sahen zu, wie einer der Kämpfer hart am Brustbein getroffen wurde. Roosters wieherndes Gelächter drang durch die Menge, als der Vampir mit dem Rücken gegen das Stahlgitter krachte. Er war schon übel zugerichtet und trat gegen einen bisher unbesiegten Kämpfer an, der immer für viel Publikum und hohe Wetteinsätze sorgte. Jetzt, Blut spuckend und würgend von der Wucht des letzten Schlages griff der Verlierer verzweifelt nach dem Notschalter im Käfig. Rooster und der Rest der Zuschauer pfiffen und buhten ihn aus, als der Kampf durch diese Bitte um Gnade kurz unterbrochen und dem dunkelhaarigen Gegner des verletzten Kämpfers ein grausamer elektrischer Schlag versetzt wurde. Der riesige Kämpfer steckte ihn so mühelos weg wie einen Bienenstich und bleckte die Fänge mit einem kalten Lächeln, das einen weiteren Sieg für seine Kampfstatistik verhieß.

Der Käfig wurde erneut von brutalen, donnernden Schlägen erschüttert, als der Kampf wieder aufgenommen wurde, aber Mira ignorierte das furchtbare Spektakel. Ihr Blick war völlig auf ihre Zielperson fixiert. Ihr eigener Wunsch, grausam zu strafen, kochte wie Säure in ihren Adern, als sie Rooster durch das Gewühl verfolgte.

Sie dachte an Kellans letzte Minuten, als sie den Rebellensympathisanten kichern und johlen sah. Er und die anderen Menschen bejubelten jeden Schlag, wollten noch mehr vergossenes Stammesblut sehen.

Sie wusste nicht, wann sie ihre Dolche aus den Scheiden auf ihrem Rücken gezogen hatte. Sie spürte das kalte, handgeschmiedete Metall in ihren Händen, ihre Fingerspitzen auf den Zierornamenten der Griffe. Ihre Instinkte kribbelten, drängten sie, die Klingen fliegen zu lassen, als Rooster plötzlich einen Blick in ihre Richtung warf.

Er sah sie und erkannte sofort, dass sie ihn im Visier hatte. Etwas blitzte in seinen Augen auf, als ihre Blicke sich trafen. Panik, mit Sicherheit. Aber Mira sah auch Schuld in diesem besorgten Blick. Tatsächlich schien sein »Ach du Scheiße«-Blick zu sagen, dass sie die allerletzte Person auf Erden war, die er erwartet hatte oder die er gerade sehen wollte. Er duckte sich hinter einen seiner Ganovenkumpels, als würde sein feuerroter Haarschopf ihn nicht verraten.

Mira spürte, wie ein Knurren in ihrer Kehle aufstieg. Der Scheißkerl wollte abhauen. Und in der Tat, er verzog sich.

»Scheiße!« Sie drängte sich unsanft durchs dichte Gewühl, versuchte, ihre Beute nicht aus den Augen zu verlieren, während sie sich für eine günstige Wurfposition in Stellung brachte.

Jemand sah ihre gezogenen Waffen und stieß einen Warnschrei aus. Die Leute machten ihr eilig den Weg frei – und sie bekam ihre Chance, Rooster festzunageln. Sie ergriff sie, ohne zu zögern. Ihre Zwillingsdolche sausten durch die Luft, trafen ihr Ziel mitten in der Bewegung und nagelten ihn an die Wand auf der anderen Raumseite, je ein Dolch steckte bis zum Heft in seinen dünnen Oberarmmuskeln.

Er heulte – das Lachen war ihm vergangen, jetzt wo ausnahmsweise er es war, der Schmerzen zu erleiden hatte. Mira stieß ein paar übrig gebliebene Gaffer zur Seite und näherte sich ihm, ihre Wut brannte heiß in ihren Adern. Sie hatte hier heute Nacht schon gegen ein Gesetz verstoßen, und da sie den Verbündeten der Rebellen nun auf Armeslänge vor sich sah, war sie versucht, ihrem Sündenregister einen Mord hinzuzufügen.

Eine starke Hand legte sich auf ihre Schulter.

»Tu's nicht, Mira.«

Nathan. Er und die anderen Krieger standen jetzt hinter ihr, Missbilligung in den harten Gesichtern.

Erst jetzt registrierte sie, wie still es im Club geworden war. Der illegale Zweikampf im Käfig war vorüber und die Zuschauer hatten sich um den neuen versammelt, den Mira begonnen hatte. Der menschliche Clubeigentümer und einige seiner Stammeskämpfer kamen aus anderen Ecken des Clubs herbei. Ihre bloße bedrohliche Präsenz verhieß noch größeren Ärger, wenn die Dinge weiter eskalierten.

Scheiße. Mira wusste, dass sie dieses Mal zu weit gegangen war, aber ihr Blut kochte immer noch, und alles, woran sie denken konnte, war Gerechtigkeit für Kellan. Ein gottverdammter Rebell weniger heute Nacht wäre ein guter Anfang.

»Lass es«, sagte Nathan, seine Soldatenstimme war kühl und emotionslos, so wie sie ihn tausend mal hatte reden hören, selbst im schwersten Gefechtfeuer. »So bist du nicht ausgebildet worden. Das weißt du.«

Sie wusste es, und trotzdem schüttelte sie Nathans Hand ab und machte einen Satz auf Rooster zu, der wie am Spieß jaulte und sich unter ihren Dolchen wand. Nathan trat ihr in den Weg. Seine Bewegungen waren schneller als ihre Wahrnehmung, und er stellte sich zwischen sie und den Menschen. »Geh mir aus dem Weg, Nathan. Du weißt, mit wem dieser Abschaum gemeinsame Sache macht – mit den Rebellenschweinen. Meiner Definition nach macht ihn das auch zu einem.«

»Helft mir doch!«, heulte Rooster. »Jemand soll die Bullen rufen! Ich bin unschuldig!«

Mira schüttelte den Kopf und hielt dem missbilligenden Blick ihres Teamkollegen stand. »Er lügt. Er weiß etwas, Nathan. Ich sehe es ihm an. Ich spüre es. Er weiß, wer für Kellans Tod verantwortlich ist. Verdammt, ich will, dass jemand dafür bezahlt, was mit ihm passiert ist!«

Nathan knurrte einen Fluch. »Verdammt, Mira.« Seine Augen blickten intensiv, aber sanft und mit einem Mitgefühl, das sie noch nie zuvor bei ihm gesehen hatte und jetzt weiß Gott nicht sehen wollte. »Die Einzige, die noch dafür bezahlen wird, was mit Kellan passiert ist, bist du selbst.«

Die Wahrheit seiner Worte traf sie wie eine Ohrfeige. Sie

absorbierte den Schlag in verblüfftem Schweigen und sah zu, wie der Rest ihres und Nathans Teams sie umringte.

»Wir sollten hier abhauen«, sagte Webb zu Mira und Nathan, als keiner von ihnen einen Rückzieher machte. »Wenn wir nicht bald verschwinden, könnte das ziemlich hässlich werden.«

Bal stieß einen leisen Fluch aus. »Zu spät.«

Von draußen stürmten etwa zwanzig schwarz gekleidete Beamte der städtischen Polizeitruppe JUSTIS in den Keller des Clubs, schwer bewaffnet, in voller Kampfmontur. Mira konnte nur zusehen – und nur sich allein die Schuld dafür geben –, als die Beamten sie umringten und ihre automatischen Waffen auf sie und ihr Team richteten.

2

Lucan Thorne konnte sich hundert Dinge vorstellen, die er um ein Uhr früh lieber getan hätte, als müßig an seinem Schreibtisch im globalen Hauptquartier des Ordens in Washington, D.C., zu sitzen, Schreibkram zu erledigen und seine Videomail durchzusehen. Am liebsten wäre er jetzt mit seiner Stammesgefährtin Gabrielle in ihrem gemeinsamen Bett gewesen und hätte ihre warmen, weichen Rundungen unter sich gespürt.

Nein, dieses Verlangen hatte sich auch in all der Zeit nicht gelegt, die sie nun schon zusammen waren. Gerade mal um die zwanzig Jahre mit seiner Frau, und immer noch beherrschte sie seine Gedanken und Gefühle wie sonst nichts in den über neunhundert Jahren seines Lebens.

Sein Körper reagierte allein schon auf den Gedanken an seine wunderschöne Gefährtin. Lucan stöhnte leise tief unten in der Kehle und wechselte die Sitzposition, um das plötzliche Engegefühl zwischen seinen Beinen zu beheben. Sein Stift kratzte über das Papier, als er einen scheinbar endlosen Stapel von geheimen Dokumenten und Verträgen des Rates der Globalen Nationen, kurz GN, unterschrieb; die meisten betrafen den Weltfriedensgipfel, der in einer knappen Woche in der Stadt stattfinden würde.

Die vorbereitenden Treffen mit den anderen Ratsvorsitzenden – allesamt Staatsoberhäupter, zu gleichen Anteilen Menschen und Stammesvampire – waren alles andere als friedlich verlaufen. Aber wenigstens hatten das Säbelrasseln und die Brandbekämpfung hinter geschlossenen Türen stattgefunden.

Man musste es ihnen zugutehalten, sie schienen zu begreifen, dass es niemandem dienlich war, wenn ihre persönlichen Agenden, Politikeregos und privaten Zwistigkeiten an die skeptische Öffentlichkeit gelangten. Bei diesem Gipfel ging es genauso darum, eine freundliche, glänzende Fassade für die Beziehungen zwischen den Menschen und dem Stamm zu präsentieren, wie darum, echtes Einverständnis zwischen den Staatsoberhäuptern auszuhandeln, die dafür verantwortlich waren, diese friedliche Zukunft für die kommenden Generationen zu sichern.

Lucan konnte nur hoffen, dass ihm das Ganze nicht um die Ohren flog, bevor es überhaupt begonnen hatte.

Er kritzelte seine Unterschrift auf einen GN-Sicherheitsreport und legte ihn oben auf den Stapel, den er bereits durchgesehen und zur Umsetzung freigegeben hatte. Als er nach den restlichen Berichten griff, meldete ihm sein Tablet-PC mit einem Glockenton eine neue Nachricht höchster Priorität. Er tippte den Empfangsknopf auf dem Touchscreen an und gab das Passwort ein, um die V-Mail abzuspielen. Sie kam von einem der höheren Beamten des Rates, einem älteren normalsterblichen Staatsmann namens Charles Benson. Der Mann war eines der gemäßigteren Ratsmitglieder, ein Verbündeter, den Lucan bitter nötig haben würde, wenn die Verhandlungen um bessere Beziehungen zwischen den Menschen und dem Stamm später fortgesetzt wurden, lange nachdem der Pomp und Prunk des Friedensgipfels und der ganze Medienzirkus zur banalen Tagesroutine verblasst waren.

Lucan legte seinen Stift hin und sah sich die Nachricht an. Sie musste wichtig für Benson sein, wenn er ihn privat und außerdem auf der höchsten Sicherheitsstufe kontaktierte.

»Bitte entschuldigen Sie, dass ich Sie zu Hause störe, Vorsitzender Thorne.« Das faltige Gesicht auf dem Bildschirm wirkte besorgt, die dünnen Lippen noch fester zusammengepresst als sonst, als der alte Mann sich räusperte. »Ich möchte Sie um einen Gefallen bitten. Oder vielmehr den Orden. Es handelt sich um eine persönliche Angelegenheit.«

Mit gerunzelter Stirn sah Lucan zu, wie Benson auf dem Monitor weiter herumdruckste. »Es geht um meinen Neffen. Vielleicht wissen Sie, dass Jeremy auf dem Friedensgipfel eine sehr wichtige Auszeichnung von Reginald Crowes Stiftung entgegennehmen wird.«

Lucans Stirnrunzeln vertiefte sich. Er wusste, wer Bensons genialer Neffe war. Wusste, dass Jeremy Ackmeyers Arbeit auf der ganzen Welt hoch geschätzt und der Mann als einer der talentiertesten Köpfe aller Zeiten betrachtet wurde – was dem jungen Wissenschaftler kürzlich einen bedeutenden Geldpreis eingebracht hatte, den ihm einer der reichsten Männer der Welt auf dem Gipfel persönlich überreichen würde. »Ich fürchte, Jeremy ist etwas … exzentrisch«, fuhr Benson auf dem Bildschirm fort. »Er ist der Sohn meiner Schwester. Seit der Junge auf der Welt ist, habe ich sie gewarnt, ihn nicht so zu verhätscheln.« Das Ratsmitglied winkte mit seiner dünnen, knochigen Hand ab, bevor er endlich zum Wesentlichen kam. »Es ist mir peinlich zu sagen, dass Jeremy sich weigert, auf der Festveranstaltung des Friedensgipfels zu erscheinen. Er ist ein ängstlicher Junge, extrem introvertiert und verschlossen, um ganz ehrlich zu sein. Er weigert sich zu reisen, aus Angst vor tödlichen Keimen. Ich dachte, vielleicht könnte ich Sie bitten, ihm eine Eskorte für seine Fahrt nach Washington zu stellen –«

»Das ist doch wohl nicht dein Ernst.« Lucan tippte auf Stopp, brach die Nachricht ab und knurrte einen Fluch.

Seit wann war der Orden ein persönlicher Chauffeur- und Bodyguard-Service für verschrobene Wissenschaftler?

Politisch unklug oder nicht, er starrte wütend auf seinen Tablet-PC, kurz davor, Ratsmitglied Benson zu sagen, dass sein paranoider Neffe diesbezüglich andere Arrangements würde treffen müssen. Aber als sein Finger schon über dem Aufnahmeknopf schwebte, wurde er von Stimmen draußen vor den hohen Fenstern seines privaten Arbeitszimmers abgelenkt.

Demonstranten.

Lucan stapfte zum Fenster und zog die langen Vorhänge auf. Offenbar war die Nachtschicht zum Dienst angetreten. Er zählte fünfzehn Männer und Frauen, allesamt Menschen – Himmel, und sogar ein kleines Mädchen mit einem Transparent hatten sie dabei, das wütende Parolen schrie. Sie standen draußen vor dem hohen Eisentor zur Straße, auf ihren Transparenten dieselben Hassparolen, wie sie dem Stamm seit nunmehr zwei Jahrzehnten entgegengeschleudert wurden: »*Haut ab, woher ihr gekommen seid! Die Erde gehört den Menschen, nicht Monstern! Keinen Frieden mit Raubtieren!*«

Seit der Ankündigung des Gipfels waren Demonstranten mit Sprechchören, sowohl Menschen als auch Stammesvampire, vor dem GN-Gebäude in der Nähe des Kapitols und des gesicherten Hauptquartiers des Ordens in D.C. ein alltäglicher Anblick. Aber heute Nacht, wo er schon seit Stunden über den Ratsbeschlüssen saß und ihm wegen der lächerlichen Bitte eines Mannes, auf dessen politische Unterstützung er angewiesen war, vom Zähneknirschen die Kiefer schmerzten, verärgerten ihn diese geifernden Aufwiegler mehr als sonst.

Wenigstens waren es nur Transparente und Geschrei und nicht mehr die bewaffneten Straßenkämpfe und Terroranschläge, wie sie beide Seiten verübt hatten in den Monaten und Jahren, nachdem die Menschen von der Existenz des Stammes erfahren hatten. Damals war der Krieg unvermeidlich gewesen, obwohl Lucan so gehofft hatte, ihn zu vermeiden. Zu viel Blut war vergossen worden, zu viel Angst und Misstrauen hatten geherrscht. Nachdem der Stamm seit Jahrtausenden unentdeckt neben den Menschen gelebt hatte, hatte die unsägliche Tat eines skrupellosen Stammesvampirs vor zwanzig Jahren Jahrhunderte von Vorsicht und Diskretion schlagartig zunichtegemacht, als dieser in seiner schurkischen Machtgier Dutzende eingekerkerte, blutsüchtige Vampire auf die arglose Menschheit losgelassen hatte.

Es war dem Orden zugefallen, das Gemetzel aufzuräumen und die Rogues zu vernichten, die eine blutige Schneise des Entsetzens über den ganzen Planeten gezogen hatten. Aber Lucan und seine Krieger hatten nicht schnell genug handeln können, um die Wellen der Gewalt einzudämmen, die nach den Angriffen ausgebrochen waren. Ganze Städte waren dem Erdboden gleich gemacht worden, Gebäude gesprengt und Regierungen durch Anarchie und Rebellenaufstände abgesetzt. Die Zivilbevölkerung des Stammes wurde durch Razzien am Tag dezimiert, ihre Dunklen Häfen wurden verwüstet, ganze Familien abgeschlachtet oder den tödlichen Strahlen der Sonne ausgesetzt.

Dann, als es schon schien, als könnten die Kämpfe zwischen der Menschheit und dem Stamm nicht schlimmer werden, war eine massive Chemiewaffe im russischen Binnenland abgefeuert worden und hatte Hunderttausende von Hektar Wildnis unbewohnbar gemacht. Ein katastrophaler Schlag, für den bis heute weder die Menschen noch der Stamm die Verantwortung übernommen hatten.

Aber es hätte schlimmer ausgehen können – wenn eine Waffe dieser Größenordnung und Sprengkraft stattdessen auf eine Großstadt abgefeuert worden wäre.

Trotzdem waren ihre Auswirkungen auf der ganzen Welt zu spüren gewesen und hatten Lucan veranlasst, den Orden auszuschicken, um alle Atomanlagen und Chemiewaffenfabriken in jedem Winkel des Planeten zu zerstören.

Obwohl es das einzig Richtige gewesen war – die einzig vernünftige Maßnahme –, gab es immer noch Angehörige beider Spezies, die Lucan für sein kompromissloses Vorgehen verachteten. Einige befürchteten, dass er nicht zögern würde, sich selbst erneut zum Richter und Vollstrecker der Welt zu ernennen, wenn der Konflikt zwischen den Menschen und dem Stamm eskalierte.

Und da hatten sie verdammt recht.

Lucan konnte nur hoffen, dass er diese Entscheidung niemals würde treffen müssen.

Ein Klopfen ertönte an der Tür seines Arbeitszimmers, eine willkommene Ablenkung von seinen finsteren Gedanken.

»Komm rein«, rief er, mehr Knurren als Einladung. Er ließ die Vorhänge wieder fallen und wandte sich vom Fenster ab.

Er hatte Gideon erwartet, Stammeskrieger und Technikgenie des Ordens, der schon so lange für die hoch komplizierte Kommandozentrale zuständig war. Derzeit war es Gideons Aufgabe, Lucan Updates zum Veranstaltungsgebäude des Friedensgipfels zu liefern, damit der Orden die nötigen Maßnahmen für die Sicherheit des mehrtägigen Events treffen konnte.

Aber es war nicht Gideon an der Tür.

»Darion.«

»Störe ich dich beim Arbeiten, Vater?«

»Aber gar nicht.« Er winkte Darion zu sich ins Zimmer.

Allein schon beim Anblick seines Jungen – der große, muskulöse Einundzwanzigjährige mit dem kastanienbraunen Haar und den gefühlvollen dunklen Augen seiner Mutter – spürte Lucan, wie seine momentanen Sorgen von ihm abfielen. Es waren Darions andere Charakterzüge – er hatte Lucans kantige Gesichtsstruktur mit dem starken Kinn, das für den eisernen Willen stand, den er von beiden Eltern geerbt hatte –, weshalb Vater und Sohn immer aneinandergerieten. Abgesehen von Gabrielles Haar- und Augenfarbe und ihrer übersinnlichen Gabe, die Dare von ihr geerbt hatte, war das Zusammensein mit seinem Sohn für Lucan wie der Blick in einen Spiegel.

Darion war seinem Vater in vieler Hinsicht nur allzu ähnlich, eine Erkenntnis, die Lucan mehr beunruhigte, als er zugeben wollte. Aber während Lucan sich mit seinem natürlichen Hang, Anführer zu sein, immer schwer getan hatte, besaß Dare keine solche Skrupel. Er war zu kühn und zu direkt, furchtlos bei allem, was er anfing – Eigenschaften, die Lucan als Vater das Blut gefrieren ließen vor Angst um seinen Sohn, wenn er ihn sich vorstellte, wie er in der Kampfmontur der Ordenskrieger in die Schlacht zog.

Wenn es nach Lucan ginge, würde dieser Augenblick, den er so fürchtete, niemals kommen.

Darion stapfte ins Arbeitszimmer, lässig gekleidet in dunklen Jeans und einem schwarzen Hemd mit aufgerollten Ärmeln, der Kragen am Hals aufgeknöpft. »Schon wieder Demonstranten«, bemerkte er und hob sein eckiges Kinn in Richtung Fenster, wo das Geschrei immer lauter wurde. »Werden immer mehr, je näher der Gipfel rückt.«

Lucan knurrte und nickte knapp. »Bei all ihrem Geschrei sind sie leider nur der Hintergrundlärm für größere Probleme.«

»Die heutigen Treffen sind nicht gut gelaufen?«

»Nicht besser oder schlechter als die anderen in den letzten paar Wochen.« Lucan zeigte auf den Besucherstuhl vor seinem Schreibtisch, dann ging er um den Tisch herum und setzte sich auf seinen eigenen Stuhl. Darion nahm Platz. »Dieser Gipfel wird allmählich zur reinsten Farce. Wie können wir erwarten, die Kluft zwischen den Spezies zu überbrücken, wenn sogar die GN-Mitglieder sich nicht mal über die grundlegendsten Prinzipien einigen können?«

»So schlimm?«, fragte Darion, und seine tiefe Stimme klang so grimmig, wie Lucans Gedanken waren.

»Und wie«, antwortete Lucan. »Die Politiker missbrauchen den Gipfel als persönliche Wahlkampfveranstaltung. Konzerne sehen eine Goldgrube und machen die ganze Veranstaltung zu einem Medien- und Sponsoring-Zirkus. Und nicht zu vergessen die superreichen Clowns wie Reginald Crowe, die jede Bühne und jeden Pavillon mit riesigen Spenden vergolden, nur damit ihr Name auf der ganzen Welt zu sehen ist.« Lucan murmelte einen deftigen Fluch. »Dieser Gipfel hätte überhaupt nicht kommerziell genutzt werden dürfen. Stattdessen verkommt er zu einem verdammten Witz. Zu viel Bestechung und geheime Deals auf beiden Seiten. Zu viele Leute – Menschen und Vampire –, die durch den Gipfel abkassieren oder ihn als Plattform benutzen wollen, auf der sie ihre persönlichen Imperien aufbauen können.«

»Dann sag ihn ab«, antwortete Dare, die dunklen Brauen über seinen ernsten Augen gerunzelt. Er beugte sich vor und stützte die starken Unterarme auf seine gespreizten Oberschenkel. »Zieh den Stöpsel, und sag das ganze verdammte Ding ab. Dann plane den Gipfel noch mal neu, so, dass du alles unter Kontrolle hast. Sollen die anderen GN-Mitglieder sich nach dir richten oder wenigstens deine Arbeit nicht behindern.«

Lucan lächelte amüsiert, hörte eine jüngere Version seiner selbst in Dares entschlossenem, kompromisslosem Vorschlag. »Verlockende Idee, Dare. Da will ich ehrlich zu dir sein. Aber es ist erst knapp zwanzig Jahre her, seit ich dort das letzte Mal auf den Tisch gehauen habe, als es um die Beziehungen der Menschen und des Stammes ging. Es jetzt wieder zu tun, mitten auf der international beachteten Feier unseres sogenannten Friedens und unserer optimistischen Pläne für die Zukunft?« Er schüttelte den Kopf, erwog den Gedanken nicht zum ersten Mal. Er war ein Krieger und war es für den Großteil seines langen Lebens gewesen. Er war daran gewöhnt, eine Waffe in der Hand zu spüren und zu sehen, wie das Blut seiner gefallenen Feinde zu seinen Füßen Pfützen bildete. Er war ein harter Mann, nicht wirklich geeignet für die hohe Diplomatie, die seine neue Rolle ihm abverlangte, und ihm fehlte außerdem jede Toleranz für gewissenlose Narren oder windige Opportunisten. »Den Gipfel abzubrechen, würde all die guten Fortschritte zerstören, die wir bis jetzt gemacht haben – die paar, die es sind. Und noch schlimmer, es gibt genug Leute auf beiden Seiten, die das als Verrat betrachten würden. Sogar als Kriegserklärung durch den Anführer des Ordens.«

Lucan fühlte sich plötzlich eingeengt, er stand auf und begann, hinter seinem Schreibtisch auf und ab zu gehen. »Ich sag dir was, Darion. Allmählich fürchte ich, dass unser Frieden mit den Menschen auf einem Pulverfass gebaut ist. Ein einziger Funke kann genügen, um alle Hoffnung auf ein gemeinsames Leben für immer zu zerschlagen.«

Darion hörte ruhig und nachdenklich zu, während Lucan vor ihm eine Spur in den Teppich lief. Als er zu sprechen begann, klang seine tiefe Stimme ernst. »Wenn jemand diesen Funken liefern will, ob Rebellen oder andere Querulanten, welcher Ort wäre besser geeignet, um einen Krieg zu provozieren als ein globaler Friedensgipfel? Wir müssen vorbereitet sein und selbst auf die kleinste Bedrohung sofort reagieren.«

Lucan antwortete mit einem gezischten Fluch durch die hervortretenden Fänge. Er hatte natürlich dasselbe gedacht. Gideon und er hatten alle Vorkehrungen getroffen, um dafür zu sorgen, dass der Gipfel auf jeder nur erdenklichen Ebene gesichert war. Und wenn er jeden einzelnen Würdenträger beim Eintreten persönlich nach Waffen abtasten musste, würde er es weiß Gott tun.

Er sah zu Darion hinüber und sann darüber nach, wie leicht es ihm fiel, seinen einzigen Sohn als Ebenbürtigen zu betrachten und sich ihm anzuvertrauen. Er respektierte Dare als Mann.

Staunte über seinen wachen Intellekt und die Kraft seiner Überzeugungen. Darion, das schreiende, hilflose Baby, aus dem irgendwie, scheinbar über Nacht, ein Mann geworden war – so kam es zumindest Lucan vor, dessen Leben fast tausend Jahre währte.

Lucan hatte gehofft, dass Dare eines Tages neben ihm einen Sitz im Rat der Globalen Nationen einnehmen würde, trotz des außergewöhnlichen Talentes, das der junge Mann in seiner Waffen- und Kampfausbildung gezeigt hatte. Diese Hoffnung starb in diesem Moment ein wenig, als er den intensiven Blick seines Sohnes sah. Der Blick eines Kriegers, obwohl sein Vater das niemals zugeben würde. Als Vater wollte er seinen Sohn in seiner Nähe haben. In Sicherheit.

»Ich kann helfen«, sagte Darion. »Du weißt, dass ich helfen will. Du weißt, dass ich so weit bin.«

Lucan ließ sich wieder in seinen Stuhl fallen und griff nach dem Dokumentenstapel, der immer noch seine Unterschrift erwartete. »Wünsch dir keinen Krieg, Junge. Du bist zu jung, um dich an die Hölle des Krieges zu erinnern.«

»Ich war sechs, als die Kriege am schlimmsten waren. Ich habe genug darüber gehört. Ich habe ihn im Hauptquartier des Ordens und auf der Universität studiert. Fast mein ganzes Leben lang höre ich dich und die anderen Ältesten des Ordens über Schlachten und Kämpfe reden. Ich verstehe, was Krieg bedeutet und was es bedeutet, ein Krieger zu sein.«

Lucans Puls beschleunigte sich, mehr aus Besorgnis als aus Verärgerung. Vehement kritzelte er seinen Namen auf einen der GN-Beschlüsse und griff nach dem nächsten Dokument. »Über Krieg zu lesen und zu reden macht dich noch nicht zum Krieger. Es bereitet dich nicht darauf vor, die Dinge mit anzusehen oder mitzumachen, die Leute einander im Krieg antun. Als dein Vater hoffe ich, dass du so etwas nie miterleben wirst.«

Darions Wut stand greifbar im Raum, rollte Lucan wie eine

Welle über den Schreibtisch entgegen. »Du siehst mich immer noch als Kind, das deinen Schutz braucht.«

Lucan legte seinen Stift hin. »Das stimmt nicht«, antwortete er, jetzt ernüchtert. Voller Bedauern, dass seine Gespräche mit Darion offenbar immer auf dieselbe Weise endeten. Immer in dieser Sackgasse.

Sein Sohn hatte die Zähne zusammengebissen, eine Sehne zuckte in seiner Wange. Er schnaubte verächtlich und hielt Lucans Blick unverwandt stand. »Ich habe bei Tegan trainiert, seit ich zwölf war, weil er – laut deinen eigenen Worten – einer der besten Krieger ist, die du je kennengelernt hast. Warum mich zu den besten Lehrern schicken, wenn du nie vorhattest, mir einen Platz im Orden zu geben?«

Lucan konnte ihm nicht sagen, dass er ihn zu Tegan geschickt hatte, weil durch Tegans hartes, gnadenloses Training die Chance am größten war, Dare zu brechen. Aber Darion war nicht gebrochen. Ganz im Gegenteil. Er hatte Höchstleistungen erzielt und alle Erwartungen weit übertroffen.

»Du hast hier deinen Platz.«

Dare knurrte. »Taktische Strategieanweisungen für Operationen im Feld ausarbeiten, an denen ich nie selbst teilnehmen kann.« Jetzt lehnte er sich lässig zurück, die langen Beine ausgestreckt und einen muskulösen, von *Dermaglyphen* bedeckten Arm über die Stuhllehne gelegt. Seine Frustration war überdeutlich in den pulsierenden Farben zu sehen, die in die Schnörkel und Bögen seiner Hautmuster gesickert waren. »Wenigstens ein einziges Mal will ich meine Ausbildung auf einer echten Mission erproben, statt sie am Computer zu simulieren oder an die Wände der Kriegszentrale zu kritzeln. Ich könnte mehr tun, wenn du mir nur die Chance geben würdest.«

»Deine Rolle im Orden ist nicht weniger wichtig als jede andere.« Lucan nahm wieder seinen Stift und begann, ruhig die restlichen Dokumente zu unterschreiben, die seinen Schreibtisch übersäten. »Du bist doch nicht um diese Zeit hergekommen, um wieder mit unserem alten Streit anzufangen? Und wenn doch, wird es warten müssen.«

»Nein. Deshalb bin ich nicht hier.« Darion nahm sein Kommunikationsgerät heraus und berührte den Touchscreen. »Ich wollte dich etwas fragen, zu etwas, was ich heute im Archiv des Hauptquartiers gefunden habe.«

Lucan sah auf. Das Archiv war eine Kammer im Hauptquartier in D. C., die eine riesige und ständig anwachsende Geschichte des Stammes und seiner außerirdischen Ursprünge beherbergte. Eine Geschichte, die der Orden in den letzten zwanzig Jahren durch die Arbeit einer einzigen außergewöhnlichen Frau gesammelt hatte. »Du hast Jennas Aufzeichnungen gelesen?«

Dare lächelte trocken. »Ich habe jede Menge Freizeit und verbringe nicht alles davon auf Facebook.«

Lucan kicherte, froh, dass ihr Gespräch doch nicht wieder in einer hitzigen Pattsituation enden würde. »Was hast du gefunden?«

Kaum hatte er es ausgesprochen, erschien Gideon in der offenen Tür von Lucans Arbeitszimmer. Der stachelige blonde Haarschopf des Stammesvampirs war zerzauster als sonst, stand in alle Richtungen ab, als hätte er sich eben mehrfach das Haar gerauft, wie er es oft tat, wenn er sich einem Problem gegenübersah, das er nicht innerhalb von drei Sekunden lösen konnte. Oder wenn er die undankbare Aufgabe hatte, Überbringer schlechter Neuigkeiten zu sein.

Als Gideon jetzt über seine randlose silberne Brille spähte, sagte der Blick seiner blauen Augen, dass Lucan nichts Gutes bevorstand.

»Ein Problem mit den Sicherheitssystemen?«, riet er und stand auf, um den anderen Krieger zu begrüßen, der jetzt in den Raum trat.

»Ein Problem in Boston, gerade eben.« Gideon nickte Darion leicht zu, dann sah er Lucan um Erlaubnis bittend an, vor dem jüngeren Mann über Ordensangelegenheiten zu reden.

Lucan senkte zustimmend das Kinn und runzelte die Stirn. »Was ist passiert?«

Lucan hörte zu, als Gideon ihm eine Kurzzusammenfassung des Vorfalls in dem Club gab, bei dem zwei der höchst ausgezeichneten Teams des Ordens von JUSTIS verhaftet worden waren. »Sie hat einen unbewaffneten Zivilisten mit tödlichen Waffen angegriffen, unprovoziert. In einer öffentlichen Einrichtung.«

»Nicht, dass Mira es nötig hat, dass ich sie in Schutz nehme«, warf Gideon ein, »aber offenbar hat der Mensch, den sie in den Club verfolgt hat, Verbindungen zu Rebellengruppen in der Gegend.«

»Nein, sie hat es nicht nötig, dass jemand sie in Schutz nimmt«, antwortete Lucan, und sein Blut kochte vor Wut. »Und du weißt so gut wie ich, dass sie alles im Visier hat, was auch nur entfernt nach Rebellenaktivitäten riecht. Aber das gibt ihr noch nicht das Recht, ein halbes Dutzend Gesetze zu brechen und sich meinen Befehlen zu widersetzen.«

Weder Gideon noch Dare sagten etwas in der Stille, die sich über den Raum senkte, während Lucan darüber nachdachte, wie er mit seinem weiblichen Captain verfahren sollte. »Wo ist sie jetzt?«

»Es wurde keine Anzeige erstattet, also wurden beide Teams wieder freigelassen, kurz nachdem die JUSTIS-Beamten das *LaNotte* geräumt haben. Sie dürften jetzt alle bei Chase im Operationszentrum Boston sein und auf weitere Anweisungen warten.«

Lucan knurrte. »Sie hat Glück, dass diese Scheiße ausgerechnet dort passiert ist. Wahrscheinlich hat der Eigentümer vom *LaNotte* es sich was kosten lassen, dass JUSTIS die Sache fallen gelassen hat. Was diesen Menschen angeht, aus dem Mira Schaschlik machen wollte – wer weiß, warum er sie nicht angezeigt hat. Tut nichts zur Sache.«

Gideon nickte. »Was soll ich jetzt machen?«

»Sag Chase, er soll Miras Team sofort nach Montreal zurückschicken. Sie bleibt. Ich will sie auf Videokonferenz. Und zwar pronto.«

3

Mira stieß einen Fluch aus, als sie ihre Klinge fliegen ließ, auf einer schweißtreibenden Einzelsession im Trainingsraum des Bostoner Operationszentrums des Ordens. Es war spät – oder vielmehr früh. Knapp drei Uhr morgens, und sie hätte eigentlich im Bett sein sollen nach dieser schlimmen Nacht, die nur noch schlimmer geworden war, als Lucan Thorne ihr persönlich eine wohlverdiente Standpauke gehalten und sie mit sofortiger Wirkung vom aktiven Dienst suspendiert hatte.

Aber nach der Videokonferenz mit Lucan hatte Mira sich nicht hingelegt, sondern war direkt zum Schießstand in den Keller gegangen. Die letzte Stunde hatte sie sich hart geschunden, ihren Körper zur totalen Erschöpfung getrieben, um die Wut und Frustration loszuwerden, die ihr immer noch so schwer im Magen lagen.

Ihre Ausbildung hatte sie bessere Disziplin gelehrt, als sie vor einigen Stunden in der Stadt zur Schau gestellt hatte, und abgesehen vom Tadel des Gründers und Anführers des Ordens hasste sie es auch, dass sie sich von ihren Emotionen hatte leiten lassen. Und umso mehr, weil sie mit dieser impulsiven Aktion die Ehre von ihrem und Nathans Team sowie des Ordens generell auf sehr öffentliche Weise beschmutzt hatte – und das zu einer Zeit, wie Lucan sie erinnert hatte, als der hart erarbeitete Friedensprozess des Ordens und der Menschen um keinen Preis gefährdet werden durfte.

Natürlich hatte er recht. Egal wie tief ihr Schmerz über Kellans Verlust saß und wie sehr sie diejenigen verachtete, die sie dafür verantwortlich machte – ihre Pflicht gegenüber dem Orden stand für sie an erster Stelle. Als Kriegerin musste sie über solche Schwächen erhaben sein. Sie musste stärker sein, verdammt. Aber sie hatte versagt.

Und jetzt würde sie den Preis dafür zahlen müssen.

Voller Bedauern und Wut auf sich selbst stapfte sie durch den Schießstand zurück zur Ausgangsposition, steckte einige lose blonde Strähnen in ihren langen Zopf zurück und wischte sich die Schweißperlen von der Stirn. Während in ihren Augen unvergossene Tränen brannten, machte Mira sich für eine weitere gnadenlose Trainingsrunde bereit. Mit äußerster Konzentration zog sie den zweiten Dolch aus seiner Scheide am Oberschenkel ihrer schwarzen Kampfmontur und führte eine schnelle Serie von Angriffs- und Verteidigungsbewegungen gegen einen imaginären Gegner durch. Sie atmete heftig, Schweiß rann ihr über die Schläfen und zwischen ihren Brüsten hinunter, als sie eine weitere Runde Scheinkampf absolvierte, und dann die nächste.

Sie machte weiter, bis sie vor Anstrengung keuchte, jeder Muskel protestierte und ihr weißes Tanktop ihr schweißnass am Körper klebte. Dann, mit allerletzten Kräften, duckte sie sich in Angriffshaltung und schleuderte die Waffe. Die Klinge schoss wie ein Pfeil durch die Luft, nur ein Aufblitzen von schimmerndem Metall, und schlug mitten in der Zielscheibe am anderen Ende des Schießstandes ein.

»Makellos.«

Nathans Stimme hinter ihr überraschte sie. »Deine Arbeit mit den Dolchen ist beeindruckend, wie immer.«

Mira hatte ihn nicht einmal eintreten hören, was sie auf ihre tiefe Konzentration beim Training und die irritierende Heimlichtuerei ihres Freundes zurückführte. Nicht, dass sie sie überraschte. Als Stammesvampir konnte er sich schneller bewegen, als Normalsterbliche dies wahrnehmen, geschweige denn nachmachen konnten. Aber Nathans tödliche Lautlosigkeit hatte auch noch andere Gründe.

Er war im Labor eines Wahnsinnigen gezüchtet und aufgezogen worden, zum einzigen Zweck, eine Tötungsmaschine zu sein, bis er als Teenager von seiner Mutter gefunden und gerettet und vom Orden aufgenommen worden war. Mira kannte Nathan seit ihrer Kindheit, er war ihr so nah und vertraut wie ihre eigene Familie. Trotzdem wandte sie jetzt ihr Gesicht von ihm ab und wischte sich den Schweiß und die heißen Tränen von den Wangen, während sie ihm den Rücken zudrehte.

»Schau mich nicht an, Nathan.« Nicht wegen ihrer Tränen, sondern aus einem anderen, schwerwiegenderen Grund. Sie zeigte auf den kleinen Behälter, der ihre speziell für sie angefertigten Kontaktlinsen enthielt. »Meine Augen sind nackt. Ich dachte, ich wäre hier allein, also habe ich beim Training meine Sehergabe nicht abgeschirmt.«

Wie alle Stammesgefährtinnen und ihre Kinder hatte Mira eine individuelle übersinnliche Gabe; ihre war besonders mächtig. Es war die Fähigkeit, anderen in ihren farblosen, spiegelartigen Augen einen Blick in ihre Zukunft zu zeigen. Oft waren diese Visionen unwillkommen, sogar erschreckend. Mira hatte keine Kontrolle darüber, was die anderen sahen; genauso wenig konnte sie die Vision selbst sehen. Und der Preis dafür, ihre Gabe zu benutzen, war eine fortschreitende Abnahme ihres Sehvermögens.

Als Mädchen hatte sie einen kurzen Schleier über dem Gesicht getragen, um ihre Augen zu schützen und ihre Sehergabe zu dämpfen. Nachdem Nikolai und Renata sie zu sich genommen hatten, damit sie unter dem Schutz des Ordens leben konnte, hatte Mira spezielle Kontaktlinsen bekommen, wie sie sie bis heute trug.

Sie spürte einen leichten Luftzug, als Nathan sich bewegte, und dann wurde ihr der glatte Plastikbehälter in die Hand gedrückt. »Warum wolltest du nicht, dass ich dabei bin, als Lucan heute Nacht angerufen hat? Du hättest nicht alleine mit ihm reden müssen. Ich hätte für dich ausgesagt, dir etwas von der Verantwortung abgenommen.«

»Ich würde dich nie darum bitten oder es dir erlauben«, sagte sie nachdrücklich, als sie die veilchenfarbenen Kontaktlinsen einsetzte. Das Allerletzte, was sie gewollt hätte war, dass Nathan oder ein anderes Mitglied ihrer beiden Teams unverdient für ihr Fehlverhalten bestraft wurde. Der Einzige, den sie bestraft sehen wollte, war der Sympathisant der Rebellen, der ihr heute Nacht durch die Finger geschlüpft war. »Gibt's was Neues zu Rooster? Ich schätze, die JUSTIS-Einheit hat ihn inzwischen wieder laufen lassen.«

Als sie sich zu Nathan umdrehte, schüttelte er vage den Kopf. »Er hat kein Verbrechen begangen, es lag kein Haftbefehl gegen ihn vor. Es gab keinen Grund, ihn festzuhalten, also konnte er gehen.«

»Verdammte Scheiße«, murmelte sie und ignorierte den musternden Blick des Kriegers. »Wer weiß, wie lange es dauert, bis der Mistkerl wieder irgendwo auftaucht.«

Ohne seine Antwort abzuwarten stapfte sie von Nathan weg zum Ende des Schießstandes, um sich ihre Dolche zu holen. Als sie zurückkam, betrachtete er sie auf seine kühle, distanzierte Art, studierte sie wie einen taktischen Plan oder ein Rätsel, das gelöst werden musste. »Lief nicht allzu gut mit Lucan, wie ich höre.«

Sie hob die Schulter. »Er ist mit Recht wütend auf mich. Ich habe meine Kompetenzen überschritten, und das ist inakzeptabel. Ich hätte vorsichtiger sein müssen. Wenn ich mir diesen menschlichen Abschaum vornehmen wollte, hätte ich es nicht in aller Öffentlichkeit tun dürfen. Nächstes Mal gehe ich diskreter vor.«

»Nächstes Mal.« Nathan fluchte leise. »Du bist bis auf Weiteres vom Dienst suspendiert, Mira. Es wird kein nächstes Mal geben, oder du wirst endgültig suspendiert. Und das will niemand. Schon gar nicht du selbst.«

»Nein«, sagte sie. »Was ich will, ist Rache.«

»Und so stürzt du dich voller Wut mit fliegenden Dolchen in jede Schlacht und scheißt auf die Konsequenzen.« Unter anderen Umständen hätte sie es vielleicht als Kompliment für ihre Tapferkeit verstanden, aber die anklagende Miene ihres Freundes war nicht zu übersehen. Er musterte sie schweigend. »Ein Krieger, der von so egoistischen Motiven angetrieben wird, ist nicht geeignet, andere in die Schlacht zu führen. Vielleicht sogar völlig untauglich für den Orden.«

Lucan hatte ihr vorhin so ziemlich dasselbe gesagt. Dass sie sich die Missbilligung des Gründers und Anführers des Ordens zugezogen hatte, war schlimm genug. Nathan und die anderen Krieger zu enttäuschen, die mit ihr zusammen dienten, war ungleich schwerer zu ertragen. »Es tut mir leid«, sagte sie und meinte es auch von ganzem Herzen. »Ich wünschte, ich könnte ihn vergessen, Nathan, aber ich kann es nicht.«

»Du liebst ihn immer noch.«

Das war keine Frage, und sie konnte es nicht abstreiten. Nathan, wie auch die meisten Ordenskrieger und ihre Gefährtinnen, hatte schon vor langer Zeit die tiefe Bindung erkannt, die sich über die Jahre zwischen Kellan und ihr gebildet hatte. Was für sie als kindliche Verknalltheit in einen mürrischen, traumatisierten Jungen begonnen hatte, war zu etwas viel Stärkerem, Tieferem aufgeflammt, als sie zu einer jungen Frau heranreifte und Kellan zu einem mutigen Soldaten, einem guten Mann von unerschütterlichem Ehrgefühl.

Mira hatte ihn geliebt, seit sie acht Jahre alt war. Als sie älter wurde, wurde er ihr bester Freund und ihr bevorzugter Sparringspartner, nachdem sie mit der Ausbildung zur Kriegerin begonnen hatte. Er war der erste Junge gewesen, den sie geküsst hatte, mit fünfzehn; die erste Ahnung von Begehren, wenn aus Kampftraining und Gelächter erhitzte Blicke und Liebkosungen wurden, die ihren noch jungfräulichen Körper zitternd und voller Hunger nach mehr zurückließen.

Kellan war der Einzige für sie gewesen. Wie oft hatte sie sich ihr gemeinsames Leben ausgemalt, wie oft von ihrer Zukunft geträumt, wenn sie mit ihm als ihrem blutsverbundenen Gefährten die Ewigkeit teilen würde?

Aber er hatte auch immer einen Teil von sich selbst vor ihr verschlossen gehalten. Sie hatte nie verstanden warum. Und dann hatten sie eine unvergessliche Nacht miteinander verbracht, eine Nacht, in der sie alles von ihm bekommen hatte, endlich – nur um ihn wenige Stunden später bei dieser Explosion, die ihn sein Leben kostete, zu verlieren.

»Ich kann ihn nicht vergessen, Nathan. Und ich kann denjenigen nicht vergeben, die ihn aus unserem Leben gerissen haben. Wie schaffst du das? Schließlich war Kellan auch dein Freund.«

»Der beste, den ich je gehabt habe.« Nathan und Kellan waren wie Brüder gewesen. Vielleicht noch enger als Brüder, nachdem sie unzählige Male als Mitglieder desselben Ordensteams zusammen in die Schlacht gezogen waren. Gemeinsam hatten sie furchtlos dem Tod ins Auge gesehen und ihn ohne Gnade ausgeteilt, wenn die Pflicht es erforderte. Und sie hatten es als Freunde, Angehörige, Waffenbrüder getan. Mira konnte den Schmerz dieses Verlustes in Nathans blaugrünen Augen sehen, auch wenn sein gut aussehendes Gesicht seine stoische Soldatenmiene bewahrte. »Mir fehlt er auch, Mira. Ich finde es entsetzlich, dass er fort ist. Aber er *ist* fort. Er ist tot. Und wenn du deine Zukunft fortwirfst, bringt ihn das auch nicht zurück.«

Gott, wenn es doch so wäre. Einen kurzen, verzweifelten Augenblick lang überlegte sie sich, was sie bereit wäre zu opfern, um Kellan wieder lebendig zu machen. Fast ein Jahrzehnt ohne ihn, und immer noch sehnte sie sich nach ihm. Es war schon lächerlich, wie sehr sie sich danach verzehrte, ihn zu sehen, ihn zu berühren. Ein störrischer Teil von ihr klammerte sich immer noch an die Hoffnung, dass das alles einfach nur ein schrecklicher Irrtum war, der bald berichtigt werden würde, und dann wäre wieder alles so wie früher.

Wie erbärmlich.

»Wann fliegst du wieder nach Montreal?«, fragte Nathan und holte sie aus ihren düsteren Gedanken in die Wirklichkeit zurück. Die ebenfalls reichlich düster war.

»Ich gehe nicht zurück. Jedenfalls nicht in der nächsten Zeit.« Sie warf ihm einen kleinlauten Seitenblick zu. »Ich wurde nach D.C. beordert, für eine GN-Anhörung mit Lucan und den anderen Ordensältesten. Wo man mir wohl nahelegen wird, von meiner Position als Captain zurückzutreten. Webb wird mich ersetzen. Lucans Entscheidung. Er hat das Team schon ohne mich zur Basis zurückgeschickt.«

Müßig fuhr sie mit dem Daumen die Ornamente eines ihrer handgeschmiedeten Dolche nach – ein Geschenk von Nikolai und Renata, den einzigen Eltern, die sie je gekannt hatte. Die Klingen waren ähnlich gestaltet wie die, mit denen Renata so hervorragend umgehen konnte, aber dieses Paar war speziell für Mira entworfen worden, ein Geschenk, das ihr am Tag ihrer Beförderung zum Captain überreicht worden war.

Die Griffe ihrer Dolche waren auf beiden Seiten mit Ornamenten verziert, und derselbe Künstler hatte dieselben Parolen eingraviert wie auf Renatas vier Dolchen: *Mut. Opfer. Ehre. Glaube.*

Nie hatte sie sich unwürdiger gefühlt, sie zu tragen.

Nathan beobachtete sie in ernstem Schweigen, und obwohl er ihr seine Meinung zu der ganzen Angelegenheit ersparte, war ihr klar, dass er so gut wie sie verstand, dass ihre Position im Orden äußerst heikel geworden war. Man hatte sie ins Exil geschickt, in eine Art Niemandsland, noch nicht völlig aus ihrem bisherigen Leben herausgerissen, aber auf dem besten Weg dazu.

»Gibt es schon einen Termin für deine GN-Sache?«

Sie nickte. »In vier Tagen, unmittelbar bevor der Friedensgipfel beginnt. Aber meine Suspendierung tritt mit sofortiger Wirkung in Kraft.« Und außerdem war sie auch noch zu einem Spezialeinsatz verdonnert worden, der an sich schon eine Strafe war. »Ich bin als Babysitter für den Empfänger des Umweltpreises auf dem Gipfel abbestellt worden. Irgend so ein verschrobener Wissenschaftler namens Ackroyd oder Ackerman.«

»Ackmeyer«, berichtigte Nathan. »Jeremy Ackmeyer. Der Mann ist ein Genie, Mira. Exzentrisch, aber brillant. Ackmeyer hat praktisch Patente auf alles, von Textilien und Pflanzengenomen bis zur Solarenergie.«

Sie zuckte leicht mit den Schultern. »Genau der. Genie oder nicht, anscheinend erschrickt er schon vor seinem eigenen Schatten. Und er ist mit einem der älteren GN-Vorsitzenden verwandt. Lucan sagte, der Orden wurde um eine persönliche Eskorte für Ackmeyer gebeten, von seinem Haus in den Berkshires bis zum Gipfel, und außerdem ist dafür zu sorgen, dass er rechtzeitig dort eintrifft, um seinen Preis von Crowe Enterprises entgegenzunehmen, um den gerade so ein Medienwirbel veranstaltet wird.«

Sie verdrehte die Augen beim Gedanken, Teil von Reginald Crowes Medienzirkus zu sein, selbst wenn ihre Rolle ihr aufgezwungen wurde. Obwohl Lucan die Mission nicht als Strafmaßnahme dargestellt hatte, war Mira klar, dass er auf diese

Art dafür sorgte, dass sie beschäftigt war und sich nicht in neue Schwierigkeiten brachte, bis er die Zeit hatte, sich persönlich um sie zu kümmern und über ihre Zukunft im Orden zu entscheiden.

Nathan überlegte lange. »Könnte schlimmer sein. Du kannst bei Lucan nicht allzu sehr in Ungnade gefallen sein, wenn er noch bereit ist, dir eine Solomission zu geben.«

Sie stieß ein freudloses Lachen aus. »Das ist kaum eine Mission, das wissen wir doch beide. Und der einzige Grund, dass ich sie solo mache, ist, dass Ackmeyer darauf besteht, nur tagsüber zu fahren. Damit sind neunundneunzig Prozent der Ordensmitglieder automatisch ausgeschlossen, solange sie sich nicht unterwegs einäschern wollen.«

Ackmeyer hatte auch andere Anforderungen an seine Eskorte zum Gipfel; wegen seiner Phobien vor öffentlichen Verkehrsmitteln und über die Luft übertragene Krankheiten wollte er nur mit dem Auto reisen – das natürlich brandneu und gründlich gesaugt, gereinigt und desinfiziert sein musste. Er bestand auf maximal vier Stunden Fahrt pro Tag und weigerte sich, in Hotels abzusteigen. Was bedeutete, dass die eigentlich elfstündige Fahrt nach Washington über sechzig Stunden dauern würde – gemeinsam im engen Wagen.

Kein Wunder, dass Lucan sie mit Ackmeyers Sicherheit betraut hatte. Jeder andere Krieger, den sie kannte, würde den schrulligen Normalsterblichen wohl erwürgen, noch bevor sie die südliche Staatsgrenze von Massachusetts erreicht hätten. Sie hoffte inständig, dass sie nicht auch in Versuchung kommen würde. Wenn sie auch nur eine winzige Chance hatte, ihre Position im Orden zu retten, wäre ein erwürgter Ehrengast nicht die beste Strategie.

In einem heimlichen, gefährlichen Winkel ihres Herzens wusste sie: Wenn Lucan sie aus dem Orden warf, würde sie weiterkämpfen, weiter Gerechtigkeit wollen, Rache an den Rebellen, die ihre ganze Welt in ihren Grundfesten erschüttert hatten, als sie ihr Kellan nahmen. Sie wusste nicht, wie weit sie für ihre Gerechtigkeit gehen würde, aber es erschreckte sie ein wenig, dass sie überhaupt so weit dachte. Ihr Hass brannte zu heiß, hatte zu tiefe Wunden in ihr geschlagen.

Die geschmiedeten Griffe ihrer Dolche fühlten sich kalt in ihren Handflächen an. Sie drehte sie in den Fingern herum und ließ sie in die Scheiden an ihren Oberschenkeln gleiten.

»Wie auch immer, ich breche in ein paar Stunden auf, und dann stelle ich mich meinem Schicksal in D.C.«, sagte sie zu Nathan. »Ich sollte ins Bett und schauen, dass ich noch etwas Schlaf kriege.«

»Mira«, sagte er, als sie sich umdrehte und wegging. Sie wollte nicht mehr reden. Wollte nicht daran denken, was sie am Ende ihrer Reise in nur vier Tagen erwartete, auch nicht daran, wie es danach mit ihr weitergehen würde. »Mira, warte.«

Sie blieb stehen, drehte sich um und sah ihrem lieben Freund in die ernst blickenden Augen.

»Sei vorsichtig«, sagte er, und sein unverwandter Blick schien ihr mitten in die Seele zu sehen. »Du bewegst dich auf sehr dünnem Eis. Mach das richtig. Du bist zu gut, um jetzt aufzuhören. Gib Lucan nicht noch mehr Gründe, dich rauszuwerfen.«

»Keine Sorge.« Sie zwang sich zu einem milden Stirnrunzeln und schüttelte leicht den Kopf, missverstand ihn absichtlich. »Ich bin bloß Babysitter, nicht auf einer Mission. Da wird nichts schiefgehen.«

4

Am selben Morgen kam Mira den detaillierten Instruktionen gemäß, die sie von Jeremy Ackmeyer höchstpersönlich erhalten hatte, um exakt neun Uhr früh an seinem Anwesen im ländlichen Westen von Massachusetts an. Das Haus war riesig, aber extrem minimalistisch gehalten. Kein Zaun, kein Tor oder Wächter schirmte das zurückgezogen lebende Genie ab. Es war ein nichtssagender, eingeschossiger weißer Betonklotz mit Solarelementen auf dem Dach und Fensterläden mit Stahllamellen, der auf einem weiten Hügel in der Mitte eines zwei Hektar großen Grundstücks mit kahlem, gnadenlos getrimmtem Rasen stand.

Selbst ohne Tor oder Wächter kam Mira das Haus eher wie ein Gefängnis als ein Haus vor, das jemand sein Zuhause nannte – selbst ein verschrobener Typ wie Ackmeyer.

Der Wissenschaftler mit der Bakterienphobie wollte nicht, dass sie ins Haus kam und womöglich etwas kontaminierte, sondern hatte stattdessen mit ihr vereinbart, dass sie sich unten in der Garage treffen und sofort aufbrechen würden. So rollte sie wie angewiesen die lange Einfahrt zur Tiefgarage hinunter und bremste am elektronischen Öffner vor dem rechten Garagentor.

Mira ließ das Fenster hinunter, dankbar für die frische Morgenluft, die zu ihr hineinströmte. Das Innere der Limousine roch immer noch stark nach Desinfektionsmittel von der gründlichen Reinigung, auf der Ackmeyer bestanden hatte, bevor er auch nur einen Fuß in das Fahrzeug setzte. Krankheitserreger, hatte er erklärt, als jage ihm das Wort eisigen Schrecken ein. Was würde er tun, wenn sie ihm das Gesicht ableckte, sobald sie nah genug an ihn herankam? Wahrscheinlich mit einem Schlaganfall zusammenbrechen. Sie konnte diese Fahrt mit Sicherheit schneller hinter sich bringen, wenn ihr Passagier ohnmächtig war.

Mit einem Grinsen atmete Mira genießerisch die kühle Landluft ein. Dieser kleine Geschmack von Freiheit würde ihr für die nächsten fünf Tage ausreichen müssen. Sie drückte den Ankunftsknopf auf dem elektronischen Türöffner der Garage, beugte sich vor und sprach das zeitlich befristete Passwort hinein, das Ackmeyer ihr heute früh am Telefon mitgeteilt hatte. »*Annus Mirabilis.*«

Ob Ackmeyer das lateinische Passwort ausgesucht hatte, weil es ein Wortspiel mit ihrem Namen war? Sie hätte ihn fast danach gefragt, beschloss dann aber, damit zu warten, schließlich würde sie auf der Fahrt jede Menge Zeit dafür haben. Sie würde weiß Gott ein paar angemessene Gesprächsthemen für die vielen Stunden brauchen, die sie auf der Straße nach D. C. miteinander verbringen würden.

Die Garagentür bewegte sich nicht.

Mira streckte den Kopf aus dem Fenster und versuchte es noch einmal mit dem Passwort.

Nichts.

»Ach komm schon«, murmelte sie und starrte die Garagentür finster an. Hatte er mit all seinen Zwangsneurosen etwa nicht bemerkt, dass sein privates Sicherheitssystem nicht funktionierte?

Sie versuchte es wieder, und als die Garagentür sich immer noch nicht rührte, spähte sie durch die Windschutzscheibe zum Haus hinauf. Ackmeyer hatte sie ausdrücklich angewiesen, in der Garage auf ihn zu warten, und ihr unter allen Umständen verboten, sein Haus zu betreten. Er hatte nicht gesagt, dass sie nicht in den Garten vor dem Haus gehen und ihm zurufen konnte, dass sie angekommen war.

Mira stieg aus dem Wagen und sprintete den Hügel hinauf zur Vorderseite des Hauses. »Mr. Ackmeyer?«, rief sie, ging zu einem der Fenster und spähte durch die Stahllamellen. »Jeremy, sind Sie da drin?«

Ihr Nacken kribbelte. Ihr Kriegerinstinkt sagte ihr, dass hier etwas nicht stimmte. Andererseits, als sie vor einigen Stunden mit Ackmeyer geredet hatte, hatte er über die Reise alles andere als begeistert geklungen. Er mache seine Arbeit nicht für Preise oder Auszeichnungen, hatte er beharrt, wofür Mira ihn trotz seiner persönlichen Macken respektierte. Er war gezwungen, an der Festveranstaltung in D. C. teilzunehmen, aus Verpflichtung gegenüber seiner gesellschaftlich und politisch engagierten Familie und auch aufgrund des Drucks, den Reginald Crowe persönlich ausübte.

Aber das war nicht ihr Problem. Sie hatte hier einen Job zu machen, und das bedeutete, Jeremy Ackmeyer wie erwartet auf dem Gipfel abzuliefern, und zwar gesund und munter.

Aber irgendetwas stimmte hier nicht.

Ganz und gar nicht.

Was sie am meisten wunderte, war die seltsame, unnatürliche Stille.

Und dann ertönte ein lautes Poltern.

Das Geräusch kam von irgendwo im Haus.

Ein Einbruch am helllichten Tag?

Mira spürte ihren Dolch in der Hand, noch bevor sie überhaupt realisiert hatte, dass sie ihn aus seiner verborgenen Scheide an ihrem Rücken gezogen hatte. Ihre Kriegerinstinkte gerieten in Widerspruch mit ihrem Bedürfnis sich davon zu überzeugen, dass Ackmeyer in Ordnung war. »Jeremy? Wenn Sie da drin sind, müssen Sie sich mir zeigen.«

Ein lauter, schwerer Rums antwortete. Dann donnerten Stiefel eine Treppe hinunter. Wie viele, konnte sie nicht sagen. Sie hörte gedämpfte Stimmen, gefolgt von einem erstickten Schmerzens-schrei, der abrupter endete, als Mira lieb war.

Das gibt's doch nicht.

Sie spannte die Finger um den Griff ihres Dolches und schlich am Haus entlang, versuchte, die Lage abzuschätzen, um zu entscheiden, wie sie als Einzelne gegen eine unbekannte Anzahl von Personen im Haus vorgehen sollte.

Mira war gut mit ihren Klingen und im Nahkampf, aber jetzt wünschte sie sich, sie hätte Ackmeyers Abscheu vor Waffen und Gewalt jeder Art ignoriert. Ihre Dolche trug sie immer verdeckt am Körper, aber um ihn nicht aufzuregen, hatte sie ihre Pistole im Handschuhfach des Wagens gelassen. Verdammt. Sie raste wieder den Hügel hinunter zum Wagen und riss die Beifahrertür auf.

Kaum hatte sie die riesige Neunmillimeter aus ihrem Holster gezerrt und entsichert, hob sich die Tür der linken Garage, und ein schwarzer Lieferwagen schoss wie eine Kugel heraus und an ihr vorbei.

Er verfehlte sie nur knapp, die Reifen quietschten auf dem Asphalt und hinterließen eine Rauchwolke, als der Kleinlaster mit heulendem Motor den Weg hinaufraste. Mira duckte sich und eröffnete das Feuer auf das Fahrzeug.

Sie zerschoss einen Hinterreifen und feuerte Salve um Salve ab, als der Lieferwagen wild schwankte, gebremst durch den platten Reifen. Sie feuerte weiter, bis sie ihr Magazin leer geschossen hatte, dann hechtete sie in die geöffnete Beifahrertür ihres Wagens und rutschte über die Sitze zur Fahrerseite. Sie knallte den Rückwärtsgang ein, trat hart aufs Gas und legte mit quietschenden Reifen eine Kehrtwende hin.

Die Augen immer auf den schwankenden Lieferwagen vor ihr gerichtet, stellte sie die Automatikschaltung auf Fahren und trat das Gaspedal durch. Statt den anderen Wagen von hinten zu rammen und zu riskieren, dass sie ihren eigenen Wagen beschädigte, raste Mira neben ihn und drängte ihn von der asphaltierten Auffahrt auf den gekiesten Hof, wo er mit dem zerschossenen Reifen noch schwerer weiterkam. Ihm blieb nur die Wahl, das Tempo zu drosseln. Er brach auf dem unebenen Gelände nach rechts aus, und Mira blieb hartnäckig an seiner Seite und drängte ihn weiter ab.

Sie rechnete mit einem Kugelregen aus dem Fahrerfenster, aber die Fahrerin, eine junge Frau mit langem schwarzen Haar, und der blonde Mann mit dem harten Blick auf dem Beifahrersitz schienen interessierter daran Mira abzuhängen, als sie zu erschießen. Doch der Mann war erregt, wedelte mit den Händen über den Sitz und brüllte der Fahrerin Befehle zu. Sie blieb cool und lenkte den Wagen als hoffte sie, Miras Falle wieder entkommen zu können, aber ihr Partner hatte nicht ihre Geduld. Er griff nach dem Lenkrad, krabbelte über die Frau, drängte sie zur Seite und rutschte selbst auf den Fahrersitz.

Der Lieferwagen schwankte wild, dann scherte er abrupt nach links aus und streifte mit der Seite Miras Limousine. Sie hielt dagegen, den Fuß fest auf dem Gas, ihre Arme zitterten von der Anstrengung, das Lenkrad gegen die Schubkraft des Vans in der Spur zu halten. Als der Fahrer plötzlich bremste, erkannte Mira ihren Fehler. Zu spät, um ihren Wagen noch zu stoppen landete sie direkt vor dem Lieferwagen.

Keine Sekunde später rammte er sie von hinten.

Der Aufprall zerschmetterte die rechte hintere Seite ihres Wagens. Sie wurde zur Seite geschleudert, Schulter und Kopf krachten gegen Fahrertür und Fenster. Gleißendes Licht explodierte in ihrem Schädel. Sie roch Blut, spürte, wie sich eine warme, nasse Hitze auf ihrem Kopf ausbreitete und ihr links das Gesicht hinunterlief.

Dicker schwarzer Nebel stieg vor ihren Augen auf, als die

Limousine heftig ins Schleudern geriet. Dann verlangsamte sich alles ... und blieb stehen.

Stimmen kamen näher.

Sie wusste nicht, wie viele es waren, konnte nicht begreifen, woher sie kamen, bis sie den Kopf hob und den schwarzen Lieferwagen sah, der bei ihrem zertrümmerten Wagen stand. All ihre Sinne waren wie in schwere Gaze gepackt, ihr Gehirn konnte die Flut der Eindrücke und Geräusche kaum verarbeiten. Sie versuchte sich zu bewegen, aber ihre Glieder widersetzten sich dem schwachen Befehl.

»Komm schon, Brady. Wir haben keine Zeit dafür.« Eine Männerstimme näherte sich, nervös und abgehackt. »Wir müssen los, und zwar sofort!«

»Du hast Bowmans Befehle für diesen Job gehört.« Es war eine Frau, die antwortete. »Keine Todesopfer, Vince. Zielperson in Gewahrsam nehmen und zurück zur Basis. Das war der Plan.«

»Und wir haben Ackmeyer, somit ist die Mission erfüllt, und jetzt machen wir, dass wir hier wegkommen.«

»Ich gehe nirgendwohin, solange ich nicht weiß, dass sie in Ordnung ist.« Eilige Schritte näherten sich dem Wagen, in dem Mira zusammengesackt war. Mit einem Knirschen wurde die Fahrertür geöffnet. »Himmel. Oh Scheiße ... los, hol Doc. Er soll sofort herkommen.«

»Stirbt sie?«

»Bete mal lieber«, antwortete sie kurz angebunden. »Hol Doc, sofort.«

Durch den dicken Nebel, der Miras Sinne einhüllte, spürte sie eine Bewegung in der Luft, als der Mann näher kam. Hörte, wie er plötzlich Atem holte, als er sich über seine Kameradin lehnte, um sie, Mira, besser zu sehen. »Ich werd verrückt. Die Schlampe ist vom Ord–«

»Ich weiß, wer sie ist«, blaffte die Frau ihn an. »Ruf Doc. Und Chaz soll unseren Reifen wechseln, sofort. Ich kontaktiere die Basis. Jemand muss dem Boss sagen, dass wir hier ein Riesenproblem haben.«

Sie schien nicht zu bemerken, dass Mira die Finger krümmte. Erkannte nicht, dass Miras Hand durch das Zucken des Muskels auf dem Griff des Dolches zu liegen kam, der sich auf dem Wagenboden vor dem Fahrersitz befand.

Mira konzentrierte sich auf den kalten Metallgriff ihres Dolches, als der Mann davonrannte, um die Instruktionen auszurichten, und die Frau wandte sich ab, um ihren Anführer anzurufen.

»Sie sollten längst hier sein.« Bowmans Stimme war eher ein Knurren als gesprochene Worte, als er durch seine Festung stapfte, fast drei Stunden nachdem man ihm telefonisch durchgegeben hatte, dass die Operation schiefgelaufen war.

Die zierliche junge Frau, die in der Basisstation der Rebellen südlich von Boston für die Kommunikation zuständig war, konnte in den düsteren Korridoren des Bunkers kaum mit ihm Schritt halten. Sie klemmte eine Locke ihres kurzen indigoblau gefärbten Haares hinter ein Ohr, an dem sie mindestens ein Dutzend winzige Metallringe trug. »Ich habe versucht, sie für ein Update zu erreichen, aber sie antworten nicht.«

»Wann hast du es zum letzten Mal versucht, Nina?«

»Vor fünf Minuten.«

Bowmans Fluch hallte von den feuchten Granitwänden wider. Er rieb sich angespannt über seinen Kiefer und das dunkle Kinnbärtchen. »Versuch's noch mal. Sofort.«

»Alles klar, Chef.« Schon hatte sie ihr Kommunikationsgerät aktiviert und sprach den Befehl, der sie mit dem Einsatzteam verbinden sollte, das sich auf der Rückfahrt befand. Nach einigen

Sekunden schüttelte sie ernst den Kopf, die großen braunen Augen voller Besorgnis. »Immer noch nichts.«

»Verdammte Scheiße.« Etwas war schiefgegangen. Etwas Schlimmeres als die offensichtlichen Komplikationen vor einigen Stunden bei Ackmeyers Haus.

Bowman würde nicht untätig mit seinem Schwanz in der Hand herumsitzen und warten. Diese Inaktivität hatte er schon gehasst, seit er das Okay für diesen Job gegeben hatte. Jetzt brannte sie ihm wie Säure in der Kehle.

Seine Kampfstiefel hallten hohl auf dem Betonboden der verlassenen Militäranlage, als er eine Ecke umrundete und tiefer in den Bunker hineinging, auf einen von Hand gehauenen Tunnel zu, der zu der unterirdischen Geschützbatterie führte, die als die kleine Garage des Rebellenstützpunktes diente.

»Sie sind sicher jede Minute da«, sagte Nina und musste joggen, um mit ihm Schritt zu halten. »Ich bin sicher, sie haben jetzt alles unter Kontrolle.«

Bowman knurrte nur und ging weiter. Wenn es nur so einfach wäre, sich zurückzulehnen und abzuwarten, während man doch wusste, wie übel die Dinge da draußen aus dem Ruder gelaufen waren.

»Was willst du machen? Du kannst ihnen doch nicht nachfahren ...«

Er antwortete nicht, wurde nicht langsamer.

Verdammt, er hätte diesen Job nie anordnen dürfen. Er hatte von Anfang an ein ungutes Gefühl gehabt, aber nachdem er monatelang auf die Gelegenheit gewartet hatte, Ackmeyer zu greifen, hatte er sich die Chance nicht entgehen lassen wollen, nur weil die Entführung tagsüber und unter alles anderem als perfekten Bedingungen durchgeführt werden musste.

Alles andere als perfekt – die Untertreibung des Jahrhunderts, dachte er, als er den langen Korridor hinunterstürmte, mit Nina auf den Fersen, die einen weiteren hektischen Versuch machte, Brady, Doc und die anderen zu erreichen.

Wie lange hatten sie ihren Plan entwickelt, an Ackmeyer heranzukommen? Fast ein Vierteljahr sorgfältiger Spionage, die richtigen Fühler nach den richtigen Leuten ausstrecken, auf den perfekten Augenblick zum Zuschlagen warten. Es hätte noch Monate dauern können, um die idealen Voraussetzungen zu schaffen. Zu lange, und eine Verzögerung konnte katastrophale Folgen haben, wenn Ackmeyer derweil seine Arbeit fortsetzte. Noch schlimmer, wenn er beschließen sollte, die Früchte seiner formidablen Arbeit zu ernten.

Dieses Argument war es gewesen, das Bowman schließlich überzeugt hatte, der Mission heute Morgen trotz der zahlreichen Risiken grünes Licht zu geben. In letzter Minute waren Informationen von einem der Bostoner Kontaktleute der Rebellen hereingekommen. In ein paar Tagen würde Ackmeyer auf der Friedensgipfel-Gala einen seiner seltenen öffentlichen Auftritte haben. Und als der gefeierte Gast keines anderen als Reginald Crowes.

Jetzt konnten sie nicht länger warten. Diese Bühne durfte Ackmeyer auf keinen Fall betreten.

Was das anging, hatte zwischen Bowman und seiner Rebellengruppe sofort Konsens geherrscht, und der Plan, den zurückgezogen lebenden Wissenschaftler zu entführen, wurde sofort in die Tat umgesetzt. Er hatte dem Team vertraut, das er mit der Ausführung beauftragt hatte. Sie waren kompetent und erfahren, hatten sich unzählige Male im Einsatz bewährt. Er hatte sich auf sie verlassen und nie an ihrem Erfolg gezweifelt, mit ihm oder ohne ihn als Anführer.

Sie hätten es auch geschafft, wenn es kein unerwartetes Hindernis gegeben hätte.

Nachdem er großen Aufwand betrieben hatte, um genau

solche Probleme zu vermeiden, war er nun in direkten Konflikt mit dem Orden geraten. Er hoffte nur, dass nicht sein Team – Hölle noch mal, der Rest der Welt – für seinen Fehler bezahlen musste.

Bowman beschleunigte seine Schritte, als er sich dem Eingang des Tunnels näherte, der in die Batterie führte. Kaum hatte er den gähnenden Schlund erreicht, drang durch die Dunkelheit fernes Stimmengewirr zu ihm herüber.

»Sind sie das?«, fragte Nina mit vor Besorgnis gerunzelter Stirn.

In der nächsten Sekunde ertönte der Schrei einer Frau, dann der kurze, wütende Aufschrei eines Mannes.

Bowman warf Nina einen flüchtigen Seitenblick zu, dann schoss er wie eine Kugel in den dunklen Tunnel. Drüben brach Chaos aus – noch mehr Geschrei und Tumult. Ein metallisches Klirren, und plötzlich frischer Blutgeruch.

Er kam aus dem Tunnel gerannt, gerade als Doc bei dem Lieferwagen zusammenbrach, einen Dolch im Unterbauch. In der offenen Schiebetür des Wagens war Vince neben einem gefesselten und bewusstlosen Jeremy Ackmeyer zusammengesackt, einen provisorischen Druckverband um den linken Arm, offensichtlich war seine Verletzung unterwegs versorgt worden. Er hatte Prellungen im Gesicht, seine Kleider waren an mehreren Stellen zerfetzt. Währenddessen versuchten Brady und Chaz erfolglos, die teilweise gefesselte Frau mit der Kapuze in ihre Gewalt zu bekommen, sie kämpfte wie ein Dämon.

Nein, korrigierte Bowman sich in der Sekunde, als er sie sah, sie kämpfte wie eine Kriegerin.

Wie die Kriegerin, als die er sie erkannte.

In diesem Sekundenbruchteil, zwischen dem Augenblick, als er einfach nur der Anführer dieser abtrünnigen Soldaten war, und dem, als er vor Staunen und Respekt für eine Frau erstarrte, die er vor so langer Zeit verraten hatte, dachte Bowman nicht daran, in Vinces Richtung zu schauen.

Erst als es zu spät war.

Mit wutverzerrtem Gesicht stürzte Vince sich ins Gefecht, eine von Docs Betäubungspistolen in der Hand. Er schlug sie damit, riss ihr die schwarze Kapuze ab und stieß ihr den Lauf gegen den Hals. Er drückte den Abzug, prompt gaben ihre Glieder nach und sie fiel wie ein Stein zu Boden.

Bowmans Aufbrüllen erschütterte die ganze Festung.

Eben stand er noch am offenen Tunneleingang, in der nächsten Sekunde hatte er Vince am Hals gepackt und hob ihn in die Höhe, seine Finger schlossen sich in mörderischer Wut um seinen Kehlkopf.

»Was hast du getan!«, fauchte er.

Vince traten die Augen aus dem Schädel, er stotterte und quiekte, versuchte, etwas zu sagen. »M-musste … irgendwas tun … hat uns … im Wagen angegriffen … hätte Doc eben fast … umgebracht …«

Bowman drückte fester zu, die Hitze seiner Wut tauchte Vinces Gesicht in einen bernsteingelben Schein. Das frische Blut in der Batterie hätte schon ausgereicht, um seine Transformation auszulösen, aber es war die reine Wut, von der ihm jetzt sein Zahnfleisch schmerzte. Er bleckte die Lippen, und die tödlichen Spitzen seiner Fänge schossen heraus.

Vinces Augen wurden noch größer, Todesangst stand ihm ins Gesicht geschrieben. Bowman konnte seinen scharfen Angstgeruch riechen, seinen rasenden Herzschlag an den Fingerspitzen spüren. Er konnte Vinces Angst in seinen Gedanken hören, sie durch die Berührung spüren, durch die er in den Kopf des Mannes eindringen und seine wahren Absichten erkennen konnte.

Die helle Panik, die Vince dazu gebracht hatte, die Frau anzugreifen, vertiefte sich zu äußerstem Entsetzen, als er Bowman anstarrte und mühsam um Luft kämpfte. »B-bitte …«, keuchte Vince. »N-nicht … töten …«

»Sie ist okay.« Jetzt ertönte Bradys Stimme quer durch den Raum, ruhig und vorsichtig. »Es war bloß eine Betäubungspistole. Wenn sie aufwacht, wird ihr nichts fehlen.«

Bowman hielt seinen Blick weiter auf Vince gerichtet. »Du fasst sie nicht an. Nie wieder. Und wenn, stirbst du. Kapiert?«

Der Rebellensoldat nickte schwach. »Bitte … lass mich los …«

Bowman ließ ihn fallen und würdigte ihn keines Blickes mehr. Er fuhr herum und ging neben der Kriegerin in die Hocke, die in der Nähe auf dem Boden lag. Sie war noch nicht ganz bewusstlos. Ihre Augen bewegten sich hinter den Lidern und öffneten sich immer wieder schläfrig, als sie gegen das starke Sedativum ankämpfte, das Vince ihr in die Adern gejagt hatte. Sie murmelte unzusammenhängendes Zeug, ihre leise Stimme wurde jede Sekunde schwächer.

Er bemerkte getrocknetes Blut in ihrem blonden Haar, verkrustet an ihrer linken Schläfe, wo am Haaransatz ein kleines rotes Muttermal zu sehen war. Der Anblick dieser winzigen Träne, die in die Wiege einer Mondsichel fiel, in Kombination mit ihrem liliensüßen Blutduft, machte sein Bedauern nur noch größer, das ihm wie ein Felsbrocken im Magen lag, schon von dem Augenblick an, als sich sein Team von dem Einsatz bei ihm gemeldet hatte.

Dass sie bei dieser Operation verletzt worden war – noch bevor die Betäubungspistole einen dunklen Bluterguss an der zarten Haut ihres Halses hinterlassen hatte –, machte ihn ganz elend vor Selbsthass.

Der Drang, sie zu berühren, überwältigte ihn fast.

Er wollte sie trösten, sie an sich drücken, dafür sorgen, dass sie in Sicherheit war.

Aber er konnte das alles nicht tun.

Er hatte kein Recht dazu.

Nicht mehr.

Er war nicht mehr dieser Mann. Für seine Rebellentruppe war er seit acht Jahren Bowman. Ihr Anführer, der zufällig auch als Stammesvampir geboren war, nicht als Homo sapiens wie die anderen.

Aber diese verletzte und blutende junge Frau, die jetzt vor ihm lag, hatte ihn zu einer anderen Zeit an einem anderen Ort gekannt. Als er noch ein anderer Mann gewesen war, geboren mit einem Namen, unter dem ihn keiner seiner Rebellenanhänger kannte.

»Kellan …?«

Ihre Stimme war nicht mehr als ein Flüstern, selbst für ihn kaum hörbar. Er spürte, wie ihre Hand die seine streifte, federleicht, fragend. Gegen seinen eigenen Willen sah er in ihr Gesicht hinunter. Ihre Augen waren nicht einmal halb geöffnet und blickten unkoordiniert umher. Im nächsten Augenblick wurde sie bewusstlos, ihre Finger erschlafften, ihr Kopf sank zur Seite und sie fiel in einen tiefen Drogenschlaf.

Er schloss kurz die Augen, verscheuchte die Vergangenheit und griff nach dem einzigen Ding, das ihm noch geblieben war.

»Die Show ist vorbei, Leute. Und jetzt beeilt euch. Wir haben einen Job zu erledigen.«

5

Sie hatte nicht erwartet, wieder aufzuwachen.

Hölle noch mal, sie hatte nicht damit gerechnet, überhaupt noch am Leben zu sein. Nicht nach dem Kampf mit ihren Entführern im Lieferwagen, als sie den Typ namens Vince mit dem Dolch verletzt hatte, kurz nachdem sie sie bei Jeremy Ackmeyers Haus in den Lieferwagen gestoßen hatten. Sie hätten sie töten können. Und sie hätte es ihnen nicht verübeln können, wenn sie sie getötet hätten, als sie ihnen vorhin bei der Ankunft an diesem Ort so heftige Gegenwehr geleistet hatte.

An diesem ... wo immer sie hier war.

Der Druck auf ihrem Gesicht sagte ihr, dass man ihr die Augen verbunden hatte. Handschellen schnitten in ihre Gelenke, sie waren irgendwo über ihrem Kopf befestigt. Sie zog an ihnen und hörte sie gegen etwas klirren, was wohl das Kopfende eines Bettgestells aus Metall sein musste. Auch ihre Beine waren gefesselt, die Knöchel am Fußende des Bettes befestigt.

Ihr Mund fühlte sich so trocken an, als wäre er voll Watte, aber wenigstens hatte man sie nicht geknebelt. Doch was würde es ihr auch nützen, wenn sie schrie? Sie brauchte die Wände ihres Gefängnisses nicht zu sehen, um zu wissen, dass sie aus einem massiven, undurchdringlichen Material waren. Stein, schätzte sie, und dem feuchten, abgestandenen Geruch nach zu urteilen vermutlich fensterlos.

Sie roch den schwachen Salzgeruch des Ozeans in der feuchten Luft. Hörte das Tosen der Brandung, nicht weit entfernt. Aber sonst nur Stille.

Nein, wenn sie hier schrie, würden nur ihre Entführer sie hören.

Mira bewegte sich auf der dünnen Matratze und zuckte unter dem stumpfen Schmerz seitlich an ihrem Hals zusammen. Sie konnte sich daran erinnern, dass man sie dort mit etwas Scharfem verletzt hatte. Etwas, das ihr die Beine wegknicken ließ und sie bewusstlos machte. Tranquilizer, erkannte sie jetzt.

Aber es fiel ihr nicht schwer, sich an das plötzliche, überwältigende Gefühl zu erinnern, zu treiben, zu fallen …

Zu sterben, hatte sie gedacht.

Sogar das Gesicht eines Engels hatte sie in diesen letzten Augenblicken vor der Bewusstlosigkeit gesehen. Kellans Gesicht, gut aussehend und gehetzt, und seine gefühlvollen haselnussbraunen Augen hatten sie mit einem Ausdruck angesehen, der traurig, irgendwie todunglücklich wirkte.

Gott, sie mussten ihr wirklich einen guten Stoff verpasst haben.

Es kostete sie bedeutend mehr Anstrengung, den Anflug von Verlangen in ihrer Brust abzuschütteln, das ihren Erinnerungen an Kellan immer folgte. Stattdessen sammelte Mira sich in ihrer derzeitigen Realität – die im Augenblick auch nicht allzu vielversprechend aussah.

Wieder zog sie probeweise an ihren Handschellen, ohne Erfolg. Dann drehte sie den Kopf auf dem Kissen, versuchte, durch die Reibung ihre Augenbinde abzustreifen. Sie verrutschte nur ein wenig auf der rechten Seite, nicht genug, um etwas zu sehen.

Und anscheinend hatte sie schon genug Lärm gemacht, denn jetzt hörte sie das laute Klirren eines Schlüssels, der sich im Schloss drehte. Irgendwo beim Fußende des Bettes öffnete sich knarrend eine schwere Holztür.

»Du bist wach.« Die Frau mit dem langen schwarzen Haar, Brady hatten die anderen sie genannt. Mira erkannte ihre Stimme und ihren langbeinigen Gang, als sie sich dem Bett näherte. »Wie fühlst du dich?«

»Ich muss gleich kotzen«, antwortete Mira, ihre eigene Stimme klang rau. »Aber das muss ich in der Nähe von Rebellenabschaum meistens.« Sie räusperte sich in ihrer ausgedörrten Kehle. »Das seid ihr doch, was? Rebellen. Feiges Gesindel, das sich wie Ratten im Dunklen zusammenrottet und dessen Schweinereien andere aufräumen dürfen. Die das Leben von anderen auslöschen, die Hunderte von eurem Schlag wert sind.«

Die Frau antwortete nichts auf diese Boshaftigkeiten. Mira hörte ein leises Rascheln neben ihrem Kopf, dann wurde etwas in ein Glas eingegossen. »Trink das«, sagte sie zu Mira. »Ist nur Wasser. Das Betäubungsmittel, das du bekommen hast, wird dich dehydriert haben.«

Mira drehte den Kopf weg, als ihr das kühle Glas an die Lippen gehalten wurde. »Ich will nichts, was du mir gibst. Sag mir, was ihr mit Jeremy Ackmeyer gemacht habt.«

Ein leiser Seufzer. »Du brauchst dir um ihn keine Sorgen zu machen. Er ist nicht dein Problem.«

»Was mein Problem ist, entscheide ich.« Mira versuchte, sich aufzurichten, hatte aber keinen Spielraum mit den Handschellen, die ihr in die Gelenke schnitten. Mit einem gezischten Fluch ließ sie sich wieder zurücksinken. »Wo ist er? Was wollt ihr von ihm?«

Wieder wurde ihr das Wasserglas an die Lippen gehalten. »Wir werden dich heute Abend freilassen, unverletzt«, sagte die Rebellin und ignorierte ihre Fragen.

»Mich freilassen?«, schnaubte Mira höhnisch und verweigerte das Wasser zum zweiten Mal. »Und du denkst, das kaufe ich dir ab? Ich habe eure Gesichter gesehen. Ich weiß zwar nicht, wohin genau ihr mich gebracht habt, aber wir sind hier nicht weit von

Boston entfernt. Irgendwo sehr nah an der Küste – so nah, dass ich das Meer hören kann. Ich kann es in der Luft schmecken. Dürfte sich hier um eine Art Bunker handeln, einen sehr alten. Dürfte nicht lange dauern, euren Schlupfwinkel zu orten, und dann komme ich zurück und kauf mir euch alle.«

»Daran haben wir gedacht.« Keinerlei Besorgnis schwang in der ruhigen Stimme mit. »Natürlich werden wir die nötigen Vorsichtsmaßnahmen treffen.«

Vorsichtsmaßnahmen, überlegte Mira. Wollten sie Ackmeyer an einen anderen Ort bringen? Oder bedeutete das, dass die Rebellen heute Nacht ihre Operationsbasis verlegen, sich zerstreuen würden wie das Ungeziefer, das sie waren?

Sie würden ihr nie entkommen, und schon gar nicht dem Orden, egal wie weit sie flohen. Und wenn sie dachten, dass die Kapuze, die sie ihr auf der Rückfahrt übergestülpt hatten, und jetzt ihre Augenbinde ihre Identitäten oder ihren Schlupfwinkel schützen würden, täuschten sie sich gewaltig. Wenn sie ihr keine Lobotomie verpassten – was definitiv gegen ihr Versprechen verstoßen würde, sie unverletzt freizulassen –, wusste Mira nicht, wie diese Menschen sie laufen lassen und erwarten konnten, ungestraft davonzukommen.

»Ihr wisst, wer ich bin«, stellte Mira fest.

»Wissen wir«, antwortete die Frau ruhig. »Ich weiß es.«

»Dann musst du auch wissen, dass ich dich und den Rest deiner kriminellen Freunde finden werde und dass ich nicht alleine komme.« Mira hätte zu gerne das Gesicht der Rebellin gesehen und die Angst eingeschätzt, die ihr ins Gesicht geschrieben sein musste. Niemand, der nicht dumm oder leichtsinnig war, legte sich mit dem Orden an, und diese Frau mochte alles Mögliche sein, aber dumm war sie definitiv nicht. »Sag deinen Kumpels, wenn ihr denkt, ich gehe ohne Ackmeyer hier weg, täuscht ihr euch gewaltig.«

»Das entscheide nicht ich«, sagte sie. »Und jetzt bitte trink was.«

Wieder spürte Mira das Glas an ihrem Mund. Dieses Mal warf sie sich, statt zu trinken oder den Kopf wegzudrehen, nach vorne und biss der Rebellin in den fleischigen Daumenballen.

Die Frau schrie auf, sprang zurück und ließ das Glas auf den Boden fallen. Es zerschellte neben dem Bett, ohrenbetäubend laut in der stillen Zelle mit den dicken Wänden.

Mira nutzte die Schrecksekunde, um wieder gegen ihre Fesseln anzukämpfen. Sie bäumte sich auf und zerrte, schaffte es aber nur, die Binde von einem ihrer Augen abzustreifen, als in der offenen Tür plötzlich die riesige Gestalt eines weiteren Rebellen erschien, den der Lärm alarmiert hatte.

Der Typ war riesig und drohend, strahlte eine gefährliche Hitze aus, die selbst Mira den Atem stocken ließ. Über den oberen Rand ihrer verrutschten Augenbinde konnte sie nur einen schmalen Streifen von ihm sehen. Breite Schultern. Dunkelbraunes Haar mit rötlichem Glanz.

So groß, muskulös und mächtig wie jeder Ordenskrieger.

Bei diesem Gedanken durchzuckte sie ein unbehagliches Gefühl.

Sie richtete sich auf dem Bett auf, um ihn besser zu sehen, und beobachtete, wie er zu der Rebellin hinüberging und schützend den Arm um sie legte.

»Candice, bist du in Ordnung?« Nicht Brady, wie die anderen Männer sie genannt hatten, sondern ein Frauenname, ausgesprochen mit ehrlicher Besorgnis und echter Zuneigung in der tiefen Stimme. Er sprach leise, hatte den Kopf gesenkt, das Gesicht von seinem schulterlangen Haar verdeckt. »Was zum Teufel war das eben?«

»Nichts, ich bin okay. Tut mir leid, Bowman. Ich hätte die Situation besser im Griff haben sollen.«

Der Mann sagte leise etwas zu seiner Kameradin, strich ihr mit seiner riesigen Hand beruhigend über das rabenschwarze Haar. Miras Atem ging heftig, als sie dem vertraulichen Wortwechsel zusah, mit allen Sinnen auf das leise Gemurmel des Rebellenanführers konzentriert.

Etwas an ihm – nein, absolut *alles* an ihm – begann etwas Kaltes und Rostiges in ihr aufzurühren.

Die Sehnen in ihrem Nacken spannten sich an, als sie sich anstrengte, endlich sein Gesicht zu sehen. Sie drehte ihren Kopf, um mehr von dieser seidigen, tiefen Stimme zu hören. Seine Gegenwart rief alles in ihr zu voller Aufmerksamkeit. Ihre Haut spannte sich an, wurde heiß und eng. Ihr Herz in ihrer Brust flatterte wie die Schwingen eines Vogels im Käfig.

Ihre Instinkte kannten diesen Mann. Ihr Herz wusste es, auch wenn es so unlogisch war, dass ihr Verstand es noch nicht erfassen konnte.

Ihre Neugier schlug in Verzweiflung um, als der Mann sich zu bewegen begann. Er ließ den Arm von der Schulter der Frau sinken und drehte sich zum Bett um, bewegte sich zu geschmeidig, strahlte zu viel pure Macht aus für einen normalsterblichen Menschen.

Denn er war keiner.

Alle Luft wurde aus Miras Lungen gepresst, als er sich dem Bett näherte, in dem sie lag.

»Unmöglich«, flüsterte sie. »Nein … das kann nicht real sein.«

Aber das war es.

Kein Engel. Auch kein Geist, sondern Fleisch und Blut. Lebendig.

Die unmögliche Antwort auf all ihre Hoffnungen und Gebete.

»Kellan«, flüsterte sie.

Ihr Schock in diesem Augenblick war so tief, dass sie nicht die Kraft gehabt hätte, auch nur den Kopf zu heben, geschweige denn ihren Entführern irgendwelchen Widerstand zu leisten, selbst wenn man ihr die Handschellen abgenommen hätte. Und sogar während sie noch versuchte zu verarbeiten, was sie da sah, wurde ein Teil ihres Herzens eiskalt von einer schrecklichen Erkenntnis.

Denn wenn er es war, was tat Kellan dann hier, nach all der Zeit, die er verschwunden war? Wie konnte er diese Leute kennen? Was bedeuteten sie ihm?

»Kellan ... bist du das?«, fragte sie, musste hören, dass er ihr bestätigte, was ihr Verstand sich immer noch zu glauben weigerte.

Ohne zu antworten, ohne ihr in die fragenden Augen zu sehen, sah er auf sie hinunter. Zog ihr sanft die Augenbinde vom Gesicht und vom Kopf. Und vermied dabei die ganze Zeit bewusst, ihr in die Augen zu sehen.

»Candice«, murmelte er. »Bring mir die Kontaktlinsen.«

Natürlich, dachte Mira. Kellan wusste von ihrer Gabe. Kellan wusste alles über sie. Er war fast ihr ganzes Leben lang ihr bester Freund gewesen. Der Einzige, der sie wirklich gekannt und verstanden hatte.

Die dunkelhaarige Frau reichte ihm ein kleines Fläschchen mit einer klaren Flüssigkeit und verließ dann still den Raum. Er schraubte den Verschluss ab und fischte eine der beiden violetten Linsen heraus, die in dem Behälter schwammen. Mira konnte kaum atmen, als er ihr Gesicht in seine Hände nahm und ihr vorsichtig die Linsen einsetzte.

Sobald sie saßen und ihre mächtige Gabe dämpften, blickte er mit seinen haselnussbraun schimmernden Augen endlich zu ihr. Oh Gott ... kein Zweifel, er war es wirklich. Unter der dichten kupferbraunen Mähne waren seine Augen tief und intensiv. Seine Wangen wirkten schmaler als früher, wie gemeißelt und stark, sein eckiges Kinn gerahmt von einem Kinnbärtchen, das seinem gut aussehenden Gesicht etwas Dunkles und Mysteriöses verlieh. Aber in diesem verwegenen Bart war sein Mund grimmig und nicht zu deuten.

Er hatte keine Worte des Trostes für sie. Keine Erklärung dafür, warum er unter Killern, Dieben und Verrätern lebte. Genau bei den Feinden, gegen die er gekämpft hatte, als er ein Mitglied des Ordens gewesen war.

Mira starrte ihm mit gequälter Verwirrung in die Augen. Ein Teil von ihr war euphorisch und einfach nur bodenlos erleichtert, Kellan am Leben zu sehen, so unbestreitbar real und lebendig. Ein anderer Teil von ihr war völlig verzweifelt, erkannte, dass sein Tod ein Irrtum gewesen war – oder schlimmer noch, eine Lüge. Und der größere Verrat war, ihn ausgerechnet hier unter diesen Leuten zu sehen, die er als Freunde, sogar als Familie behandelte, während sie ganz alleine um ihn trauern musste.

»Du bist gestorben«, gelang es ihr schließlich zu krächzen. »Ich war dort. Vor acht Jahren, fast genau auf den Tag, Kellan. Ich habe zugesehen, wie du in diese Lagerhalle gerannt bist. Wie sie explodiert ist. Ich habe immer noch Splitternarben von den Trümmern, die in jener Nacht aus dem Himmel fielen. Ich kann immer noch den Rauch und die Asche des Brandes riechen.«

Er starrte sie in einem schrecklichen Schweigen an.

»Von dem Gebäude blieb nichts übrig«, fuhr sie fort. »Von dir blieb nichts übrig, Kellan. Oder das hast du mich all diese Zeit glauben lassen. Ich habe um dich geweint. Ich tue es immer noch.«

Seine Augen blieben auf Mira gerichtet, aber er sprach kein einziges Wort. Bat sie nicht um Vergebung. Beteuerte nicht, dass das alles ein unvermeidlicher Fehler gewesen war.

Sie wäre versucht gewesen, ihm zu glauben. So wie ihr jetzt das Herz in der Brust zerbrach, hätte sie jede Erklärung akzeptiert, die er ihr gab. Aber er gab ihr nichts.

Sein Schweigen brachte sie fast um. »Hast du mir gar nichts zu sagen?«

Er schluckte. Senkte den Blick. »Es tut mir leid, Mira.«

Als er sie wieder ansah, waren seine Augen düster. Er meinte es ehrlich, soweit sie das heute beurteilen konnte. Aber sein Blick war unnachgiebig fern.

»Es tut dir leid.« Angesichts dieser kühlen, schlichten Antwort zerfiel ihr zerbrochenes Herz zu Asche. »Was genau?«

»Alles«, antwortete er. »Und das, was ich immer noch tun muss.«

Damit richtete er sich auf. Entfernte sich vom Bett. Von ihr.

»Candice«, rief er zur offenen Tür. Sie erschien sofort, hielt sich für seinen Befehl bereit. »Überzeug dich davon, dass Vince den Jeep aufgetankt hat, wie ich's ihm gesagt habe.« Kellan hielt inne und warf einen kurzen Seitenblick in Miras Richtung. »Ich fahre zu Sonnenuntergang raus und kümmere mich um die Komplikationen von diesem Mist heute.«

Also das war sie heute für ihn. Nichts.

Eine Komplikation.

Eine unangenehme Behinderung seiner Pläne.

Und jetzt dachte sie an etwas zurück, was Candice vorhin gesagt hatte – nachdem Mira gemeint hatte, dass sie verrückt sein mussten, sie heute Nacht laufen zu lassen und anzunehmen, dass sie nicht später mit Verstärkung zurückkam.

Sie würden Vorkehrungen treffen.

Mira hatte nicht gewusst, dass die Rebellen einen Stammesvampir auf ihrer Seite hatten. Jetzt verstand sie. Und wenn sie auch nicht dachte, dass Kellan so tief sinken würde, sie zu töten, hatte er andere Möglichkeiten um sicherzugehen, dass sie ihn nie wiederfand.

Das ganze Ausmaß seines Verrats wurde ihr bewusst mit einem Schmerz, den sie kaum ertragen konnte. Er verhärtete etwas in ihr, verschlang ihre Liebe zu ihm, die sie so lange mit sich herum-getragen hatte, und spuckte den Kummer aus.

Als sie Kellan jetzt ansah, den Mann, der er geworden war – ein Mann, der sich gerade zu ihrem Feind erklärt hatte –, verwandelten Miras Wut und Schmerz die Asche ihres Herzens in winzige Diamanten der Verachtung.

Denn, so sehr sie sich auch gegen den Gedanken sträubte – Kellan Archer existierte nicht mehr.

Und der Mann, der jetzt an seinem Platz stand, war nicht nur mit diesen Rebellenschweinen verbündet, sondern ihr Anführer.

6

Da Lucan und Gideon den Großteil des Tages bei Treffen hinter verschlossenen Türen verbrachten, war Darion Thorne die letzten paar Stunden im Waffenraum des Ordenshauptquartiers in D. C. gewesen. Das gnadenlose Training fühlte sich gut an, konnte ihn aber nur vorübergehend ablenken. Es hatte die rastlose Energie nicht bezwungen, die in ihm lebte. Das tat es nie.

Er war ein Krieger – das wusste er tief in seiner Seele, mit absoluter Gewissheit. Wie konnte sein Vater nicht sehen, dass er eine wertvolle Ressource vergeudete, indem er Dare in der Kommandozentrale ankettete, wo er doch hinaus auf das Schlachtfeld gehörte? Wie lange konnte Dare noch ertragen, dass ihm die Hände auf den Rücken gefesselt waren, bevor er seine Ketten abwarf und andere in die Schlacht führte – mit oder ohne die Zustimmung seines Vaters?

Diese Frage war es, die ihn verfolgte, als er über ein dickes Buch gebeugt im Archiv des Ordens saß. Sein Haar war immer noch feucht vom Duschen, seine Trainingsklamotten hatte er gegen ein dunkles T-Shirt und Jeans ausgetauscht, die Dolche und Wurfsterne durch einen Stift ersetzt, mit dem er einen müßigen Rhythmus auf dem langen Holztisch in der Mitte der geräumigen Bücherkammer trommelte.

Obwohl sein Körper nach Action gierte, dürstete sein Verstand nach Wissen. Und die Geschichte, die allein in diesem Raum enthalten war, war genug, um ihn für Jahrzehnte zu beschäftigen.

Nicht überraschend, denn es hatte zwanzig Jahre gedauert, sie zu sammeln. Die Bibliothek enthielt die Informationen von Jahrtausenden, alles von den außerirdischen Ursprüngen des Stammes und seiner Alien-Vorfahren, ihrer Sprache, ihren Bräuchen und ihrer Nachkommenschaft hier auf der Erde, zu ihrer oft blutigen Vergangenheit als mächtige, wilde Wesen an der Spitze der Nahrungskette. Der Reichtum an Informationen war absolut überwältigend.

Und Jenna Tucker-Darrow, die Frau, die für das Archiv zuständig war, fügte ihm ständig neue Bände hinzu.

»Wenn du noch viel mehr Stunden hier verbringst, fange ich allmählich an, mir Sorgen um meinen Job zu machen.«

Beim Klang von Jennas Stimme sah Dare abrupt auf. Sie lächelte, als sie den Raum betrat. Sie trug ein kurzes schwarzes Kleid und hochhackige Sandalen an den Füßen, ihr braunes Haar war kurz geschoren, was ihre schmalen Wangenknochen und großen haselnussbraunen Augen gut zur Geltung brachte. Sie war zum Ausgehen gekleidet, zweifellos für ein Date mit ihrem Gefährten, dem Krieger Brock, aber sie hatte einen neuen Band mit Aufzeichnungen in der Hand, den sie offenbar eben fertiggestellt hatte.

»Um deinen Job wirst du dir nie Sorgen machen müssen«, sagte Dare zu ihr. »Dich kann niemand ersetzen.«

Sie zwinkerte ihm zu. »So ein Cyborg ist eben unbezahlbar.«

Sie schlenderte zu einem Bücherregal am anderen Ende des Raumes und stellte den neuen Band auf eines der Regale, wobei sie seinen Platz sorgfältig aussuchte. Es fiel ihm schwer, diese Frau nicht offen anzustarren, und das nicht nur, weil sie umwerfend schön und Dare ein Mann mit Augen im Kopf war. Jenna war auch aus einem anderen, völlig einzigartigen Grund so erstaunlich.

Ihr schlichtes schwarzes Kleid war am Rücken tief ausgeschnitten und enthüllte ihren blassen Nacken und Rücken, die mit einem zierlichen Gewirr von *Dermaglyphen* bedeckt waren.

Ungewöhnlich, besonders angesichts der Tatsache, dass Jenna weder eine Stammesvampirin noch eine Stammesgefährtin war.

Sie war eine normalsterbliche Menschenfrau gewesen, aber all das hatte sich vor zwanzig Jahren schlagartig geändert, als der letzte der außerirdischen Väter des Stammes einen Biotech-Chip aus seinem eigenen Körper in Jenna transplantiert hatte. Der Älteste musste seine Gründe dafür gehabt haben, ein Stück von sich zurückzulassen, bevor er vom Orden getötet wurde. Das Körnchen voll außerirdischer DNA und Technologie hatte Jenna zahlreiche erstaunliche physische und psychische Veränderungen gebracht, zusammen mit Erinnerungen an eine lange, oft verstörende Vergangenheit, die nicht ihre eigene war.

Diese Erinnerungen waren es, die jetzt die unzähligen Bände handschriftlicher Aufzeichnungen füllten, die die eingebauten Bücherregale des Archivs füllten.

»Ich habe gar nicht mitbekommen, dass du und Brock aus Atlanta angekommen seid«, sagte Dare.

Jenna fuhr mit den Fingern über die Rücken von mehreren Bänden auf dem Regal und hielt inne, um einen neu einzustellen, der offenbar falsch einsortiert war. »Heute Morgen vor Sonnenaufgang. Ich wollte früh ankommen und hier vor dem Gipfel noch etwas arbeiten. Dante und Tess kommen heute Abend, Tegan und Elise auch. Alle anderen sollten in den nächsten paar Nächten ankommen, soweit ich weiß.«

Dare nickte. Lucan hatte ihn über die Versammlung aller Ordensältesten und ihrer Gefährtinnen aus ihren diversen Kommandobereichen auf der ganzen Welt informiert. Es würde schön sein, sie alle wiederzusehen. Die Krieger und ihre Gefährtinnen standen ihm so nahe wie Verwandte, aber Dare gefiel nicht, dass die öffentliche Versammlung nicht mehr als eine Sondervorstellung auf Anweisung der GN-Führung war. Nur ein Mittel, um der Welt zu zeigen, dass der Orden den Friedensgipfel voll unterstützte und die Bedingungen des GN fraglos akzeptieren würde. Die politischen Aspekte der ganzen Sache widerten ihn an.

Jenna sah ihn über die Schulter an. »Kommst du auch zum Galaempfang, Darion?«

Er knurrte leise. »Ich, in einem Smoking? Definitiv nicht. Ich kann mir hundert Dinge vorstellen, die ich lieber täte, als herumzustehen und diesen posierenden Angebern vom GN die Ringe zu küssen. Und die Ärsche schon gar nicht.«

Jenna hob die Brauen. »Du bist deinem Vater ganz schön ähnlich, weißt du das?«

»Bin ich überhaupt nicht«, beharrte Dare. »Er überlässt den Menschen viel zu bereitwillig das Ruder. Er geht so verdammt vorsichtig mit ihren fragilen Egos um, wo die Welt so viel besser und sicherer für die Menschheit und den Stamm wäre, wenn der Orden das Sagen hätte.«

»Und wenn du die Menschen fragst, sagen sie das genaue Gegenteil. Früher oder später würde es Krieg geben.« Jenna kam zu ihm hinüber und setzte sich neben ihm auf die Tischkante. »Damals vor der Ersten Morgendämmerung waren die Dinge einfacher. Der Stamm kümmerte sich um seine Angelegenheiten, lebte in den Schatten. Jetzt, wo die Menschen von unserer Existenz wissen, haben wir mehr Freiheiten. Wir haben mehr Macht, weil wir uns nicht mehr verstecken müssen, aber das ging nicht ohne Kompromisse. Und der ewige Spagat, den Frieden zu erhalten, ist sogar noch schwieriger geworden. Was Lucan tut, hat heute Auswirkungen auf den Stamm weltweit. Diese Verantwortung nimmt er nicht auf die leichte Schulter.«

»Er traut auch niemandem genug, um sich etwas von dieser Last abnehmen zu lassen.« Dare sah von Jennas weiser Miene fort und schüttelte knapp den Kopf. »Er gesteht niemandem zu, dass er nützlich sein könnte, womöglich sogar so fähig wie er, wenn er ihm nur eine Chance geben würde, sich zu bewähren.«

Als er wieder zu ihr aufsah, lächelte Jenna ihn wissend an. »Du kämpfst immer noch dieselbe alte Schlacht mit ihm? Eines Tages wird er so weit sein, Darion.«

Er schnaubte verächtlich. »Da kennst du meinen Vater schlecht. Der gibt nicht nach.«

»Sein Sohn auch nicht, soweit ich sehe.« Immer noch lächelnd beugte sie sich vor, um zu sehen, was er in dem aufgeschlagenen Band gerade las. »Ach, das ist eines der ältesten. Das habe ich vor der Ersten Morgendämmerung geschrieben.«

Die Enttäuschung über die Politik und die elterlichen Bedenken waren schlagartig vergessen, als Dare seine Aufmerksamkeit wieder dem Band zuwandte, den er die letzten paar Wochen über durchgearbeitet hatte. »Weißt du vielleicht, was das hier für eine Zahlenfolge ist?«

Jenna spähte auf die handgeschriebene Seite und zuckte leicht mit den Schultern. »Die Dinge, die ich aufzeichne, machen nicht immer Sinn. Manchmal sind es Symbole oder Zahlen – wie diese hier –, die mir gar nichts sagen, aber weil ich sie durch die Erinnerungen des Ältesten sehe oder höre, dokumentiere ich sie.«

Dare nickte, aber es war nicht die Antwort, die er erhofft hatte. »Das ist nicht das einzige Mal, dass diese Sequenz in den Aufzeichnungen auftaucht.«

»Wirklich?« Jennas Augen blitzten interessiert auf.

»Bisher habe ich sie schon in zwei anderen Bänden gefunden«, sagte Dare zu ihr. »Jede Wette, dass ich sie anderswo noch öfter finde.«

»Nun, worauf warten wir? Schauen wir, ob du recht hast.« Jenna glitt von der Tischkante und ging auf eines der Regale zu. Sie schlüpfte aus ihren schicken Sandalen und stellte sich auf die Zehenspitzen, um eines der oben eingestellten Bücher zu erreichen. »Wir sollten mit den älteren Bänden anfangen und uns dann chronologisch vorarbeiten.«

Dare spürte eine Bewegung im Raum, noch bevor Brocks tiefe Stimme durch den Raum dröhnte. »Hätte wissen sollen, dass ich dich hier finde.« Der riesige Krieger nickte Darion grüßend zu, aber seine dunkelbraunen Augen waren nur auf seine Gefährtin gerichtet. »Ist praktisch unmöglich, diese Frau mal von ihrer Arbeit loszueisen. Weißt du, man könnte fast Komplexe kriegen.«

Brock trug einen anthrazitgrauen Anzug mit weinrotem Hemd, am Kragen offen, sodass die verschnörkelten *Dermaglyphen* auf seiner dunklen Haut zu sehen waren. Dare hatte den knallharten Stammeskrieger nur selten ohne seine Kampfmontur zu Gesicht bekommen, und auch wenn es ihn fast zum Kichern brachte, ihn jetzt so geschniegelt und gebügelt zu sehen, sagte Brocks liebevoller Blick zu Jenna nur allzu deutlich, dass seine Aufmachung nur ihr galt.

Ihr Lächeln, als sie sich zu ihm umdrehte, bedeutete, dass auch sie es wusste. »Arbeit? Wer braucht Arbeit?« Sie hob ihre Sandalen auf und schmiegte sich in seine wartenden Arme. »Ich hab plötzlich den unwiderstehlichen Drang blauzumachen.«

Brock grinste und warf Darion einen verschmitzten Seitenblick zu. »Klingt gut. Vielleicht sollten wir das Dinner einfach vergessen und gleich zum Blaumachen übergehen.«

Jenna lachte. »Was, und ich hab mich ganz umsonst in Schale geworfen?«

»Aber gar nicht«, knurrte Brock leise. »Definitiv nicht umsonst.«

Dare kicherte, als Brock Jenna hungrig und hemmungslos küsste. Er fragte sich, ob er selbst je diese Art von Leidenschaft erleben würde. Die Art, die stark genug war, um ihn dazu zu bringen, sich eine eigene Gefährtin zu nehmen. Etwas für immer, statt der unverbindlichen, verschwitzten Begegnungen, mit denen er seine rastlose Energie verbrannte und seinen Blutdurst stillte.

»Machen wir, dass wir hier rauskommen«, murmelte Brock und küsste seine Gefährtin auf den Hals. »Ob wir essen gehen oder nicht, überlasse ich dir.«

»Warte mal eine Sekunde.« Sie schlüpfte aus seinen Armen, lief zu einem der Bücherregale und zog aus der hintersten Ecke ein schmales, altes, in Leder gebundenes Buch. Sie kam zurück und hielt es Dare hin.

»Was ist das?«, fragte er und nahm es ihr ab.

»Meine allerersten Aufzeichnungen. Ich habe sie in den Wochen nach meiner Ankunft im alten Bostoner Ordenshauptquartier geschrieben.«

Darion strich mit der Hand über den glatten, verblichenen braunen Einband, dann öffnete er das Buch vorsichtig. Der Buchrücken knackte leise, das mürbe alte Papier knisterte, als er darin blätterte und Jennas energische Handschrift sah, die die Seiten füllte.

»Wenn du wirklich die Geschichte deines Stammes studieren willst, musst du am Anfang beginnen.« Sie lächelte ihn an, ihre einst menschlichen Augen hielten ihn in einem Blick gefangen, der so weise wie der des weisesten Stammesältesten war. »Du dürftest aus diesem Buch auch einiges über deinen Vater erfahren, das dir helfen wird, ihn besser zu verstehen.«

Darion hielt ihrem Blick stand, dann sah er auf den Band hinunter, den er so vorsichtig in seinen Kriegerhänden hielt.

Als er wieder aufsah, waren Jenna und Brock gegangen.

Darion schlug die erste Seite auf und begann zu lesen.

Kellan fuhr zum hinteren Teil eines für die Nacht geschlossenen öffentlichen Parks in Brookline und schaltete die Scheinwerfer des alten Wrangler-Jeeps aus. Mira hatte die ganze Fahrt von der Rebellenbasis in New Bedford nach Norden nichts gesagt bis auf die Kraftausdrücke, mit denen sie ihn bedacht hatte, als er sie mit verbundenen Augen und Handschellen in den Wagen gesetzt hatte. Wenn er heute Nacht mit ihr fertig war, würde sie sich nicht mehr erinnern können, wo sie gewesen war oder wie er und sein Team operierten, aber Kellan wollte trotzdem kein Risiko eingehen.

»Tut mir leid, aber es ging nicht anders«, sagte er und griff hinüber, um ihr die Handschellen abzunehmen. »Wir können nicht noch mehr Probleme riskieren, als wir schon haben.«

Sobald er sie befreit hatte, zog Mira sich die Augenbinde ab und warf ihm einen prüfenden Blick zu. »Werdet ihr Jeremy Ackmeyer töten?«

»Wenn ich das wollte, denkst du nicht, dass er schon tot wäre?«

»Vielleicht ist er es schon.« Sie machte die Augen schmal, dann drehte sie den Kopf weg und sah zu dem verlassenen Park hinaus. »Woher weiß ich, dass irgendetwas wahr ist, was du sagst?«

Kellan fluchte leise. »Er lebt, Mira. Er wird auch am Leben bleiben, solange er meine Bedingungen akzeptiert.«

»Was für Bedingungen?«

Wieder spürte er ihren Blick auf sich, aber dieses Mal war er derjenige, der durch die Windschutzscheibe in die Dunkelheit hinausstarrte. »Ackmeyer hat etwas, das ich will. Etwas extrem Wertvolles, das niemand in die Hände bekommen darf.«

»Hier geht es also um Geld?«, stieß sie heftig hervor. »Ist es das, was du geworden bist – ein gewöhnlicher Dieb, wie deine Freunde in deinem Bunker?«

»Ich bin kein Dieb, Mira. Gewöhnlich oder sonst wie.«

»Nein«, antwortete sie. »So unterwürfig, wie die dir die Stiefel lecken, würde ich sagen, bist du praktisch ihr König. Gratuliere übrigens. Du musst unglaublich stolz auf dich sein, so weit, wie du es in diesen letzten acht Jahren gebracht hast.«

Die beißende Verachtung in ihrem Ton traf ihn. Er warf ihr einen ruhigen Seitenblick zu, wollte sich nicht anmerken lassen, wie tief es ihn verletzen würde, wenn sie ihn wirklich hasste. Was würde es schon nützen, sie das jetzt wissen zu lassen? »Du solltest keine Annahmen machen über Dinge, die du nicht verstehst.«

»Dann klär mich auf … Bowman, nicht?« Sie schüttelte den Kopf, ihr hübscher Mund war zu einem freudlosen Lächeln verzogen. »Kellan Archer stirbt als viel betrauerter Held und an seine Stelle tritt Bowman, der Anführer des Rebellenwiderstands. Ein Verräter an allem, woran er je geglaubt hat.«

»Ich bin nicht stolz darauf, wie ich das damals gehandhabt habe«, konterte er heftig. Und er hasste es, wie nahe sie den Gründen kam, warum er alle, die ihm etwas bedeuteten, glauben machen wollte, dass er tot wäre. »Ich hatte nie vor, in diese Situation zu kommen, Mira. Du musst mir einfach vertrauen, dass ich meine Gründe hatte. Ich habe getan, was ich tun musste.«

»Dir vertrauen?« Sie lachte sarkastisch auf. »Oh, das ist schon ein starkes Stück, dass ausgerechnet du das sagst. Und besonders jetzt, wo du hier sitzt und mir gleich auf die gute altmodische Art meine Erinnerungen löschen willst. Darum hast du mich doch hierhergebracht, oder nicht?«

Er stellte den Motor ab. »Komm«, sagte er. »Gehen wir frische Luft schnappen.«

Sie rührte sich nicht. »Befürchtest du nicht, dass ich einen Fluchtversuch mache?«

Er lächelte, trotz des Ernstes dieses Augenblicks. »Du gibst einfach nie auf, was?«

»Nie.«

»Du bist zwar knallhart, Mira, aber keine Stammesvampirin«, erinnerte er sie. »Du kannst mir nicht davonlaufen.«

»Und du hast dafür gesorgt, dass ich auch nicht gegen dich kämpfen kann. Denk nicht, ich hätte nicht bemerkt, dass deine Diebeskollegen meine Dolche behalten haben.«

»Du bekommst sie zurück, sobald das hier vorbei ist. Dafür werde ich persönlich sorgen.«

»Auch den, den ich beim Überfall deiner Untergebenen bei Ackmeyer habe fallen lassen?«

Kellan runzelte die Stirn.

»Oh, das hast du nicht gewusst?«, fragte sie, sichtlich erfreut über seine Überraschung. »Sie haben es nicht bemerkt und haben ihn liegen lassen. Auch mein Kommunikationsgerät. Es ist im Handschuhfach des Wagens, den ich gefahren habe.«

»Scheiße«, knurrte Kellan mit zusammengebissenen Zähnen.

»Ach, die *Homo sapiens*«, seufzte Mira betont dramatisch. »So unaufmerksam manchmal. Ich bin sicher, Lucan wundert sich schon, warum sich mein Signal schon eine ganze Weile nicht mehr bewegt hat, seit was … zwölf Stunden?« Sie sah ihn mit einem kalten, zufriedenen Lächeln an. »Da macht man sich schon Gedanken, weißt du? Was hat dein Team noch alles übersehen, das euch später zum Verhängnis wird?«

Kellan ging im Kopf die Möglichkeiten durch, wollte nicht zugeben, dass sie recht hatte. Aber sie unterschätzte Candice, Doc und Chaz. Sogar Vince hatte jede Menge, was für ihn sprach und sein reizbares Temperament und seine exzessive Gewaltbereitschaft wettmachte. Sein Team hatte das Problem mit Miras manövrierunfähigem Wagen telefonisch durchgegeben, und so hatte Nina einen Kontakt in der Gegend angerufen, um die Nummernschilder loszuwerden und die Fahrzeugidentifikationsnummer zu entfernen, bevor das Wrack zu einem Schrottplatz abgeschleppt wurde. Miras Kommunikationsgerät war inzwischen höchstwahrscheinlich nur noch Plastikschrott und Kabelsalat.

»Gehen wir ein Stück, Mira.« Bevor sie protestieren oder ihm eine weitere Verbalattacke an den Kopf werfen konnte, stieg Kellan aus dem Wagen und ging in weniger als einer Sekunde um den Kühler herum zu ihrer Beifahrertür. Er bewegte sich absichtlich so übernatürlich schnell. Es konnte nicht schaden, sie daran zu erinnern, mit wem sie es zu tun hatte, wenn sie dachte, dass sie ihm entwischen konnte. Er öffnete die Tür und befahl ihr auszusteigen.

Zu seiner Überraschung gehorchte sie, und er ging mit ihr in die friedliche Dunkelheit des leeren Parks hinein.

»Ich hätte erwartet, dass du meine Erinnerungen löschst und mich in der Stadt aussetzt statt so weit hier draußen.«

»Ich wollte mit dir allein sein«, sagte er, als sie im kühlen, mondhellen Gras nebeneinander herschlenderten. »Ich wollte das nicht irgendwo an einem Parkplatz machen oder mitten in einer Menschenmenge.«

»Romantisch«, sagte sie spöttisch. »Hoffen wir mal, es lauern keine Vergewaltiger oder Rebellen auf mich, wenn ich zu Fuß in die Stadt zurückgehe.«

Kellan ignorierte die Spitze. »Ich werde auf dich aufpassen, sobald wir hier fertig sind, und dafür sorgen, dass du sicher zum Hauptquartier des Ordens zurückkommst.«

Sie stieß ein verächtliches Schnauben aus. »Du musst mir keinen Gefallen tun. Ich bin ein großes Mädchen, falls du's noch nicht bemerkt hast.«

Oh, das hatte er allerdings bemerkt. Das erste Mal war Mira etwa fünfzehn gewesen. Rauflustig und störrisch wie immer, aber in diesem Jahr war aus dem spindeldürren Wildfang mit dem wirren hellblonden Haarschopf scheinbar über Nacht eine umwerfende junge Frau mit Rundungen an all den richtigen Stellen und schier endlos langen Beinen geworden. In diesem Sommer war er nicht der einzige Mann im Trainingsprogramm des Ordens gewesen, der Schlange stand, um mit der atemberaubenden Mira zu trainieren.

Aber aus irgendeinem Grund, den er bis heute nicht verstand, hatte sie immer nur Augen für ihn gehabt. Ihren besten Freund hatte sie ihn genannt, schon seit sie eine achtjährige Nervensäge gewesen war, die sich geweigert hatte, den mürrischen Teenager aufzugeben, der unter dem Schutz des Ordens stand, nachdem bis auf seinen Großvater Lazaro Archer seine ganze Familie ausgelöscht worden war.

Mira war immer noch atemberaubend, obwohl acht Jahre vergangen waren, seit er ihr zuletzt so nahe gewesen war. Er konnte Spuren dieser Zeit unter ihren Augen und um ihre vollen Lippen sehen. Sie hatte sich keinen anderen Stammesvampir zum Gefährten genommen. Wenn sie es getan hätte, hätte ihre Blutsverbindung ihre Schönheit verstärkt, ihren Alterungsprozess aufgehalten, ihre Jugend intakt gehalten.

Es hatte eine Zeit gegeben, in der Kellan sich vorstellte, dass er der Mann an Miras Seite sein würde. Das hatte er gewollt, noch bis zum Morgen des letzten Tages, den er mit ihr verbracht hatte. Dann hatte sich alles verändert. Was er sich wünschte, war unmöglich geworden, und später an jenem Abend hatte er einfach aufgehört zu existieren.

Und jetzt war sie hier und ging im Dunkeln neben ihm her.

Hasste ihn, wozu sie jedes Recht hatte.

Trotzdem wurde sein Drang, sie zu berühren, fast übermächtig. Aber Kellan wusste, wenn er sie jetzt berührte, würde er nur mehr wollen. Dinge tun, zu denen er kein Recht hatte. Dinge, die jetzt und für immer unerreichbar für ihn geworden waren.

Wie hatte er es geschafft, all diese Jahre Distanz zu ihr zu halten? Nicht sehr gut, erinnerte er sich. Er war eigentlich nie weit von ihr entfernt gewesen. Er wusste schon gar nicht mehr, wie oft er sie heimlich beobachtet hatte, in Boston und in Montreal, neugierig, wie es ihr ging. Voller Stolz über ihre Leistungen und bestürzt, wenn ihre wilde Unabhängigkeit und ihr unbeugsamer Starrsinn sie mal wieder in Schwierigkeiten brachten.

Als er damals zu sich gekommen war und erkannt hatte, dass er nicht mit der Lagerhalle in die Luft gegangen war, war sein Plan gewesen, so weit wie möglich von Mira und dem Orden wegzukommen. Es wäre für alle Beteiligten besser gewesen, wenn er das getan hätte. Besonders in Anbetracht dessen, wo er heute stand. Aber die schlichte Tatsache war einfach die gewesen, dass er nicht hatte gehen können. Sie besaß eine Macht über ihn, die er nicht hatte abschütteln können.

Er hatte sich gesagt, dass er vorsichtig sein würde. Dass es nicht schaden konnte, wenn er in ihrer Nähe blieb, solange er nur dafür sorgte, dass ihre Pfade sich nie wieder kreuzten. Aber wenn er auch nur einen Funken Ehre im Leib gehabt hätte, wäre er geflohen, so weit weg wie möglich, sobald er die Chance dazu hatte.

Neben ihm wurde Mira langsamer, dann blieb sie stehen und drehte sich zu ihm um. »Was ist in dieser Lagerhalle mit dir passiert, Kellan?«

Er knurrte, schüttelte vage den Kopf. »Ist das inzwischen nicht egal?«

»Mir nicht. Ich will es wissen.« Sie presste die Lippen zusammen und sah ihn mit hochgezogenen Brauen an. »Na los, sag schon. Du wirst mir sowieso die Erinnerungen löschen, also werde ich mich an nichts erinnern, was du heute Nacht sagst oder tust. Wenn du noch ein Gewissen hast, ist das jetzt deine Chance, es zu erleichtern – wenn du weißt, dass ich dich nur noch für ein paar Minuten hassen werde, bevor du mir auch das noch nimmst.«

Es war eine Anklage, die ihn mehr verletzte, als er zugeben wollte. »Ich muss das tun, Mira. Es ist für alle Beteiligten am besten so.«

»Für dich definitiv.« Bittere, wütende Worte. Sie war zutiefst verletzt, und das war auch kein Wunder. Aber es war die Art, wie sie plötzlich den Kopf senkte – nicht schnell genug, um den feuchten Glanz in ihren Augen zu verbergen –, was ihn am meisten berührte.

»Du hast recht«, murmelte er. »So viel schulde ich dir.«

»Du schuldest mir die Wahrheit«, beharrte sie knapp, ihre hellen Augen jetzt klar und fast trocken, als sie wieder zu ihm aufsah.

Sie würde nicht vor ihm zusammenbrechen. Das sah er in ihrem diamantenscharfen Blick. Ihre weiche Seite würde sie ihm nicht mehr zeigen, nach heute Nacht nie wieder.

Als sie jetzt redete, war ihre Stimme beherrscht und ruhig, ein Soldat, der nach der Schlacht die Fakten berichtete. »Seit dieser Nacht habe ich deinen Tod tausendmal aufs Neue vor mir gesehen. Du warst vor Nathan und mir und dem Rest unseres Teams, alle zu Fuß, wir haben uns aufgeteilt und das Fluss-ufer abgesucht, nachdem unten am Industriegebiet Rebellen-aktivitäten gemeldet worden waren. Du hast deine Position durchgegeben, dass du mehrere Verdächtige verfolgtest, und wohin du unterwegs warst. Nathan und ich waren dir zu diesem Zeitpunkt am nächsten, also kamen wir in deine Richtung, um dir Verstärkung zu geben. Wir kamen gerade rechtzeitig an, um zu sehen, wie du in dieser Lagerhalle verschwunden bist. Keine zwei Sekunden später ging alles in die Luft.«

Kellan nickte, er erinnerte sich genauso deutlich an diese Nacht wie sie. Aber das war der Punkt, wo ihre beiden Berichte sich unterschieden. »Der Rebell hat mich zu diesem Gebäude geführt. Ich erkannte nicht warum, bis ich drin war, und dann roch ich plötzlich aktivierten Sprengstoff irgendwo in der Nähe. Es war eine Falle, Mira. Ich wusste, dass du und Nathan direkt hinter mir wart. Ich konnte nicht riskieren, dass ihr in der Nähe wart, wenn die Halle hochging.«

»Aber du warst dort drin«, sagte sie, die blonden Brauen

gerunzelt, als sie versuchte, die Teile des Puzzles im Kopf zusammenzusetzen. »Du warst in der Lagerhalle, als sie explodierte.«

»War ich«, sagte er. »Aber nur lange genug, um die Falle zu deaktivieren. Ich bin hingerast, wo sie den Plastiksprengstoff und den Auslöser hatten. Er war mit Drähten an der Wand befestigt, keine Chance, ihn herauszureißen und wegzuwerfen, ohne dass er hochging. Also habe ich auf das ganze Ding geschossen.«

Mira starrte ihn mit offenem Mund an. »Du hast ihn zum Detonieren gebracht, während du selbst noch drin warst. Du hattest keine zwei Sekunden, um da rauszukommen, sobald er hochging.«

Er nickte. »Ich wusste nicht einmal, ob ich es lebendig hinausschaffen würde. Aber wenn ich auf diese Weise verhindern konnte, dass du und der Rest meines Teams bei der Explosion verletzt wurdet, war es das Risiko wert. Und tatsächlich ging die Bombe hoch, gerade als ich die Hintertür der Halle sicherte. Ich weiß noch, wie die Druckwelle mich in die Luft geschleudert hat. Ich konnte den Rauch und mein eigenes verbranntes Fleisch riechen. Ich spürte, wie meine gebrochenen Knochen noch mehr zerschmettert wurden, als ich auf dem eisigen Mystic River aufschlug und ins trübe Wasser sank. Dann muss ich bewusstlos geworden sein. Das Nächste, was ich weiß, ist, dass jemand mich ans Ufer zog.«

Mira schluckte, während seines Berichtes war sie ganz still geworden. »Jemand hat dich gerettet?«

»Candice war es.« Er sah sie fast unmerklich zusammenzucken, als er den Namen der Menschenfrau erwähnte. »Candice hat mich blutend und halb tot aus dem Fluss gezogen und vor dem Ertrinken gerettet. Sie brachte mich zu ihrem Freund Javier, einem ehemaligen Sergeant bei der Armee, der mich zusammenflickte und meine Wunden heilte. Er ist immer noch einer der besten Sanitäter, die ich je getroffen habe.«

»Doc«, sagte sie, ihr scharfer Verstand stellte die Verbindung sofort her. »Aber sie mussten doch wissen, wer – und was – du warst. Warum haben die Rebellen dich verschont?«

»Damals waren sie keine. Außer Vince war damals kein Mitglied meines Teams in der Widerstandsbewegung aktiv. Das kam erst später.« Er räusperte sich und erzählte weiter. »Wie auch immer, es hat zwei Monate gedauert, bis ich wieder auf dem Damm war. Bis dahin haben du und alle anderen, die ich kannte, angenommen, dass ich tot war.«

»Also hast du uns in diesem Glauben gelassen?« Ihre Miene war ungläubig, ihre Stimme abgehackt und hoch vor Empörung. »Warum hast du das getan? Wie konntest du uns allen ohne Grund diesen Schmerz zumuten?«

Kellan schüttelte den Kopf, er wusste, dass er sich an ihrer Stelle genauso fühlen würde. Hasste es, die Qual in ihrem Gesicht zu sehen, für die er allein verantwortlich war. »Mein Grund dafür war damals sogar noch wichtiger als mein Leben.« Er dachte daran, wo er heute stand, wer er seither geworden war, und stieß einen Fluch aus. »Alles ist anders. Das ist jetzt alles nicht mehr wichtig.«

»Willst du etwa damit sagen, dass du mich und alle, denen du je etwas bedeutet hast, letztendlich ganz ohne Grund verlassen hast?«

»Ich erwarte nicht, dass du das verstehst«, sagte er zu ihr, so sanft er konnte. »Ich werde nicht versuchen, es dir zu erklären. Und schon gar nicht jetzt, wo es sowieso zu spät ist.«

Ihr Blick brach ihm das Herz, so voller Verwirrung, Wut und Schmerz. »Du hast jedes Recht dazu, mich zu hassen, Mira. Aber das war es nie, was ich wollte.«

»Und was ist mit Liebe?«, konterte sie. »Auch die wolltest du nie von mir, nicht?«

Er fluchte leise. Bei Gott, er hatte sich geehrt und zugleich beschämt gefühlt angesichts der Offenheit, mit der Mira ihm alles von sich gegeben hatte. Sie hatte ihn geliebt, als er am schwächsten war, voller Wut, verschlossen, ein von Selbstmitleid erfüllter Idiot, der sich am liebsten für immer in seinem Elend eingemauert hätte. Aber sie hatte etwas in ihm gesehen, das zu retten es wert war. Sie hatte ihn mit sich gezogen in ihre Helligkeit, hatte ihn angetrieben, bis er in der Lage war, auf eigenen Beinen zu stehen, hatte ihn herausgefordert, mehr aus sich zu machen. Hatte ihn zu einem besseren Mann gemacht, als er ohne sie je geworden wäre.

Ihre Liebe war ein wertvolles Geschenk gewesen. Eines, das er damals nicht verdient hatte und jetzt nicht annehmen konnte.

Als sie Anstalten machte, sich von ihm abzuwenden, tat er, was er sich geschworen hatte, nicht zu tun. Er griff nach ihr und nahm ihr wütendes, verletztes, wunderschönes Gesicht sanft in seine Hände. »Hier geht es nicht um uns, Maus.«

»Untersteh dich, du gottverdammter Kerl! *Untersteh dich!*« Kochend vor Wut riss sie sich los und hielt ihm den Finger vors Gesicht. »Nenn mich nicht so. So hat meine Familie mich früher als Kind genannt. Und du gehörst nicht mehr dazu.«

»Stimmt«, gab er leise zu. Nicht mehr, auch nicht annähernd.

»Du bist auch kein Freund mehr. Nicht nach dem, was du getan hast«, sagte sie heftig, atmete schwer bei jedem abgehackten Wort. »Nach dem, was du mir jetzt antust, kann ich nicht glauben, dass du jemals wirklich mein Freund gewesen bist. War das alles bloß ein verdammter Witz für dich, Kellan? War *ich* nur ein Witz für dich?«

»Du warst nie ein Witz für mich, Mira.« Er musste die Fäuste ballen, um sie nicht noch einmal zu berühren. »Und ich glaube, das weißt du auch.«

»Ach ja? Wie oft hast du versucht, mich wegzustoßen, als wir Teenager waren?« Ihr Lachen klang spröde. »Ich hätte dich lassen sollen. Ich hätte von dir weggehen und nie zurückschauen sollen, jedes Mal, wenn du mir die Chance dazu gabst. Gott, ich wünschte, ich hätte dich nie getroffen!«

»Ich weiß.« Er konnte es ihr nicht verübeln. »Glaub mir, wenn ich das alles ungeschehen machen könnte, würde ich es tun.«

Unglücklicherweise für sie beide konnten Stammesvampire Menschen nur das Kurzzeitgedächtnis löschen, nicht aber das Langzeitgedächtnis. Er konnte den heutigen Tag für Mira ungeschehen machen, aber alles davor lag außerhalb seiner übersinnlichen Kräfte.

»Du weißt, dass das keine Lösung ist«, bemerkte Mira. »Lösch mir meine Erinnerung, wenn du dich dadurch besser fühlst, aber du weißt so gut wie ich, dass du auf der falschen Seite dieses Krieges stehst.«

»Ich versuche, einen Krieg zu verhindern, Mira.«

»Blödsinn!« Sie stieß ihn heftig gegen die Brust. »Was du getan hast, wird womöglich einen auslösen.«

Kellan packte sie an den Handgelenken, versuchte, die Hitze ihrer Haut, ihren hektischen Pulsschlag an seinen Fingerspitzen auszublenden. Er hätte sie loslassen sollen, das wusste er. Aber jetzt, wo er sie berührte, das Stakkatotempo ihres Herzschlags in ihm widerhallte – ein Rhythmus, der sein eigenes Blut erhitzte und schneller durch seine Adern jagte –, konnte er Mira nicht mehr loslassen.

Sie sah zu ihm auf, ihre violetten Augen blickten intensiv. »Was denkst du, was passiert, wenn sich herumspricht, dass ein wichtiger Wissenschaftler der Menschen, der unter dem Schutz des Ordens stand, entführt wurde – von einem ehemaligen Mitglied?«

»Niemand wird erfahren, dass ich einst ein Krieger war«, beharrte er. »Niemand außer meinem Team im Basislager weiß überhaupt, dass ich – dass Bowman ein Stammesvampir ist. Sie haben mein Geheimnis all diese Zeit bewahrt und werden mein Vertrauen nicht missbrauchen.«

Sie schnaubte verächtlich. »Wie nett für dich, dass du den Leuten vertrauen kannst, die dir nahestehen.«

Kellan stieß einen Fluch aus, tief, heiser und wütend. Bevor er sich zurückhalten konnte, riss er Mira an sich und küsste sie wild und gnadenlos.

Zuerst leistete sie Widerstand. Ihre Lippen waren angespannt unter seinen, fest geschlossen gegen seine Attacke. Die feinen Muskeln in ihren Handgelenken waren gespannt wie Kabel, ihre zarten, geschickten Hände zwischen ihren aneinandergepressten Körpern zu Fäusten geballt. Sie war immer noch wütend auf ihn, immer noch angespannt vor Abscheu wegen allem, was er ihr angetan hatte, allem, was er nach so vielen Jahren der Täuschung zugegeben hatte.

Aber Kellan konnte sie nicht loslassen. Als er sie heißer küsste, spielerisch mit der Zunge über ihre üppigen, störrisch geschlossenen Lippen fuhr, begann ihr kämpferischer Widerstand endlich etwas nachzulassen. Mit einem erstickten Stöhnen öffnete sie die Lippen, und er stieß hinein, zog sie noch fester an sich und genoss ihren Geschmack nach all der langen Zeit ohne sie.

Sein Blut war heiße Lava, versengte ihm die Adern. Seine Fänge waren aus dem Zahnfleisch geschossen und füllten seinen Mund aus, als sein Verlangen nach dieser Frau Hitze und Hunger in die tiefer liegenden Teile seines Körpers schickte.

Er sagte sich, dass der Kuss nichts bedeutete. Dass sie sich in ein paar Minuten sowieso an nichts mehr erinnern würde. Aber was ihn anging, er war verdammt. Denn, Herr im Himmel, dieser Augenblick würde ihm für den Rest seines Lebens im Gedächtnis bleiben.

Verdammt, und wie.

Denn in diesem Augenblick verstand Kellan, dass es seine Probleme nur hinauszögern und verschlimmern würde, wenn er Miras Erinnerungen löschte, jetzt, wo Ackmeyer in seiner Gewalt war. Was sie vorhin gesagt hatte, war die Wahrheit: Wenn die Behörden der Menschen ihn nicht schon bald eingeholt hatten, dann würde es mit Sicherheit der Orden tun.

Er hätte es wissen sollen.

Es war nicht so, dass er das nicht seit langer Zeit hatte kommen sehen.

Kellan löste sich von ihr mit einem wilden Knurren, das nichts Menschliches mehr an sich hatte. Als er redete, war seine Stimme heiser in seiner Kehle vom Verlangen und der klaren, bitteren Erkenntnis, wie sehr er ihrer beider Leben ruiniert hatte. »Komm mit.«

Mira rieb sich ihre vom Küssen feuchten, geröteten Lippen. Ihre Augen sahen verletzt aus, sie schienen ungewöhnlich groß und sahen ihn mit einer Mischung aus Verlangen und Bedauern an. »Schon wieder Zeit, mich loszuwerden, was?«

»Planänderung«, knurrte er. Er packte sie fester an der Hand und führte sie zum Jeep zurück. »Du bleibst bei mir.«

7

Eine Stunde später spürte Mira immer noch das warme Prickeln von Kellans überraschendem Kuss auf ihren Lippen. Immer noch rauschte ihr das Blut in den Ohren, ihr war heiß vor Wut, und eine ganz andere Hitze erfüllte sie, deren Ursache sie sich aber nicht eingestehen wollte. Wütend fuhr sie sich über den Mund, als könne sie die Erinnerung an den Kuss einfach wegwischen. Kellan brachte sie zu einem Ort südlich von Boston, sie fuhren durch New Bedford bis zu einem flachen, dunklen Felsenkliff, das weit in den Atlantik hinausragte und von drei Seiten vom Meer umspült wurde.

»Ich kenne diesen Ort«, murmelte sie, als der Jeep über den rissigen, renovierungsbedürftigen Asphalt rollte.

Die Straße führte auf den Eingang eines Geländes zu, das eine Parkanlage gewesen war, vor der Ersten Dämmerung und vor den nachfolgenden Kriegen. Noch viel früher, vor einem anderen Krieg, hatten das verwilderte Land und das niedrige, einem in die Länge gezogenen D ähnelnde Gebäude an dem einen Ende den Menschen als Militäreinrichtung gedient. Mira blickte auf die Einschusslöcher in dem zerbeulten Schild, das früher einmal die Besucher des historischen Fort Tabers willkommen geheißen hatte.

Heute war das Gelände von Unkraut überwuchert, Büsche und Dornensträucher hatten überhandgenommen. Der vor ihnen liegende Zementquader war hinter dem dunklen Blattwerk und den verschlungenen Ranken kaum mehr zu erkennen. Kellan fuhr seitlich an dem Gebäude vorbei. Der Eingang zum

Fort sah aus wie ein riesiges schwarzes Maul. Als sie näher kamen, schaltete Kellan die Scheinwerfer aus und fuhr im Dunkeln weiter.

Weit vor ihnen beleuchteten kleine Lampen eine Halle, offenbar eine alte Geschützbatterie, die nicht mehr benutzt wurde. Dort stand der schwarze Lieferwagen, mit dem Jeremy Ackmeyer und sie entführt worden waren.

»Toller Fuhrpark«, bemerkte Mira und warf Kellan einen sarkastischen Blick zu.

»Wir verfügen nicht über solche finanziellen Mittel wie der Orden.« Er fuhr neben den Lieferwagen und hielt an. »Wir müssen hart arbeiten für das, was wir aufgebaut haben – auch wenn es nicht viel ist.«

Er sprach weder anklagend noch vorwurfsvoll, sondern konstatierte lediglich die Fakten. Und doch lag da ein entschuldigender Ton in seiner Stimme, als wäre es ihm irgendwie peinlich. Als müsse er sich vor ihr dafür rechtfertigen, wie ärmlich er und seine Anhänger lebten.

Kellan stieg aus, ging um den Jeep herum und öffnete ihr ebenfalls die Tür. Mira blieb nichts übrig, als ihm durch die düstere Halle zu folgen. »Vielleicht würdet ihr eher Geldgeber finden, wenn ihr für eine bessere Sache arbeiten würdet.«

Er lachte bitter und drehte sich zu ihr um. »Denkst du im Ernst, dass wir nicht genug Leute finden könnten, die unsere Missionen finanzieren, wenn wir nur wollten? Aber wir machen uns nicht von jemandem abhängig. Wir tanzen keinem nach der Pfeife und wir scheren uns einen Dreck darum, ob wir einem Politiker auf die manikürten Zehen treten. Nicht einmal der Orden kann das von sich sagen.«

»Missionen nennst du das?«, entgegnete Mira. »Der Orden entführt keine Zivilisten und er stört auch keine diplomatischen Treffen. Der Orden sabotiert keine Friedensverhandlungen und er schwingt sich auch nicht zum Herrn und Richter auf, wann immer es ihm in den Kram passt.«

»Vielleicht sollte der Orden das ja endlich mal tun.« In Kellans Augen schwelte kaum unterdrückte Empörung, in dem schwachen Bunkerlicht glitzerten sie orange. »Wir tun nur, was nötig ist, denn irgendjemand *muss* es tun.«

Er ging weiter auf den breiten Tunneleingang zu und entfernte sich von den geparkten Fahrzeugen.

»Du bist so überzeugt von dir, was?«, rief Mira ihm nach. »Ich kann nur hoffen, dass du auch so bereitwillig für deine Überzeugungen sterben wirst.«

Er fuhr herum und stürmte zurück zu ihr. Sein Gesichtsausdruck war dunkel und nachdenklich, obwohl seine Augen wie von Bernsteinfeuer glühten. »Ja, ich bin bereit, für das zu sterben, woran ich glaube. Und erzähl du mir nicht, dass es bei dir anders wäre.«

Sie stand da und konnte ihm nicht widersprechen. Er kannte sie zu gut. Was immer sie ihm auch an Argumenten an den Kopf warf, er würde ihr nicht glauben. Und er ließ ihr auch keine Chance. Er umklammerte ihr Handgelenk und zog sie weiter in den schwarzen Tunnel hinein, der langsam anstieg und in einen anderen Bunker führte. Sie befand sich in den Unterkünften des Rebellenlagers, erkannte Mira.

Kellans Team hielt sich in dem notdürftig möblierten, höhlenartigen Hauptraum des Bunkers auf. Candice und der Mann namens Vince waren mit der Reinigung von Schusswaffen beschäftigt, bei ihnen saß auch der Kerl, den sie Chaz genannt hatten. Doc saß an einem zerkratzten Metalltisch und aß etwas aus einer Büchse, die offensichtlich aus alten Armeebeständen stammte. Neben ihm hockte ein junges Mädchen mit blauen Haaren auf einem Stuhl mit der Lehne nach vorn. Etliche Piercings zierten ihr Gesicht und ihre Ohrmuschel. Ihre Finger flogen über das

Touchpad eines Tablet-PC, wobei sie nicht einmal mit dem Tippen aufhörte, als alle die Köpfe hoben und Kellan und seine unerwartete Begleiterin anstarrten.

Candice fand als Erste die Stimme wieder. »Äh … alles in Ordnung, Boss?«

Er nickte knapp. Mit den Fingern hielt er Miras Handgelenk immer noch fest umschlossen. »Ich ändere den Plan hier ein wenig. Es bringt nichts, wenn wir einen der Gefangenen jetzt schon freilassen. Deshalb habe ich beschlossen, dass sie hierbleibt.«

Vince verzog das Gesicht. »Hältst du das wirklich für einen klugen Schachzug? Gerade sie? Wenn wir eine von ihnen festhalten, dann bringt uns das vielleicht ins Schussfeld der Ordens.«

Kellan antwortete sofort und ohne Emotion in der Stimme. »Der Orden hat uns schon im Visier. Lange kann es nicht mehr dauern, bis sie davon Wind bekommen, vielleicht noch ein paar Stunden. Und dann haben wir Lucan Thorne und seine Krieger zum Feind.«

Vince überlegte, wobei er sich mit seinen dicken Fingern durch die lockigen, aschblonden Haare fuhr. Dann nickte er, als habe er verstanden, und seine Mundwinkel zuckten, wobei er ein nicht gerade freundliches Lächeln aufsetzte. »Mit anderen Worten, du denkst, es könnte nicht schaden, wenn wir etwas gegen den Orden in der Hand haben. Ein Druckmittel, falls die Sache mit Ackmeyer schiefgeht.«

Kellan knurrte und fixierte seinen Mann mit einem tödlichen, bernsteingelben Blick. »Diese Frau – diese Kriegerin«, sagte er und sprach dabei alle an, »steht unter meiner Bewachung und ich allein bin für sie verantwortlich. Kapiert?«

Sofort war von allen Seiten ein einhellig zustimmendes Murmeln zu hören, aber Kellan ging schon wieder weiter und zog Mira mit sich. Er führte sie weg von dem Rebellenteam in seine private Unterkunft. Mira brauchte nicht zu fragen, ob das mit schlichtem Mobiliar ausgestattete Zimmer Kellan gehörte, denn alles hier roch nach ihm. Seine dunkle würzige Wärme hatte sich schon vor Jahren in all ihre Sinneswahrnehmungen unauslöschlich eingebrannt.

Er schloss die Tür hinter ihnen und ließ sie endlich los. »Wenn du kooperierst, Mira, dann brauche ich dich nicht zu fesseln.«

»Wie großzügig.« Sie warf ihm einen bösen Blick zu und ließ ihn nicht aus den Augen, als er eine Decke von dem einzigen Bett im Raum nahm und sie auf den Boden legte.

»Aber falls du einen Fluchtversuch machen solltest«, sprach er weiter, als hätte er ihren Einwurf gar nicht gehört, »oder falls du irgendwie versuchst, mir bei meiner Mission in die Quere zu kommen, dann werfe ich dich in eine Zelle, bis die ganze Sache vorbei ist.«

Als er steif diese Warnung aussprach, beobachtete Mira ihn genau. Seine Bewegungen wirkten roboterhaft, und sie bemerkte, dass er sie kaum einen Moment lang direkt anschauen konnte. Ihm gefiel die Situation genauso wenig wie ihr, vielleicht hasste er es sogar noch mehr, dass er sie als Gefangene halten musste. Aber es stand in seiner Macht, die Sache zu beenden.

»Es ist noch nicht zu spät, das Ganze abzubrechen, Kellan. Deine Freunde sind nervös wegen dieser Entführung, das kann ja ein Blinder sehen. Sie haben sich strafbar gemacht und sie haben Angst davor, wie der Orden reagieren wird. Mit gutem Grund. Verrat ist ein Kapitalverbrechen, das mit der Todesstrafe geahndet werden kann. Das muss dir doch klar sein.«

Kellan antwortete nicht, aber eine der Sehnen an seinem muskulösen Hals zuckte heftig.

»Du kannst mir Ackmeyer übergeben, bevor alles noch schlimmer wird.« Sie holte tief Luft. Immer noch konnte sie kaum begreifen, wie es möglich sein sollte, dass sie vor Kellan Archer stand und ihn, einen führenden Kopf der Rebellen, inständig zu überzeugen versuchte, sich zu stellen. Doch er durfte nicht ein zweites Mal sterben. »Lass Jeremy Ackmeyer und mich heute Nacht frei, Kellan, dann sage ich Lucan und dem Rat der Globalen Nationen, dass du Reue gezeigt hast. Und dass ihr, du und deine Leute, uns gut behandelt habt.«

Er bedachte sie mit einem zynischen Blick, wobei er eine seiner dunklen Augenbrauen hob. »Für mich klingt das nicht gerade wie ein besonders verlockendes Angebot.«

Mira schüttelte langsam den Kopf. Bei der Vorstellung, dass Kellan angeklagt werden würde, fuhr ihr ein scharfer Schmerz durch die Brust. Aber selbst wenn bis jetzt noch nichts Schlimmeres geschehen war, reichte bei seinen Taten eine Entschuldigung nicht aus. In irgendeiner Form musste er eine Wiedergutmachung leisten. »Lucan wird dich fair behandeln, das weißt du. So fair, wie er kann.«

Kellan zuckte mit den Schultern. »Und was ist, wenn Ackmeyer dabei draufgeht?«

Heiße Panik schoss durch Miras Körper. »Du hast gesagt, ihr hättet ihn nicht getötet. Du hast gesagt, ihr würdet ihn nicht – «

»Wenn er auf unsere Bedingungen eingeht«, erinnerte sie Kellan. »Aber wenn nicht, dann …«

Seine Stimme klang wie die eines Söldners, und Mira schnürte es für einen Moment die Kehle zu. »Er gibt dir nicht das, was du von ihm willst, und du lässt ihn einfach über die Klinge springen, ohne jeden Skrupel und mit voller Absicht.«

»Wenn ich dadurch Tausende oder sogar Millionen von Leben retten kann?« Kellan nickte. »Ich habe im Krieg für weitaus weniger Menschen getötet. Du übrigens auch.«

»Aber das ist kein Krieg, zumindest jetzt noch nicht.« Mira rannte auf ihn zu und verspürte den unbändigen Wunsch, ihm mit den Fäusten seinen Starrsinn auszutreiben. Fast hätte sie es getan. Doch mit Mühe hielt sie der Versuchung stand und schlug nicht auf seine breite Brust ein. Wenn sie ihn jetzt berührte, egal ob sie wütend auf ihn war oder nicht, dann würde das nur zu anderen Dingen führen. Und sie konnte es sich nicht leisten, so viel für ihn zu empfinden. Nicht jetzt und auch in der Zukunft nie mehr. »Es muss nicht zum Krieg kommen, Kellan. Nicht, wenn du hier und jetzt damit aufhörst. Es ist noch nicht zu spät – «

Abrupt unterbrach er sie mit einem zornigen Fluch. »Es *ist* zu spät«, knurrte er. »Schon vor sechs Monaten, als das alles erst angefangen hat, war es zu spät.«

Er stieß einen weiteren Fluch aus, der noch wütender klang, und rannte zu einem großen Koffer, der am Fuß des Bettes stand. Er ging in die Knie, riss das Schloss auf und klappte den Kofferdeckel so heftig auf, dass dieser laut krachend gegen den Bettrahmen fiel. »Du brauchst sicher irgendwann Kleider zum Wechseln.« Er warf ihr ein sorgsam gefaltetes T-Shirt zu, dann eine seiner alten Turnhosen. »Wenn du etwas brauchst, das ich nicht habe, dann kann Candice es dir besorgen.«

»Als was angefangen hat?«, fragte sie und ging langsam auf ihn zu. »Du hast gesagt, das alles hätte vor sechs Monaten angefangen. Was ist damals passiert?«

Er erhob sich und stand direkt vor ihr, sodass sich ihre Gesichter fast berührten. »Was weißt du über Jeremy Ackmeyer?«

Mira schüttelte den Kopf. »Du meinst, über seine allgemeinen biografischen Eckdaten hinaus? Nicht viel.« Sie ging durch eine verkürzte Liste von Ackmeyers wissenschaftlichen Erfolgen und Auszeichnungen, so weit sie sich erinnern konnte. Kellan horchte bei keinem Punkt auf und reagierte auch sonst nicht. Anscheinend hörte er nichts, das ihn überrascht hätte. »Und dann weißt du sicher auch, dass er in ein paar Tagen einen ziemlich hoch dotierten Preis von Reginald Crowe bekommen soll.«

Er reagierte immer noch nicht, und als Mira ihn beobachtete, wurde ihr etwas klar. »Hier geht es gar nicht darum, eurer politischen Einstellung Gehör zu verschaffen. Und ihr wollt auch nicht den Friedensgipfel stören, habe ich recht? Du hast gesagt, Ackmeyer hätte etwas, das du möchtest …«

Kellan wich ihrem fragenden Blick nicht aus. Seine Augen blitzten nicht bernsteingelb vor Zorn, sondern waren kühl und verschlossen, in dem schillernden grünbraunen Farbton, der sich immer direkt in ihre Seele zu bohren schien. »Vor drei Monaten wurde ein Mann aus einem Dunklen Hafen mitten auf der Straße in New York niedergeschossen. Und zwar von einer Gruppe von brutalen Verbrechern. Menschen. Ein harmloser Stammesvampir, ein Zivilist, wurde ohne Vorwarnung und grundlos ermordet, und die Männer, die ihn erschlagen haben, sind mit einem Regierungsfahrzeug davongefahren.«

Mira versuchte, sich zu erinnern und dachte angestrengt nach. Aber sie hatte ihre Zweifel. »So einen Mord gab es nicht, auf keinen Fall vor so kurzer Zeit. Die Presse hätte in riesigen Schlagzeilen darüber berichtet. Ach was, der Fall wäre immer noch ganz oben in den Nachrichten.«

»Keine Leiche. Keine Zeugen«, erwiderte Kellan. »Zumindest haben sie das angenommen.«

»Was meinst du damit?«

»Eine Frau hat den Überfall beobachtet. Sie hat alles von einem Fenster ihrer Wohnung aus gesehen. Der Mord ist in einer Gasse geschehen, und das Fenster geht genau auf diese Gasse.« Sein Gesicht hatte einen finsteren Ausdruck angenommen. »Die Leiche wurde nie entdeckt, weil sie direkt am Tatort eingeäschert wurde, Mira. Diese Menschenschweine haben ihn mit Kugeln erschossen, die aus super-hochkonzentriertem UV-Licht bestanden, das in eine flüssige Form umgewandelt war. Diese Kugeln sind nur für einen einzigen Zweck hergestellt worden: um Vampire zu töten.«

Mira ließ es sich einen Moment durch den Kopf gehen, doch

dann lachte sie ungläubig auf. »Ach, komm schon, Kellan. Da musst du dir schon eine bessere Geschichte einfallen lassen. Regierungsattentäter, die Kugeln mit flüssigem UV-Licht verwenden? So eine Technologie gibt es nicht, das ist pure Science-Fiction.«

»Gibt es das wirklich nicht?«

»Nein, das gibt es nicht«, sagte sie mit Nachdruck. »Zum einen würde so etwas gegen das Verbot von Waffen mit potenziell katastrophalen Auswirkungen verstoßen. Der Rat der Globalen Nationen würde das nie bewilligen. Und dann würde der Orden die Entwicklung von solchen Waffen auf keinen Fall zulassen. Sie würden sämtliche Forschungsergebnisse in diese Richtung sofort zerstören, noch lange bevor etwas so Vernichtendes wie UV-Geschosse überhaupt erst in die Entwicklungsphase kommt.«

Er zuckte mit den Schultern. Ihre Worte hatten ihn sichtlich wenig überzeugt. »Und doch ist offenbar genau so ein Geschoss bei dem Mord eingesetzt worden.«

»Das musst du mir beweisen.«

Wortlos schob er die Hand in die Tasche seiner dunklen Jeans, holte eine leere Patronenhülse hervor und reichte sie ihr. »Das hier hat die Zeugin in der Asche des toten Vampirs entdeckt. Er war ihr Lover. Laut ihrer Aussage hatte er keine Feinde. An dem Morgen wollte er nur vor Sonnenaufgang nach Hause, als die Menschen ihn belästigt und mit Beleidigungen gegen Stammesangehörige provoziert haben. Dann haben sie ihn wie ein Tier erschossen. Nein, schlimmer als ein Tier.«

Mira schluckte ihre Wut hinunter und betrachtete die leere Patronenhülse in ihrer Hand. Es waren keine Markierungen oder Hinweise darauf zu sehen. Wie furchtbar musste es für die Frau gewesen sein – einen Mann aus den Dunklen Häfen zu lieben und dann zusehen zu müssen, wie er vor ihren Augen getötet wurde.

»Sie wusste nicht mehr, wem sie noch trauen oder wohin sie gehen konnte«, sagte Kellan. »So ist sie zu uns gekommen.«

»Wer ist sie?«

»Du hast sie vorhin in dem Raum bei den anderen gesehen – Nina. Sie ist eine Freundin von Candice. Und jetzt hat sie sich meinem Team angeschlossen.«

Mira schüttelte wieder den Kopf, während sie versuchte, alles zu verstehen, was Kellan ihr erzählte. »Willst du mir weismachen, Jeremy Ackmeyer sei irgendwie für diesen Mord verantwortlich?«

Kellan nahm ihr die Patronenhülse aus der Hand und ließ sie wieder in seiner Tasche verschwinden. »Es ist seine Technologie. Wir haben eine ganze Weile dafür gebraucht, aber dann konnten wir die Technologie zweifelsfrei zu Ackmeyer zurückverfolgen. Ursprünglich wollten wir sein Labor zerstören, aber der Komplex ist eine uneinnehmbare Festung – er ist noch stärker gesichert als sein Zuhause. Dann haben wir gehört, dass Ackmeyer das Haus verlassen würde. Er erwarte, so hieß es, eine Sicherheitseskorte bei seinem Haus.«

»Die Sicherheitseskorte war ich.« Mira kam sich vor wie eine Figur in einem Schachspiel.

»Wir mussten schnell agieren«, erklärte Kellan. »Ich wusste nicht, dass der Orden Ackmeyer den Begleitschutz stellen würde. Die Operation fand am Tag stand, und neunundneunzig Prozent der Ordenskrieger sind nur für Nachtmissionen einsetzbar –«

»Vom wem hast du die Informationen?«

Kellan starrte sie kühl an. »Wir haben unsere Quellen in der Stadt.«

»Rooster.« Es war nur eine Vermutung, doch als Kellan es nicht leugnete, musste Mira kurz auflachen, auch wenn ihr überhaupt nicht nach Lachen zumute war.

»Der Typ ist das Letzte.« Wenigstens gab Kellan es zu. »Aber er erfüllt seinen Zweck.«

»Weißt du auch, dass ich nur seinetwegen für den Begleitschutz bei Ackmeyer eingeteilt wurde?« Sie presste die Lippen aufeinander und hob leicht das Kinn. »Lucan hat mich damit abgestraft, weil ich den kleinen rothaarigen Wichser unten in der Kampfarena im *LaNotte* ein bisschen aufgemischt habe. Ich hätte ihm direkt ins Herz schießen sollen.«

Kellan hob eine Braue. »Du hasst ihn wirklich.«

»Ich hasse alle Rebellen«, sagte sie in scharfem Tonfall. »Ich hasse sie für das, was sie mir genommen haben.« Wut kochte in ihr hoch, und sie schaute Kellan direkt in die Augen.

Er wich ihrem Blick nicht aus, doch es dauerte einen Moment, bevor er ihr antwortete. »Und jetzt bin ich auch einer von diesen Leuten, die du hasst.« Er klang ernst und voller Bedauern, aber so etwas wie eine Entschuldigung war seiner Stimme nicht zu entnehmen.

»Ich wollte nie, dass wir auf verschiedenen Seiten stehen, Kellan. Das hast du dir zuzuschreiben, nicht mir. Durch die Entführung machst du uns wirklich zu Feinden, und nur du kannst das jetzt noch ändern.«

Sie schaute ihn an und wartete und hoffte darauf, dass er ihr versicherte, alles sei nur ein schrecklicher Fehler gewesen und er würde es wieder in Ordnung bringen. Dass er sie immer noch liebte und dass sie zusammen einen Weg heraus aus dieser dunklen Falle finden würden, die mit scharfen, tödlichen Zähnen über ihnen zuklappte.

Aber er sagte nichts davon.

»Vergiss bitte nicht, was ich vorhin gesagt habe. Versuch nicht zu fliehen und komm mir bei meiner Mission nicht in die Quere. Ich möchte nicht, dass das alles noch schwieriger für dich wird, Mira.«

Sie ließ den zerknirschten Ton in seiner Stimme an sich abprallen und konzentrierte sich stattdessen auf die Tatsache, dass offensichtlich nichts von dem, was sie vorgebracht hatte, ihn überzeugen konnte. Er wollte seine Meinung nicht ändern. Sie hatte Kellan vor acht Jahren verloren, und dieses Wiedersehen brachte ihn ihr nicht zurück.

»Erspar mir die Mitleidstour, Bowman. Damit kannst du mir gestohlen bleiben. Du kannst mir überhaupt ganz gestohlen bleiben.«

Er blickte sie einen Moment lang eindringlich an, dann gab er mit einem kurzen Nicken nach und ließ sie allein in seinem Quartier. Er trat in den Korridor, und Mira hörte, wie er seine Rebellen zu einer Strategiesitzung zusammenrief.

Es vor schon nach Mitternacht und noch immer hatte niemand etwas von Mira gehört. Aus Washington kam die Nachricht, Lucan wäre sauer auf sie, weil sie sich nach dem Auftrag nicht bei ihm abgemeldet hätte. Als Nathan aber erfuhr, dass sie sich schon den ganzen Tag bei niemandem gemeldet hatte, wusste er mit kalter Gewissheit, dass etwas furchtbar schiefgelaufen sein musste. Aus diesem Grund rief er noch in der Nacht sein Team zusammen und brach in den ländlichen Westen von Massachusetts auf, wo Jeremy Ackmeyer wohnte.

Am und im Haus des zurückgezogen lebenden Wissenschaftlers entdeckten sie jede Menge schlechter Nachrichten und Schwierigkeiten. Tiefe Reifenspuren durchkreuzten die mondbeschienene Rasenfläche, auf der überall Scherben von Autoscheinwerfern glitzerten. Dunkle Bremsspuren zogen sich über die asphaltierte Einfahrt. Sie fanden ein halbes Dutzend leerer Patronenhülsen mit Neunmillimeter-Kaliber, von denen Nathan annahm, dass sie aus Miras Revolver stammten, einer Standardbewaffnung der Ordensmitglieder.

Nirgends war eine Spur ihres Fahrzeugs zu sehen.

Und nirgends eine Spur von Jeremy Ackmeyer.

Elijah und Jax kamen um die Ecke zur Vorderseite des Hauses, wo Nathan am offenen Garagentor stand.

»Innen sieht alles okay aus, aber wir sind auf Spuren von einem Kampf gestoßen«, sagte Elijah in seinem üblichen schleppenden Tonfall. In der Dunkelheit wirkte sein Gesichtsausdruck ernst. »Wer immer die Kerle waren, die ins Haus eingedrungen sind, sie haben jedenfalls ein klares Ziel gehabt. Zeit haben die nicht verschwendet, als sie hatten, was sie wollten. Die sind sofort wieder abgehauen.«

»Und jetzt haben sie Mira.« Nathans Stimme war die Wut, die in ihm bei dem Gedanken kochte, dass ein Mitglied des Ordens in die Hände von Feinden gefallen war, nicht anzuhören. Dass dieses Mitglied ausgerechnet Mira war, die Frau, die ihm so nahestand, als wäre sie Teil seiner Familie, ließ ihm das Blut kalt und schnell durch die Adern schießen.

»Hey, Captain«, rief ihm Rafe grimmig von der anderen Seite des Gartens aus zu. Dort war es dem Anschein nach zu den schlimmsten Kampfhandlungen gekommen. »Du solltest dir das lieber mal selbst anschauen.«

Nathan schritt über das Gras, wobei ihm ein Gestank von ausgeflossenem Benzin, Öl und Bremsflüssigkeit in die Nase stieg. Und noch ein Geruch trieb durch die warme Nachtluft zu ihm her – der süße Lilienduft von Miras Blut war schwach und fast schon vergangen.

Kleine Tropfen perlten auf dem Gras und dem aufgewühlten Boden. Nathan ging auf dem zerstörten Rasen in die Hocke und strich mit den Fingern über die getrockneten Spritzer zu seinen Füßen. Es war das Blut einer kriegerischen Stammesgefährtin. Mira war verletzt worden, aber er würde sein Leben darauf verwetten, dass sie nicht ohne Kampf zu Boden gegangen war.

»Das muss ihr in dem Handgemenge runtergefallen sein.« Rafe reichte Nathan ein dünnes Objekt aus geschmiedetem Metall.

Er wusste sofort, um was sich handelte. Es war eine von Miras kostbaren Klingen.

Nathan nahm Rafe den handgefertigten Dolch aus der Hand. Der geschnitzte Griff fühlte sich rau an unter seinen Fingerspitzen. Er drehte ihn in der Hand und las die Worte, die die beiden Seiten der fein gearbeiteten Waffe zierten: *Vertrauen. Mut.*

An Mut mangelte es Mira nicht. Das wusste Nathan. Was Vertrauen betraf, das konnte er selbst am schlechtesten beurteilen. Nathan handelte aufgrund von Logik und Stärke. Es waren Fähigkeiten, die er sich schon als Kind angeeignet hatte, als er von einem Verrückten zu einem Auftragsmörder herangezogen worden war. Vertrauen war für ihn so unverständlich wie Magie. In seiner Welt gab es so etwas wie Vertrauen nicht.

Aber er wusste, was Hoffnung war. Und unter all seiner kühlen Logik spürte er eine Wut, die noch kälter war. Als er den Dolch, den Mira so liebte, in seinen Waffengurt steckte, merkte er, wie diese Wut in ihm hochkam.

Sie würde überleben; dessen war er sich sicher. Sie würde sich gegen die Scheißkerle zur Wehr setzen – wo immer sie sich aufhielten und egal, aus welchen Gründen sie Mira entführt hatten. Ihr Mut würde sie am Leben erhalten, bis der Orden sie gefunden hatte.

Miras Entführer würden büßen für alles, was sie ihr angetan hatten. Dafür würde Nathan sorgen. Und dann würden die Kerle ihre Tat mit dem bezahlen, was von ihren kümmerlichen Leben noch übrig war.

8

Kellan schritt im Wohnraum des Rebellenbunkers auf und ab. Ein Zucken in seinen Knochen verriet ihm, dass draußen auf der anderen Seite der dicken Betonmauern der Morgen dämmerte. Sein Team war schon vor Stunden aufgebrochen, um seinen täglichen Pflichten nachzukommen. Sie beschafften Vorräte, tankten die Fahrzeuge auf, reinigten und ölten die Waffen und kümmerten sich um die Solarzellen, die das Lager mit Strom versorgten, sowie um das Gelände, in dem der Eingang versteckt war.

Am Morgen legte sich ihr kommandierender Stammesvampir normalerweise für ein paar Stunden aufs Ohr, doch heute konnte Kellan keine Ruhe finden. Nicht wenn Mira in seinem Quartier gefangen gehalten wurde.

Die Hitze seiner Begegnung mit ihr flimmerte noch immer in seinem Blut … an den Kuss, den er weder geplant hatte noch hatte verhindern können, wollte er gar nicht denken. Seine Libido drängte auf einen zweiten Kuss. Und wenn er sich noch einmal so weit in ihre Nähe wagte – wenn er zuließ, dass er sie berührte, selbst beiläufig berührte –, dann war es nur eine Frage der Zeit, bis er einen Weg fand, wie er ihren nackten Körper unter sich spüren konnte.

Kein gute Idee, ganz und gar keine gute Idee.

Aber Scheiße, allein schon der Gedanke daran ließ alles Männliche in ihm stramm stehen.

Er war die ganze Nacht nicht zurück in sein Quartier gegangen. Nein, er hatte den Chef herausgekehrt und Candice befohlen, sich um Mira zu kümmern. Sie hatte am Abend ein paarmal nach ihr gesehen, hatte dafür gesorgt, dass sie Wasser und etwas zu essen bekam, und sie hatte Mira zu den Latrinenräumen des Bunkers geführt, wo sich die Menschen die Toilette und die Dusche teilten. Laut Candice verhielt sich Mira kooperativ, doch anscheinend hatte sie sich die Örtlichkeiten sehr genau angeschaut und jeden Winkel des Bunkers inspiziert, als Candice sie mit gezückter Waffe durch die Gänge führte.

Gott, es brachte ihn fast um, dass er Mira so behandeln musste. Was würde er dafür geben, wenn er sie aus dem Kreuzfeuer heraushalten könnte. Er selbst hatte diesen Kampf nie führen wollen, und er war sich ziemlich sicher, dass er ihn nicht überleben würde, geschweige denn gewinnen. Und jetzt saß auch noch die Frau, die für ihn einmal das Wichtigste im Leben gewesen war, hinter einer verschlossenen Tür in seinem Quartier und hasste ihn. Wahrscheinlich wünschte Mira sich jetzt, dass er wirklich tot wäre.

Das Ganze war der Tiefpunkt an beschissenen Szenarien seines Lebens, schlimmer konnte es wirklich nicht mehr kommen.

Ein Teil von ihm, ein schwacher Teil, wäre am liebsten auf der Stelle zu ihr gegangen und hätte sie um Verzeihung gebeten. Sie sollte verstehen, dass er nichts von alldem hier gewollt hatte. Im Gegenteil, genau das hatte er immer vermieden. All die Jahre, die ganze Zeit über, als er sich von allen zurückgezogen hatte, denen er etwas bedeutete, von allen, die er jemals geliebt hatte.

Aber er war nicht weit genug fortgegangen.

Er konnte seinem Schicksal nicht davonlaufen, und jetzt hatte es ihn eingeholt und traf ihn hart mitten ins Gesicht.

Kellan fluchte leise vor sich hin und stapfte dann aus dem Wohnraum. Der Versuchung zu Mira zu gehen gab er nicht nach, sondern richtete seine Schritte in Richtung der Zelle tief im Inneren der alten Festung.

Er war aufgebracht und aggressiv – was konnte es also für einen besseren Zeitpunkt geben, dem Mann, der eine kleine Einschüchterung wirklich verdiente, einen Besuch abzustatten. Jeremy Ackmeyer saß im Dunkeln in dem feuchtkalten Raum, der eine Grundfläche von höchstens neun Quadratmetern aufwies. Die Zelle war nicht mehr als ein fensterloser Zementwürfel. Das schwere Metallgitter war mit einem Nummernschloss gesichert. Die Gitterstäbe hatten Rost angesetzt, doch sie waren unzerstörbar. Nicht, dass Ackmeyer es versucht hätte.

Der schlaksige junge Mann war dünn und sehnig. Seine Jeans waren ihm ein paar Nummern zu groß, und er trug ein altes kariertes Hemd mit einer verdeckten Knopfleiste. Jeremy Ackmeyer stand in der Mitte seines Gefängnisses und rührte sich nicht. Lange mausbraune Strähnen hingen ihm in die Stirn und über die dicken Gläser seiner Brille. Er hatte den Kopf eingezogen und die dünnen Arme um sich geschlungen, die Hände eng an seinen Körper gepresst. Als Kellan sich dem Gitter näherte, blickte er ihm misstrauisch entgegen, sagte aber nichts.

Candice hatte Ackmeyer schon vor Stunden das Abendessen gebracht, doch das Tablett stand unberührt auf der betonierten Bank in der Zelle. *Abendessen* war wahrscheinlich eine beschönigende Übertreibung für das Dosenfutter aus Armeebeständen, das sie dem Gefangenen servierten. Allerdings hatten Kellan und seine Art keinerlei Erfahrung mit menschlichen Nahrungsvorlieben.

»Was ist los, Ackmeyer? Schmeckt dir der Rebellenfraß nicht?« Kellans Stimme hallte von den Wänden wider, mit einem dunklen, feindseligen Klang. »Oder ist dein Geschmack vielleicht ein bisschen zu vornehm für so ein einfaches Essen?«

Der Mensch blinzelte kurz hinter den dicken Gläsern, die seine Augen verzerrt erscheinen ließen. Er schluckte krampfartig, und sein Adamsapfel bewegte sich auf und ab. »Ich habe keinen Hunger. Ich würde gerne diese Zelle verlassen. Es riecht sehr modrig hier, und in der Ecke ist alles voll von schwarzem Schimmel.«

Kellan grinste. »Die Beschwerde leite ich sofort an den Hausmeister weiter.«

»Es ist ziemlich ungesund. Sogar giftig.« Ackmeyer wirkte nicht arrogant, sondern eingeschüchtert. Er trat von einem Bein aufs andere und machte linkische, ängstliche Bewegungen. Gar nicht wie ein teuflischer Wissenschaftler, sondern wie ein nervöses, verwirrtes Kind. »Das Gift des Schwarzschimmels wird durch die Luft übertragen. Ist Ihnen klar, dass die Sporen sich exponentiell millionenfach vermehren? Tödliche Sporen, die wir beide jetzt im Moment in unsere Lungen einatmen. Bitte … wenn es Ihnen nichts ausmacht, würden Sie die Zelle aufschließen und mich hinauslassen?«

Kellan konnte den Mann nur wortlos anstarren. Es war unfassbar, aber offenbar hatte der Kerl mehr Angst vor mikroskopisch kleinen Bakterien als vor der tödlichen Gefahr, die direkt vor ihm stand. Und wenn Ackmeyer ihm hier etwas vorspielte, dann war er ein erstklassiger Schauspieler. »Du kommst hier nicht raus, bis ich es erlaube. Und das heißt, du hältst entweder den Atem an oder du trennst dich mal ganz schnell von deinen Neurosen.«

Bei dem scharfen Ton in Kellans Stimme fuhr Ackmeyer erschrocken zurück. Er spielte am Saum seines Hemds herum, das er über der Jeans trug, dabei zog er seine dünnen Augenbrauen zusammen. »Was ist mit der Frau?«

»Was soll mit ihr sein?«, knurrte Kellan.

»Sie war vor meinem Haus, als die Entführer kamen. Ich habe gehört, wie sie nach mir gerufen hat, kurz bevor ich niedergeschlagen wurde.« Er schaute hoch, und der weiche Blick in seinen braunen Augen verriet, wie besorgt er war. »Geht es ihr … gut?«

»Um die Frau brauchst *du* dir keine Sorgen zu machen.« Kellan trat näher an das Eisengitter und stierte Ackmeyer durch die Stäbe hindurch an. Er stieß ein kurzes raues Lachen aus, das in der Stille des Bunkers bitter klang. »Ich soll wohl denken, dass dir etwas am Wohl anderer Leute liegt, was? Aber wenn du auf Milde hoffst, bist du bei mir an der falschen Adresse.«

Ackmeyer blinzelte ein paarmal und schüttelte leicht den Kopf. »Wenn Sie das so empfinden, dann kann ich es wohl nicht ändern. Doch weil der Angriff auf meinem Anwesen stattgefunden hat, nehme ich an, dass ich das Ziel war und nicht die Frau.«

»Brillante Schlussfolgerung«, schnauzte Kellan ihn an. »Vielleicht möchtest du auch noch einen Tipp abgeben, warum du hier vor mir in dieser schimmelbefallenen Zelle in einem Rebellenbunker stehst?«

Ackmeyer hielt seinem Blick stand, doch ein Schauder lief durch seinen mageren Körper. »Ich nehme an, Sie wollen entweder ein Lösegeld für mich oder mich umbringen.«

»Ich habe kein Interesse daran, reich zu werden, indem ich das Blut eines Menschen vergieße«, erwiderte Kellan eisig. »Aber du schon, oder nicht?«

»Nein.« Ackmeyer antwortete sofort und im Brustton der Überzeugung. »Na, das würde ich nie tun. Das Leben ist kostbar – «

Kellan fiel ihm barsch ins Wort. »Aber nur, wenn es nicht um das Leben eines Stammesvampirs geht, richtig?«

Er wusste, dass das Feuer in seinen Augen brannte. Er spürte nichts als Verachtung für das zerstörerische Genie des Menschen, und bernsteingelbe Hitze trat in sein Gesichtsfeld und tauchte die Welt in Rot. Voller Zorn blickte er durch die dicken Stäbe des Metallkäfigs. Es war ein leicht überwindbares Hindernis, das Kellan davon abhielt, den Wissenschaftler seine Fäuste und Fänge spüren zu lassen.

Ackmeyer zog sich weiter in die Zelle zurück. Offenbar war ihm klar geworden, dass er sich in eine gefährliche Situation gebracht hatte, und er erkannte wohl erst in diesem Moment, mit welchem Wesen er es hier zu tun hatte. »Ich … ich weiß nicht, wovon Sie reden, ehrlich nicht!«

»Das weißt du nicht?« Kellans Stimme war rau vor Zorn. »Ich kann beweisen, dass das nicht stimmt.«

Der Mensch schüttelte hektisch den Kopf. »Sie irren sich! Ich bin Wissenschaftler. Jede Form von Leben ist ein Wunder der Natur für mich.«

Kellan lachte leise. »Selbst so eine Missgeburt wie ich, wie meine Art?«

»J-ja«, stotterte Ackmeyer, doch gleich darauf wurde ihm klar, was er gerade gesagt hatte. »Ich meine, nein. Das ist nicht, was ich sagen wollte. Ich … was ich sagen wollte, hier stimmt etwas nicht. Ich weiß nicht, was ich Ihnen angetan haben soll, aber ich schwöre, ich bin unschuldig. Es muss sich um ein Versehen handeln, ein schreckliches Versehen …«

Kellan hätte die Proteste des Menschen gerne als die verzweifelten Lügen eines eiskalten, geldgierigen Mörders abgetan, doch da war dieses verstörende ungute Gefühl in seinem Bauch. Es löste eine zutiefst beunruhigende Erkenntnis in ihm aus.

Jeremy Ackmeyer hatte recht: Etwas stimmte nicht. Da war eine Ernsthaftigkeit in seinen Worten, die Kellan sich den Mann genauer anschauen ließ. Er suchte nach der Lüge, und er war sicher, dass er sie finden würde.

Mit seinen mentalen Kräften öffnete Kellan das Schloss der versperrten Zellentür und schob dann kraft seines Geistes das Metallgitter auf. Ackmeyer kauerte sich auf den Boden und kroch wie ein Käfer zurück bis zur hinteren Wand, wo er seine spindeldürre Wirbelsäule gegen die schimmelüberzogenen Betonblöcke presste. Kellan betrat die feuchte Zelle und rückte

Ackmeyer auf die Pelle. Als er direkt vor ihm stand, überragte er ihn um Längen.

»Möchtest du wirklich wissen, warum du hier bist?« Er blickte hinunter auf Ackmeyer. Im heißen Feuer, das in Kellans Pupillen loderte, schien das Gesicht des jungen Mannes bernsteingelb zu glühen. »Du bist wegen der UV-Technologie hier, die du entwickelt hast, um Stammesvampire zu töten.«

Ackmeyer schüttelte nur den Kopf. Anscheinend hatte er vor Angst die Stimme verloren.

»Du bist hier, weil diese Technologie vor einigen Monaten dazu verwendet wurde, einen Zivilisten aus einem Dunklen Hafen mitten auf der Straße einzuäschern. Flüssiges Sonnenlicht – das ist doch genau die Art von Ausgleichstreffer, für den eure Spezies über Leichen geht.« Kellan redete weiter und ließ sich nicht von den Tränen beirren, die dem Menschen in die weit geöffneten Augen traten. »Willst du dich im Ernst vor mich hinstellen und behaupten, du hättest nichts mit dieser Technologie zu tun?«

»Ich weiß wirklich nicht, wovon Sie sprechen. Es stimmt, ich habe einen Weg entdeckt, wie man UV-Licht einfangen und in einen flüssigen Zustand umwandeln kann. Das ist einer von verschiedenen Prototypen, an denen ich bei meinem Morningstar-Projekt arbeite. Aber meine Daten und Modelle sind nie an die Öffentlichkeit gelangt. Und es sind alles Technologien zur Lichtgewinnung, keine Waffen. Die Forschung soll dem Planeten dienen, das ist der ganze Sinn und Zweck des Projekts. Wir wollen den Energieverbrauch revolutionieren – «

»Das Gleiche hat man schon über die Kernenergie gesagt«, knurrte Kellan. »Ich habe keine Zeit für diesen Quatsch. An wen hast du die Technologie verkauft?«

»An niemanden!« Ackmeyer zitterte, ein Häufchen Elend, das auf dem Zellenboden hockte. »Die Technologie ist doch noch in der Testphase. Und ich verkaufe meine Forschung nicht für

Profit.« Er bekam vor Aufregung Schluckauf. »Ich würde nie eine Technologie entwickeln, nur um damit jemandem Schaden zuzufügen. Wenn irgendjemand ohne mein Wissen die UV-Technologie besitzt und meine Arbeit, wie Sie sagen, so missbraucht hat, dann muss er die Unterlagen gestohlen haben. Sie müssen mir glauben. Bitte, Sie müssen mir vertrauen. Ich habe nichts Falsches getan!«

Nein, Kellan musste Ackmeyer nicht einfach glauben. Er musste ihm auch nicht vertrauen. Ihm stand ein viel verlässlicheres Werkzeug zur Verfügung als bloße Intuition.

Er streckte die Hand aus und legte sie auf Ackmeyers Schädeldecke. Der Mensch zitterte wie Espenlaub.

Unwiderlegbar und blitzschnell schoss die Wahrheit durch Kellans Körper. Mit seiner übersinnlichen Stammesgabe drang er durch das Netz von Worten, das Ackmeyer zu seiner Verteidigung gewoben haben mochte, und bohrte sich direkt zu seinem unverfälschten Kern vor, der tief versteckt in Jeremy Ackmeyers Seele lag. Doch dort fand Kellan nur Wahrhaftigkeit, nur lautere Absichten. Schuldgefühle fand er keine.

Teufel noch mal.

Kellan riss die Hand zurück, als hätte er sich verbrannt. Wie bittere Säure, ätzend und nicht mehr wegzuleugnen, weil er die Wahrheit selbst gespürt hatte, wurde ihm bewusst, was er und sein Team getan hatten.

Jeremy Ackmeyer hatte ihm die Wahrheit gesagt. Der Wissenschaftler wusste nicht, dass seine Forschung als Vernichtungswaffe gegen den Stamm eingesetzt wurde.

Kellan hatte die Entführung eines ehrlichen, eines unschuldigen Menschen angeordnet.

»Gibt es noch etwas, das ich über die Situation wissen müsste?« Das grimmige Gesicht von Lucan Thorne füllte den Flachbildschirm, der an der Wand der Kommandozentrale in Boston hing.

Er war nicht gerade erfreut gewesen über Nathans Bericht vom Tatort. Der Gen-Eins-Anführer des Ordens hätte zu Recht laut fluchen und herumbrüllen können, wie ein einfacher Auftrag für einen Begleitschutz so furchtbar hatte schiefgehen können. Lucan tat sich schwer damit, die Tatsache zu akzeptieren, dass eine der Ihren bei einer Mission verschwunden war. Dass es sich um Mira handelte, die im Orden aufgewachsen war, machte alles nur noch schlimmer. Da war es keinem von ihnen möglich, alles objektiv zu betrachten, weder Lucan noch Nathan noch den wenigen anderen Ordensmitgliedern, die sich an diesem Morgen im privaten Konferenzsaal versammelt hatten.

Sterling Chase hatte in den letzten beiden Dekaden die Operationen in Boston geleitet. Der Stammeskrieger saß mit ernster Miene neben seiner Gefährtin, Tavia. Er hatte seine schwere Hand auf ihre schlanken Finger gelegt, und Tavia ließ die zärtliche Berührung geschehen, obwohl sie keineswegs eine feine Lady aus den Dunklen Häfen war, die man vor der wirklichen Welt schützen musste.

Tavia war in einem Labor geboren, gezeugt mit der DNA eines Außerirdischen, ebenso wie Nathan und eine kleine Armee von Stammesvampiren, die als Killermaschinen gezüchtet und aufgezogen worden waren. Sie war eine Ehrfurcht gebietende Seltenheit ihrer Art: eine genetisch erzeugte Gen-Eins-Frau und dazu noch eine Tagwandlerin. Nathan würde schon ein paar Minuten im ultravioletten Licht der Sonne kaum überleben, während seine Halbschwester Tavia und ihre Kinder – die Zwillinge Aric und Carys – sich den ganzen Tag in der tropischen Sonne räkeln konnten, ohne auch nur in Schweiß auszubrechen.

»Wenn Mira etwas passiert«, murmelte Tavia, und in ihren

hellgrünen Augen glitzerten bernsteingelbe Punkte, »wenn sie ihr auch nur ein Härchen krümmen –«

»Wir werden sie finden«, versicherte Nathan ihnen allen. »Ich werde nicht ruhen, bis wir wissen, wo sie und der menschliche Wissenschaftler gefangen gehalten werden.«

Auf dem Monitor nickte Lucan mit seinem dunklen Kopf. »Ich weiß, dass wir auf dich zählen können. Deshalb beauftrage ich dich mit der Klärung der gesamten Situation, als Einzelmission. Es ist äußerst wichtig, dass die Öffentlichkeit nicht von diesem kleinen Problem Wind bekommt. Ich möchte, dass die Sache unter Verschluss bleibt und unter keinen Umständen nach außen dringt. Und ich möchte, dass die Scheißkerle ein für alle Mal erledigt werden. Wegen deiner Ausbildung bist du der ideale Mann für diese Art von Präzisionsjob, Nathan.«

Nathan neigte den Kopf zur Seite. »Ich tue, was ich kann. Und was nötig ist.«

»Ich weiß.« Lucans graue Augen fassten ihn ins Visier, sein Blick bohrte sich selbst über den Bildschirm noch in ihn. »Du hast meine Erlaubnis, alles und jedes Hindernis aus dem Weg zu räumen, damit du das Ziel der Mission erfüllen kannst. Sollte es ein Nachspiel geben, dann übernehme ich die alleinige Verantwortung für die Operation.«

Nathan wich dem ernsten Blick des Gen-Eins-Vampirs nicht aus. »Das wird nicht nötig sein.«

»Jemand muss Nikolai und Renata über die Situation informieren«, sagte Chase und strich wie nebenbei mit dem Daumen über Tavias Handrücken. »Und sie werden sich nicht davon abhalten lassen, auch nach Mira zu suchen.«

»Vergiss nicht, dass Renata hochschwanger ist«, warf Tavia ein. »Aber Chase hat recht. Sie müssen informiert werden, Lucan. Mira ist ihre Tochter, auch wenn sie nicht ihr leibliches Kind ist.«

Der Gründer des Ordens kniff die Lippen zu einem scharfen Strich zusammen, aber mit einem knappen Nicken gab er ihnen recht. »So schlechte Nachrichten sollten Eltern nie bekommen.« Lucans Stimme klang hölzern, und sein scharf geschnittenes Gesicht wirkte noch spitzer, als er sich Tavias Rat durch den Kopf gehen ließ. »Gabrielle und ich rufen sie gemeinsam an, sobald wir hier fertig sind.« Er wandte sich an Nathan. »Das ist ein Tötungsauftrag. Ich möchte nicht, dass auch nur ein Einziger von diesem Rebellenpack überlebt und uns wieder Probleme macht, wenn die Lage sich wieder beruhigt hat. Verstanden?«

Nathan senkte sein Kinn. »Jawohl, Sir.«

Nach ein paar Minuten wurde die Videokonferenz beendet, und Nathan verließ den Raum. Sein Team erwartete ihn schon vor der Tür. Zu Rafe, Eli und Jax hatte sich Aric Chase gesellt, der sich sofort erhob, als Nathan auf sie zukam. »Was ist da drin passiert? Hat Lucan ein Team zusammengestellt, das sich diese kranken Arschlöcher schnappt und Mira zurückholt?«

Aric Chase war der Sohn von Sterling und Tavia, zwanzig Jahre alt, und zusammen mit seinem besten Freund Rafe war er unter der Anleitung von Sterling Chase ausgebildet worden. Rafe hatte die Ausbildung schon vor ein paar Monaten abgeschlossen, aber Aric war noch nicht als vollwertiges Mitglied in den Orden eingeführt worden. Seine Chance kam in ein paar Wochen, wenn er an die Westküste nach Seattle umsiedeln und dort als frischgebackener Krieger einem von Dantes Teams in diesem Distrikt zugeteilt würde.

Nathan antwortete nicht auf die Anfängerfragen des Rekruten. Der Rest des Teams wusste es besser und überschüttete ihn nicht mit Fragen über Dinge, die in einer privaten Konferenz mit Lucan Thorne besprochen worden waren. Nathan lief in Richtung des Gangs, der zum Trainingsraum der Kommandozentrale führte, und die anderen Stammesvampire folgten ihm.

»Verdammt, hätte Lucan doch nur mir den Auftrag gegeben, Ackmeyer zu diesem Gipfeltreffen zu eskortieren«, sagte Aric und schloss sich den anderen an. »Ich hätte diesen Homo-sapiens-Schweinen eine Überdosis Blei und Stahl in den Bauch geballert. Lass die nur mal bei Tageslicht auf einen Stammeskrieger treffen, dann könnt ihr sehen, wie diese feigen Rebellen sich die Hosen vollpissen und zum lieben Gott winseln.«

Selbst Nathan musste zugeben, dass die Vorstellung ziemlich amüsant war. Grimmiger Humor zuckte um seinen Mund, als seine Kameraden sich weiter gegenseitig übertrumpften und den Angstfaktor immer mehr in die Höhe trieben bei den Schmerz- und Terrorszenarien, die sie sich für die Kerle ausdachten, die Mira geschnappt hatten. Sie knufften sich und warfen sich freundschaftliche Beleidigungen zu, doch Nathan hielt sich etwas entfernt von der Truppe. Diese Distanz war ihm zweite Natur, er hatte sie wie das Atmen vollkommen verinnerlicht. Einmal nur hatte er einen Freund – einen Waffenbruder – in sein Leben gelassen, und der Schmerz über Kellans Tod war für Nathan so schlimm gewesen, als hätte man ihm ein Glied von seinem Körper gerissen. Diese Krieger hier waren sein Team, seine Kameraden, doch er hatte seine Lektion gelernt. Er kümmerte sich um sie, weil sie Soldaten unter seinem Kommando waren, mehr nicht. Und nun war auch Mira fort.

Wenn sie nicht gesund und unverletzt wieder zurückkam … Nathan hatte keine Ahnung, wie er dann weiterleben sollte.

Nein, verbesserte er sich in Gedanken.

In den ersten dreizehn Jahren seines Lebens hatte man ihm beigebracht, alle Gefühle auszuschalten und sich um nichts zu kümmern als die Befehle seines Herrn. Wenn Mira nicht wieder zurückkam, dann würde er sich auf das verlassen, was er in der harten Zeit seiner Kindheit gelernt hatte. So würde er auch das durchstehen.

Aber zuerst würde er ihre Entführer töten. Und zwar alle, bis auf den letzten Mann.

In Gedanken bereitete er sich schon auf die Undercover-Mission vor, die begann, sobald die Sonne untergegangen war. Er war so in seinen Planungen versunken, dass er einen Augenblick brauchte, bis ihm klar wurde, dass die Luft im Korridor für einen Moment kälter geworden war. Die Ursache dafür erschien gleich darauf, und zwar in Gestalt von Carys Chase, die aus einem Raum trat, der von dem langen Korridor abging. Der frische Geruch des Morgens folgte ihr und hing in ihren hellbraunen Haaren, der figurbetonten schwarzen Bluse und den eng anliegenden, schmal geschnittenen Jeans, die sie in ihre mit Stacheln verzierten Stiefeletten gesteckt hatte.

»Carys?« Aric blieb mitten im Korridor stehen und starrte seine Zwillingsschwester mit offenem Mund an. »Was zum Teufel hast du denn hier verloren?«

Auch Nathan und sein Team hielten an, und alle starrten auf die gut aussehende junge Stammesvampirin, die gemächlich auf sie zuschlenderte, als wäre es das Normalste der Welt. Ihre feinen Brauen bogen sich leicht über den strahlend blauen Augen, die von langen schwarzen Wimpern umrandet waren. »Nach was sieht's denn aus, großer Bruder?«

Aric blickte noch düsterer drein. »Es sieht aus, als ob du gerade durch ein Hinterfenster zurück ins Anwesen geklettert bist und du die ganze Nacht draußen warst und wer weiß was getrieben hast.«

Sie lachte. »Mein Gott, Aric, du hörst dich schon an wie Vater. Seit wann ist es ein Verbrechen, wenn man mit seinen Freunden ein bisschen Spaß haben will?«

»Es ist nicht sicher da draußen, Car. Nicht für eine Frau, die allein unterwegs ist, ohne jemanden, der sie beschützt.«

Nathan warf Aric Chase einen befehlenden Blick zu, eine

wortlose Warnung, seiner Schwester keine Einzelheiten über das Verschwinden von Mira und dem Wissenschaftler zu erzählen und auch nichts von dem Verdacht des Ordens verlauten zu lassen, dass die Rebellen hinter ihrer Entführung steckten. Aric fing seinen Blick auf und hatte Verstand genug, sich abzuregen.

»Ich hab doch gesagt, ich war nicht allein«, sagte Carys. »Jordana Gates und ich haben uns mit ein paar Freunden im North End getroffen. Es war total sicher.«

Arics Gesichtsmuskeln spannten sich an, aber was immer er darauf sagen wollte, behielt er für sich. »Ich mach mir nur Sorgen um dich, das ist alles. Ich möchte nicht, dass jemand dir wehtut.«

Sie schenkte ihm ein warmes Lächeln. »Das weiß ich doch. Und, großer Bruder, ich bin zwar ein Mädchen, aber auch eine Stammesvampirin. Ich bin genauso stark wie all ihr Männer. Und nur weil ich kein Kampftraining absolviert habe, heißt das noch lange nicht, dass ich mich nicht wehren könnte.« Als sie den missbilligenden Ausdruck im Gesicht ihres Bruders sah, biss Carys auf ihre Lippe und schaute unter ihren langen schwarzen Wimpern hoch zu ihm. »Du erzählst doch Mutter und Vater nichts davon, oder?«

»Ich sollte ihnen Bescheid geben«, sagte Aric. »Vater würde sicher auch gerne mit Jordanas Eltern reden. Ich kann mir nicht vorstellen, dass der ehrwürdige Gates-Clan von Beacon Hill besonders glücklich ist, wenn sie erfahren, dass ihre Stammesgefährtinnen-Tochter die ganze Nacht durch die Stadt zieht und erst im Morgengrauen nach Hause kommt.«

»Aber du wirst uns nicht verpfeifen«, sagte sie weich und einschmeichelnd, doch Nathan hatte so etwas wie Sorge in den hellblauen Augen von Carys aufblitzen sehen, als Aric ihre Freundin aus dem Dunklen Hafen erwähnte. Sie ging zu ihrem Bruder und strich ihm mit den Händen über die Brust. »Du verpfeifst mich nicht, und dafür erzähle ich Mutter und Vater auch nichts von den drei Tänzerinnen, mit denen du und Rafe euch letztes Wochenende in der *Sim-Lounge* in Chinatown vergnügt habt.«

»Woher weißt du das?« Aric brachte die Frage kaum heraus, so geschockt war er, aber in Raphaels Miene breitete sich langsam ein Grinsen aus, in dem keinerlei Reue zu entdecken war. »Mit wem zum Teufel treibst du dich eigentlich herum, dass du überhaupt so etwas zu hören bekommst?«

»Du hast deine kleinen Geheimnisse«, sagte Carys mit einem Lächeln und einer tadelnd in die Höhe gezogenen Augenbraue, »und ich habe meine. Einigen wir uns einfach darauf, dass wir die Sache ruhen lassen, einverstanden?«

Sie stellte sich auf die Zehenspitzen und gab ihrem Bruder ein Küsschen auf die Wange. Dann verabschiedete sie sich mit einem Winken von Nathan und den anderen, drehte sich auf ihren hohen Absätzen herum und stolzierte den Korridor entlang.

Nach der kurzen Unterbrechung gingen seine Kriegsbrüder weiter zum Trainingsraum, doch Nathans Instinkte waren geweckt. Mit einem vagen, aber nicht zu leugnenden Verdacht wandte er sich noch einmal um und schaute der Frau neugierig nach, die in dem langen Korridor davonschritt. Im selben Moment drehte sich auch Carys Chase um und warf vorsichtig einen schnellen Blick über ihre Schulter. Ihre Blicke trafen sich, und Carys ging schneller, bis sie um die Ecke verschwand.

9

Mira erwachte aus einem erschöpften Schlaf, der sie kaum erfrischt hatte. Um sie herum war der warme, würzige Geruch von Kellan. Im ersten Moment dachte sie, der Geruch wäre ein Überbleibsel aus ihren Träumen – dunkle, verführerische Träume, in denen er nicht ihr Feind war, sondern ihr Lover, den sie so gerne wieder berührt hätte, der einzige Mann, den sie jemals begehrt hatte.

Aber was sie jetzt um sich herum wahrnahm, stammte nicht aus ihrem Traum. Es war die Wirklichkeit. Kellans Bett war kalt und einsam, sie war allein, eingesperrt in sein Quartier in dem Rebellenlager, das er kommandierte.

Mira richtete sich auf und strich sich die wirren Locken aus den Augen. Es war still im Zimmer. Er war nicht mehr zurückgekehrt, seit er sie am Abend verlassen hatte. Die Decke, die er für sich auf den Boden gelegt hatte, war immer noch genau da, wo er sie hingeworfen hatte. Das provisorische Notlager war nicht berührt worden.

Wo war er? Er war nicht in sein Quartier gekommen, aber wo hatte er stattdessen die Nacht verbracht?

Vielleicht bei einer der hübschen Menschenfrauen unter seinem Kommando. Bei Candice vielleicht, mit ihrem freundlichen Lächeln und den fürsorglichen, erfahrenen Händen. Oder mit der blauhaarigen Elfe, Nina, mit ihren traurigen Augen und ihrem koboldhaften Gesichtchen. Eifersucht durchzuckte Mira wie ein brennender Schmerz, ebenso unerwünscht wie bitter.

Sie brauchte sich keine Gedanken darüber zu machen, mit

wem Kellan am liebsten seine Nächte verbrachte. Sie musste sich nicht um ihn sorgen, denn er gehörte ihr nicht. Er würde ihr nie wieder gehören.

Und vielleicht hatte er nie wirklich zu ihr gehört, wenn es ihm so leichtgefallen war, sie zurückzulassen.

Ihr Herz wehrte sich gegen die kalte Logik, aber sie versuchte immer noch zu begreifen, dass Kellan die ganze Zeit über am Leben gewesen war – dass er ganz in der Nähe von Boston lebte und dieses gesetzlose Leben führte, in dem er sich selbst als Rebellenführer neu erfunden hatte. Er hatte nie versucht, mit ihr Kontakt aufzunehmen. Ihm konnte nicht viel an ihr gelegen sein, sonst hätte er ihr die Trauer um ihn erspart und ihr mitgeteilt, dass er in Sicherheit war – auch wenn die Nachricht, dass er zu den Rebellen gegangen war, ihr damals sicher sehr wehgetan hätte. Aber er war einfach davongelaufen und hatte sich nicht einmal umgedreht.

Der Schmerz in ihrer Brust wurde noch stärker, aber daran würde sie nicht zerbrechen. Das schwor sie sich.

Und sie würde sich verflucht noch mal keine Gedanken mehr darum machen, mit wem Kellan – Bowman, sollte sie sagen – ins Bett ging, solange es nicht sie war, mit der er schlafen wollte.

Mira schwang ihre nackten Beine über den Rand der Matratze und schenkte sich ein Glas Wasser aus dem Krug ein, den Candice auf den Nachttisch gestellt hatte. Ihre Kontaktlinsen lagen in einem kleinen Behälter mit Kochsalzlösung, den ihr ebenfalls die hübsche, schwarzhaarige Frau gegeben hatte. Mira setzte sie ein, dann trank sie das Wasser. Sie war dankbar für die beiden Gesten der Freundlichkeit, die ihr Kellans Kameradin entgegengebracht hatte.

In dem Zimmer herrschte eine feuchte Kühle, und Mira rieb sich fröstelnd die Arme, als sie ihre Füße auf den Boden stellte. Sie hatte nur ihren Slip und das übergroße T-Shirt an, das Kellan für sie aus dem Koffer am Fußendes des Bettes geholt hatte. Ihren BH und die von ihm geliehenen Turnhosen hatte sie über einen zerkratzten Holzstuhl gelegt. Sie wollte gerade aufstehen und sich anziehen, als die verschlossene Tür aufgesperrt wurde.

Plötzlich betrat Kellan das Zimmer, ohne jede Vorwarnung oder Entschuldigung.

Er starrte sie an, wie sie auf dem Bett saß. Einen Augenblick lang hätte sie nicht sagen können, ob sie Überraschung oder Bedauern in seinen haselnussfarbenen Augen sah. Aber da lag auch etwas Dunkles in ihnen, ein grimmiger, sorgenvoller Blick. Er ging in das Zimmer und schloss die Tür hinter sich.

»Du siehst aus, als hättest du gut geschlafen.« Seine Stimme war rau wie Sandpapier.

Mira kroch aus dem Bett. Sie war sich sehr bewusst, wie wenig sie anhatte, und sie merkte genau, dass es auch Kellan auffiel. »Und du siehst ziemlich beschissen aus«, sagte sie betont sarkastisch, als sie sich weg von dem zerwühlten Bett bewegte. »Du hast dir hoffentlich kein anderes Bett zum Schlafen suchen müssen, weil dein Privatquartier zu meiner Gefängniszelle umfunktioniert wurde.«

Er machte einige Schritte und knurrte dabei: »Wie kommst du darauf, dass ich geschlafen habe?«

Mira sah ihn an und wünschte sich, es wäre weniger leicht, sich ihn im Bett mit einer anderen Frau vorzustellen. Sie hatte sich eingeredet und innerlich immer wieder versichert, dass es sie nicht kümmern musste, was er machte – oder mit wem. Doch als er jetzt übermüdet und bedrohlich angespannt und ärgerlich vor ihr stand, schoss die Wut durch ihre Adern. »Wo warst du die ganze Nacht, Kellan?«

Er brachte ein bitteres Lachen zustande. »Die Geschäfte der Rebellen organisieren.« Er hielt sie mit einem dunklen Blick in seinem Bann, und sie konnte die Spitzen seiner Fänge blitzen sehen. »Das ist mein Leben, Süße. Hast du das schon vergessen?«

Mira starrte ihn an. Der kaum unterdrückte Zorn in seiner Stimme überraschte sie. Sein Gesicht war wutverzerrt, wodurch die scharf geschnittenen Wangenknochen und das Kinn mit dem Bärtchen noch kantiger schienen. Kellan war sauer. Und zwar verdammt sauer.

Sie sah zu, wie er zu dem Kleiderkoffer auf dem Boden marschierte, als wäre er mitten im Krieg. Mit wilder Kraft riss er sich das zerknitterte schwarze T-Shirt vom Leib und ließ den Deckel des Koffers gegen das Bett krachen. Seine *Dermaglyphen* glühten farbig. Die kreisenden Halbbögen und Schnörkel der Hautmarkierungen des Stammes bedeckten Brust und Bizeps. Sie wirbelten und pulsierten in stürmischen Schattierungen von Rot und Schwarz und Mitternachtsblau. Mira musste schlucken. »Irgendetwas ist passiert, nicht? Etwas Schlimmes.«

Er atmete scharf aus. »Könnte man sagen.«

Ihre Blicke trafen sich, und seine Pupillen blitzten mit bernsteingelben Funken. Er ließ sie keinen Moment aus den Augen. Mira spürte seinen Zorn, der ihr entgegenschlug; sie sah es in seinem heißen Blick, als ob er heute ihren Anblick kaum ertragen könnte.

»Willst du mir nicht sagen, was schiefgelaufen ist?«, fragte sie. Sie würde sich nicht einschüchtern lassen. »Du kannst mit mir reden, Kellan – «

»Mit dir reden?«, fuhr er sie an. »Ich möchte nicht reden. Ich muss nachdenken. Das ist mein Problem. Du hast damit nichts zu tun.«

»Ich habe damit zu tun, ob dir das nun gefällt oder nicht«, erinnerte sie ihn. »Auch wenn es uns beiden nicht gefällt, du hast dafür gesorgt, dass ich mit der Sache zu tun habe.«

Er schlug den Deckel des Koffers derart hart zu, dass der Knall wie ein Kanonenschlag durch das Quartier hallte. In Sekundenschnelle – sogar noch schneller – fuhr er aus der Hocke hoch und stand direkt vor ihr, bevor sie den nächsten Atemzug machen konnte. Weniger als eine Handbreite waren sie voneinander getrennt, so nah, dass sie die Hitze spürte, die aus seinen Poren strömte.

Die *Glyphen*, die noch vor wenigen Momenten in den wütenden Farbtönen von Kellans Zorn und Enttäuschung pulsiert hatten, nahmen eine dunklere Färbung an. Der Zorn war immer noch da, doch als Kellans gewaltiger Körper sich auf sie zubewegte, änderten sich die Schattierungen zu Verlangen und etwas Dunklerem. Seine Fänge kamen Mira riesig vor, scharf wie Dolche hinter seinen bedrohlich geschürzten Lippen.

»Ich soll dir erzählen, dass ich totale Scheiße gebaut habe mit der Entführung von Jeremy Ackmeyer?« Kellans Augen glühten wie brennende Kohlen, und seine Pupillen hatten sich zu schwarzen Schlitzen inmitten eines bernsteingelb lodernden Infernos zusammengezogen. Er redete weiter, und aus jedem seiner Worte sprach eine Wut, die sich gegen ihn selbst richtete. »Möchtest du wirklich hören, wie ich mir einen unschuldigen, anständigen Mann geschnappt habe? Einen Mann, der keiner Fliege etwas antun würde und noch viel weniger einem anderen Menschen?«

Mira versuchte zu begreifen, was er ihr erzählte. Doch sie konnte hören, wie sehr es ihn quälte, und sie bekam fast keine Luft mehr. Dunkle Gefühle spiegelten sich in seiner Miene, und seine sonst so attraktiven Gesichtszüge wurden starr und grimmig.

Ein tiefes Knurren kam aus seiner Kehle. »Muss ich dir wirklich erklären, dass meine Befehle für Candice und Doc und den Rest meines Teams zweifellos die Todesstrafe bedeuten, wenn ich nicht einen Weg finde, um diese beschissene Situation wieder zu bereinigen?«

Mira konnte ihr Herz schlagen hören. Sie wollte ihn berühren, ihm irgendwie Trost spenden, doch sie hielt sich zurück und konzentrierte sich stattdessen auf das, was er eben gesagt hatte. »Jeremy Ackmeyer ist unschuldig?« Sie schaute Kellan ins Gesicht und stellte sich der Hitze seines zornigen Blicks. »Ich dachte, du hättest die UV-Technologie bis zu seinem Labor zurückverfolgt?«

Kellan antwortete mit einem bösen Knurren in der Stimme. »Es ist seine Technologie. Aber Ackmeyer hat sie niemandem überlassen, weder für Geld noch sonst für etwas. Jemand hat ihm die Technologie gestohlen.«

»Das hat er dir erzählt?«

Kellan nickte. »Und ich habe gespürt, dass es die Wahrheit ist, als ich ihn berührt habe. Er ist unschuldig, Mira.«

»Du wirst ihn freilassen müssen«, murmelte sie. Jetzt endlich berührte sie ihn und drehte sein Gesicht zu sich, als er ihrem Blick ausweichen wollte. Sein Kinn fühlte sich abwehrend an unter ihrer Handfläche, und die Sehne an seinem Hals hatte wieder heftig zu zucken begonnen. Sie strich mit den Fingerspitzen darüber. »Du musst ihn freilassen. Bring ihn direkt zum Orden und berichte Lucan, was ihr über die UV-Technologie und den Mord an Ninas Lover herausgefunden habt.«

Er starrte sie lange an, dann stieß er einen leisen Fluch aus und schüttelte den Kopf.

»Wir können es zusammen tun, Kellan.« Mira forschte in seinen brennenden Augen. Sie war fest entschlossen, ihn dieses Mal zu überzeugen. »Wir gehen noch heute Abend, sobald die Sonne untergegangen ist. Wir bringen die Sache wieder in Ordnung, Kellan.«

Er zuckte von ihrer Berührung weg. »Das kann ich nicht«, fuhr er sie mit brüchiger Stimme an. »Vorher nicht und auch jetzt nicht, selbst wenn ich weiß, dass Ackmeyer keine Schuld trifft.«

»Doch, das kannst du. Das ändert doch alles – «

Das Feuer in Kellans Augen loderte noch heißer auf. »Gar nichts ändert das. Ich habe eine Entführung geplant und durchgeführt und mich an einer Verschwörung beteiligt. Dem GN wird es schnurzegal sein, warum ich einen menschlichen Zivilisten als Geisel genommen habe. Und glaubst du wirklich, der Orden würde sich für meine Beweggründe interessieren, vor allem, wenn sie erfahren, wo ich all die Jahre gesteckt und was ich getan habe?«

»Dann bringen wir sie eben dazu, sich dafür zu interessieren.« Mira wusste selbst nicht, wie sie das anstellen sollten, aber, verflucht noch mal, sie wollte es zumindest versuchen. Alles, was sie brauchte, war Kellans Zustimmung. »Wir gehen zusammen zu Lucan und erklären ihm alles. Es muss einen Weg geben. Wenn sie sehen, dass Jeremy Ackmeyer frei und unverletzt ist, werden sie bereit sein, dir zuzuhören, Kellan.«

Er starrte sie eine ganze Weile lang an und ließ es sich durch den Kopf gehen. Zumindest hoffte Mira das. Doch seine Miene blieb hart und unnachgiebig. »Mit einer Sache hast du recht, Mira«, sagte er schließlich. »Ich muss ihn freilassen. Euch beide lasse ich frei. Aber erst wenn mein Team die Chance hatte, das Lager aufzulösen und wenn alle irgendwo anders Unterschlupf gefunden haben. Ich muss wissen, dass auch sie in Sicherheit sind, wenn das alles hier vorbei ist.«

Er trat einen Schritt zurück und wollte sich schon umdrehen und gehen, als Mira nach seinem Arm griff. »Was ist mit dir? Was wird aus dir, wenn die anderen sich absetzen?«

Der harte Blick in seinen glühenden Augen gefiel ihr gar nicht. »Mach dir um mich keine Gedanken. Früher habe ich es nicht gekonnt, aber dieses Mal werde ich es tun.«

»Was meinst du damit?«

Er berührte ihr Gesicht so zärtlich, dass es ihr das Herz fast zum zweiten Mal zerbrach. »Ich bringe so viel Distanz wie möglich zwischen uns. Und dieses Mal, das verspreche ich dir, gehe ich so weit weg, dass sich unsere Wege sicher nicht noch einmal kreuzen werden.«

Das Versprechen traf sie, als hätte er ihr einen Faustschlag verpasst. Und jetzt war sie diejenige, die vor Wut kochte – von einer Sekunde zur nächsten sah sie rot. »Du egoistischer Scheißkerl! Tu doch nicht so, als würdest du das meinetwegen machen.«

»Aber es ist die Wahrheit«, sagte er tonlos. »Ich will dir nicht wehtun, Maus. Das wollte ich nie.«

Der Schmerz und die Wut, die in ihr tobten, ließen sich nicht länger unterdrücken. Mira schlug ihn mitten ins Gesicht. »Aber ich will dir jetzt wehtun«, zischte sie, trommelte mit den Fäusten auf seine breite, nackte Brust ein und sehnte sich nach einem Dolch in ihrer Hand. »Ich will, dass es dir genauso wehtut wie mir, verdammt. Wenn ich könnte, würde ich dich dafür bluten lassen!«

Ganz ruhig nahm Kellan ihre wild um sich schlagenden Hände, umschloss sie mit einem liebevollen Griff und hielt sie zwischen ihre Körper. Hätte er sie mit Gewalt gepackt, dann hätte sie sich mit all ihrer Kraft dagegen wehren können. Sie hätte es sich sogar gewünscht, als Ausrede, damit sie ihn verfluchen, schlagen und hassen konnte für diesen Augenblick und all die anderen, die ihr so viel Kummer gebracht hatten – seinetwegen.

Aber Kellans Berührung war unendlich zärtlich. Der Ausdruck in seinem Gesicht war ernst, seine Augen voller Leidenschaft und Bedauern, und er senkte den Kopf und küsste die weißen Gelenke von Miras geballten Fäusten.

Ein Zittern lief durch Miras Körper, von ohnmächtiger Wut. Sie wollte ihn anbrüllen, doch nur ein ersticktes, leises Stöhnen kam ihr über die Lippen. Sie konnte sich nicht rühren, ihre Lunge schmerzte und sie bekam kaum mehr Luft, da bohrte sich Kellans Blick in ihren. Sein Griff lockerte sich, und er strich mit den Fingern die Umrisse ihres Gesichts nach, vorbei an ihrem kleinen Muttermal – der Träne in der Mondsichel – auf ihrer linken Schläfe.

Beim Ausatmen flüsterte er einen Fluch, dann berührte er ihre Stirn mit dem Mund und küsste sie auf diese Stelle, sein gestutzter Bart strich dabei ganz sanft über ihre Augenbraue. Er küsste sie auf ihr Muttermal, das Zeichen ihrer Zugehörigkeit zum Stamm … Und noch einmal küsste er sie, und dieser Kuss landete weich und süß auf ihren geöffneten Lippen.

Sie wollte Nein sagen und ihn abweisen, doch alles Weibliche in ihr gab nach und wurde weich und hieß seine Küsse willkommen. Er fuhr über ihren Mund, und seine Lippen waren warm und feucht, und Mira konnte die Lust auf mehr nicht unterdrücken. Ihre Zungen berührten sich und sie spürte, wie sich sein großer Körper anspannte. Er lehnte sich zurück und blickte sie einen Moment lang an. Ein leiser, knurrender Fluch, sein Atem fühlte sich heiß an auf ihren Wangen.

Seine großen Hände zitterten, als er ihr Gesicht umfasste. Er war so unglaublich zärtlich, so voller herzzerreißender Ehrfurcht. Mit dem Daumen fuhr er an ihrem Kinn entlang, dann glitt er weiter zur Seite ihres Halses. Bei jeder seiner vorsichtigen Berührungen pochte ihre Halsschlagader so heftig, als würde jemand einen trommelnden Rhythmus schlagen. Seine Finger kamen auf der pulsierenden Stelle zur Ruhe. Wortlos beugte er sich zu ihr und küsste sie wieder.

Sie konnte ihn nicht davon abhalten, als er von ihren Lippen Besitz ergriff, sie konnte die wilde Welle der Lust nicht stoppen, die sie wie flüssiges Feuer durchströmte. Kellan schien genauso berührt zu sein wie sie, genauso ausgeliefert. Sie konnten beide nicht anders, sie mussten sich einfach anfassen und küssen, und er begehrte sie genauso sehr, wie sie sich nach ihm verzehrte. Seine Haut unter ihren Händen fühlte sich heiß an, seine *Dermaglyphen* pulsierten wild, eine Reaktion auf die Bedürfnisse seines Körpers. Innerhalb von Sekunden war er hart, eine nicht zu übersehende Beule, die sich steif wie unnachgiebiger Granit gegen ihre Hüfte drückte. Sie gab sich ganz diesem Gefühl hin, ihn so zu spüren, so hart und erregt, so kraftstrotzend und voller Leben.

Was immer er auch behaupten mochte, er wollte sie. Daran konnte es keinen Zweifel mehr geben. Nicht einmal die Umstände, die sie voneinander trennten – die unhaltbare Situation, in der sie auf entgegengesetzten Seiten standen, sie das gesetzestreue Ordensmitglied, er der gesetzlose Rebellenführer –, konnten das Verlangen auslöschen, das sie früher verbunden hatte und immer noch verband. In all den Jahren seit Kellan fortgegangen war hatte diese leidenschaftliche Sehnsucht nie nachgelassen, selbst wenn sie beide es sich gewünscht haben mochten.

Und ihn verzehrte noch ein anderer Hunger.

Sie spürte, wie dieser Hunger in ihm wuchs. Mit einem Knurren löste er seine Lippen von ihrem Mund und glitt an ihrem Kinn entlang zum weichen, verletzlichen Hals. Seine Fänge strichen scharf und tödlich über ihre Haut, trotzdem hätte sie ihren nächsten Atemzug für einen Biss gegeben. Die Ader unterhalb ihres Ohrläppchens pochte wie wahnsinnig, wann immer er seine Fänge an ihrer Kehle rieb.

Die Lust überflutete sie, und sie legte den Kopf zur Seite, als er ihren Nacken mit Küssen bedeckte. Bei jedem Kuss konnte sie die Spitzen seiner Fänge spüren. Es war ein leichtsinniger Wunsch, aber sie wollte dieses köstliche Gefühl spüren, wie die Fänge immer wieder über ihre Halsschlagader strichen. Sie wollte spüren, wie sich ihr Körper ihm hingab – nur ihm. Es war etwas, das sie schon immer von ihm gewollt hatte, solange sie sich erinnern konnte.

Doch er hatte sich immer dagegen gewehrt, mit eisernem Willen, der selbst jetzt ungebrochen schien.

»Nein«, sagte er, kaum ein Wort, sondern ein raues, wildes Stöhnen. Seine Augen brannten wie Feuer, die Pupillen waren rasiermesserdünne Schlitze, er sah aus wie von einer anderen Welt. Er zitterte, und seine wundervolle Brust und die mächtigen Arme pulsierten mit dem Farbgemisch von Durst und Verlangen. Und doch nahm er nicht die Hände von ihr, sondern streichelte sie weiter mit zitternden Fingern. »Himmel noch mal, Mira …«

Sie wusste, dass er die gleiche übermächtige Anziehung spürte wie sie. Sie wusste, dass er sie begehrte, dass er sich nach ihrem Körper und ihrem Blut verzehrte. Sie wusste, dass er seine Fänge in ihren Hals schlagen wollte mit einer fiebrigen Leidenschaft, die ihrem Bedürfnis, durch den einen entscheidenden Biss zu seiner Stammesgefährtin zu werden, in nichts nachstand.

Gott, sie würde ihm das jetzt geben, jetzt und hier, und zum Teufel mit all ihren Problemen. Kellan würde ihr gehören, für alle Zeiten. Den Rest würden sie schon irgendwie lösen, gemeinsam als Blutsverbundene.

»Bitte«, flüsterte sie, und es kümmerte sie einen Dreck, wie schwach und verletzlich sie klang. Jetzt waren nur Kellans Hände auf ihrem Körper wichtig, sein warmer Atem an ihrer Kehle, seine Fänge, die sich so wundervoll an ihr williges Fleisch drückten.

»Nein«, sagte er, und dieses Mal lag mehr Überzeugung in seiner Stimme. Seine Finger gruben sich in ihre Arme, als er sie kopfschüttelnd und mit einer schroffen Geste von sich wegschob. »Ich tu's nicht, Mira. Ich kann nicht. Sonst wird unsere Situation nur noch schlimmer.«

Er wartete ihre Antwort erst gar nicht ab. Nein, er ließ ihr nicht einmal diese Chance. Er nahm die Hände von ihrem Körper und trat ein paar Schritte zurück. Dann wirbelte er mit einem letzten, derben Fluch herum und verließ das Zimmer.

Was zum Teufel dachte er sich eigentlich? Hatte er den Verstand verloren?

Kellan schritt steif aus seinem Quartier. Seine Nervenenden loderten und verlangten zuckend nach ein bisschen Blut von Mira. Sein Puls hämmerte so wild, dass es ihm in den Ohren und Schläfen widerhallte und in seiner Brust und seinen Genitalien pochte. Alles Männliche in ihm brannte vor heißer Erregung. Alles Übernatürliche, Außerirdische und Wilde brüllte vor unerfülltem Verlangen, weil er sich nicht genommen hatte, was er so sehr brauchte.

Mira.

Er brauchte sie in seinem Bett, nackt und heiß unter ihm. Er wollte spüren, wie ihre feuchte Hitze ihn ganz in sich aufnahm. Er wollte ihr Lust bereiten und sie so lange befriedigen, bis sie seinen Namen laut herausschrie, nicht wütend oder in Not, sondern in einem überwältigenden Orgasmus.

Und ja, er wollte ihre Ader durchstoßen und ihr liliensüßes Blut in seinen Körper saugen, bis er nur noch sie spürte und alles andere vergaß.

Bis sie mit ihm für immer verbunden war, seine Gefährtin, von der ihn keine Gesetze, keine Lügen und nicht einmal das verfluchte Schicksal jemals wieder trennen konnten.

Teufel noch mal.

Fast ließ ihn der Drang, das alles – hier und jetzt – Wirklichkeit werden zu lassen, auf der Stelle kehrtmachen, zurück zu seinem Zimmer. Er musste seine ganze Selbstbeherrschung aufbringen, um weiter den Korridor in die eingeschlagene Richtung entlangzuschreiten. Seine Schritte hallten laut auf dem irdenen Boden des Bunkers. Seine veränderten Augen warfen einen hellen, bernsteingelben Schein auf die düsteren Betonwände. In seinem Schädel dröhnte der fiebrige Rhythmus seines Pulses, und jeder Schlag erinnerte ihn an den quälenden Durst, den er nicht zu stillen vermochte.

Nur eine Frau, das wusste er, würde ihn jemals vollständig befriedigen können.

Doch er war ein Stammesvampir, und auch wenn sein Herz etwas anderes – eine andere – begehrte, so konnte er doch die Bedürfnisse seines Körpers nicht ignorieren. Kellan erinnerte sich nur verschwommen daran, wann er das letzte Mal Blut getrunken hatte. Es musste schon viel zu lange her sein, wenn sein Körper sich jetzt in einem solchen Zustand befand.

Kellan schritt grollend durch den dunklen Korridor der alten Festung, voll aufgestauter Aggression. Wenn es draußen gerade Nacht wäre, dann würde er zur Stadt aufbrechen und die Strecke in rasendem Tempo zurücklegen, bis die Erschöpfung seinen schlimmsten Durst lindern würde. In den dicht bewohnten Stadtvierteln von Boston und den umliegenden Gemeinden konnte man sich leicht einen Blutwirt erjagen. Es war überhaupt kein Kunststück, eine freiwillig dargebotene, gesunde menschliche Ader zu finden, trotz der strengen Auflagen für Stammesvampire und der Sperrstunden, die seit der Ersten Morgendämmerung eingeführt worden waren.

Aber auf der anderen Seite der dicken Betonwände seines Rebellenverstecks brach gerade ein neuer Tag an.

Und verflucht, er wusste genau, dass er diese Tortur nicht bis zum Sonnenuntergang durchhalten würde. Nicht, wenn Mira und er sich im gleichen Gebäude aufhielten. Nicht, wenn seine wilde, unmenschliche Seite in ihm hämmerte und pochte und ihn drängte, dass er wieder zu ihr ging und sie sich einfach nahm.

Dass er sie zu seiner Gefährtin machen sollte, auch wenn sie beide dafür am Ende einen viel zu hohen Preis zahlen müssten.

Er stieß einen rollenden Knurrlaut zwischen seinen Fängen hervor, als er sich auf den Weg zum Hauptbereich des Bunkers machte. Vor ihm war leises Wasserrauschen aus dem Duschraum zu hören, dann bewegten sich nackte Füße über den feuchten Zementboden.

Kellan erreichte den offenen Eingang zur Dusche und schaute hinein. Candice saß auf einer Steinbank im Umkleidebereich und kämmte sich ihre nassen schwarzen Haare. Sie hatte ein weißes T-Shirt mit V-Ausschnitt übergezogen, doch ihre Haut darunter war noch feucht. Unter dem durchscheinenden Stoff waren die tintenschwarzen Linien ihrer Tattoos zu sehen. Sie blickte über die Schulter, als er im Türrahmen stehen blieb.

Mit bernsteingelben Pupillen schaute er ihr in die grünbraunen Augen, und für einen Moment weitete sich ihr Blick. Sie sah seinen Hunger. Sie verstand, was los war. Schon immer wusste sie, wann er sie brauchte. Mit einem leichten Nicken legte sie den Kamm zur Seite und machte Platz für ihn neben ihr auf der Bank.

Kellan zögerte. Das war es nicht, was er wollte, nicht wirklich.

Auch Candice wusste das. In ihrem sanften Blick sah er, dass sie verstand, warum er trotz ihrer Einladung auf der Schwelle zum Duschraum zögerte. Sie wusste, was er wollte und von wem er es wollte, und dennoch schenkte sie ihm ihr freundliches, bedauerndes Lächeln.

Sie streckte ihren Arm aus, wie sie es schon so oft getan hatte.

Stockend atmete Kellan aus.

Dann ging er auf sie zu.

10

Kellan war gegangen, doch Mira blieb noch eine ganze Weile bewegungslos im Raum stehen.

Verwirrung nagelte ihre nackten Füße am Boden fest. Ihr tat der Brustkorb weh, und der Schmerz ließ sie kaum Luft holen. Und die ganze Zeit schlug ihr Puls, und ihr Körper war erhitzt und vibrierte vor hoffnungslosem, törichtem Verlangen.

Sonst wird unsere Situation nur noch schlimmer.

Die Abweisung von Kellan verletzte sie mehr, als sie zugeben wollte.

War sie wirklich nur das für ihn – eine *Situation*, die noch schlimmer werden könnte?

Sie wollte es nicht glauben. In seinen Augen hatte etwas anderes gestanden, etwas voller bernsteingelber Hitze und wilder Begierde. Sein Körper hatte ebenfalls diese Sprache gesprochen. Kellan war hart vor Lust gewesen, seine *Dermaglyphen* hatten geleuchtet wie Feuerwerk, und seine starken Hände hatten gezittert, als er sie von sich gestoßen hatte. Dann hatte er ihr gesagt, dass er es nicht tun würde. Nicht tun könnte.

Es waren seine Worte, die keinen Zweifel offenließen.

Er wollte sie nicht.

Das hätte ihr genügen sollen. Er hatte ihr gesagt, dass er sie nicht wollte. Er konnte nicht zulassen, dass er etwas für sie empfand, obwohl ihre Küsse nichts an Leidenschaft verloren hatten in den Jahren, in denen sie getrennt gewesen waren. Bei der leichtesten Berührung loderte ihre Lust aufeinander immer noch voller Begierde auf, sie sehnten sich beide so sehr nach dem anderen, dass dieses Verlangen sogar Kellans eisernen Willen überwand.

Es hätte ihr genügen sollen. Es hätte sie erleichtern sollen – es war ihre Chance, Kellan endlich gefühlsmäßig dort einzuordnen, wo er hingehörte: zu ihren Feinden. Es hätte ihr die nötige Klarheit verschaffen sollen, über ihre Pflichten als Kriegerin und ihre Mission, wie sie Jeremy Ackmeyer in Sicherheit bringen konnte. Ihr unerfüllbarer Wunsch, Kellan irgendwie wieder zurück in den Orden zu holen, gehörte ganz sicher nicht zu ihren Pflichten.

Reines Wunschdenken.

Und doch weigerte sich ein Teil von ihr, ihn gehen zu lassen, selbst jetzt noch.

Gerade jetzt noch.

Es machte sie so wütend, dass er sie einfach stehen lassen konnte und offenbar annahm, sie würde das akzeptieren. Er stieß sie immer noch von sich, genau wie er es als mürrischer, gebrochener dreizehnjähriger Junge getan hatte, als er voller Schmerz und Kummer über den Tod seiner Eltern und Verwandten ins Hauptquartier des Ordens kam. Sie hatte es sich schon damals mit acht Jahren nicht gefallen lassen, und sie würde auch heute den Teufel tun und es einfach so hinnehmen.

Mira starrte wütend auf die Tür, die hinter ihm zugeschlagen war, als er aus dem Zimmer gestürmt war.

Er hatte es eilig gehabt von ihr wegzukommen – so eilig, dass sie das Sicherungsschloss nicht hatte einrasten hören. Sie ging zur Tür und drückte die Klinke. Es war offen.

Oh Gott …

Nacheinander schossen Mira eine ganze Anzahl von Möglichkeiten durch den Kopf. Nummer eins, sie könnte das tun, was Kellan wohl erwartete, nämlich in seinem Quartier zu bleiben und hier vor Wut fast zu platzen, bis er entschieden hatte, was er als Nächstes mit ihr tun wollte. Die Chancen, dass das passieren würde, gingen allerdings gegen null.

Nummer zwei, sie könnte seine Abweisung als Geschenk für die Ziele ihrer Mission auffassen und versuchen, jetzt sofort mit Jeremy Ackmeyer zu fliehen. Es war riskant, denn sie und ihr menschliches Gepäckstück würden an Kellan und seinem gesamten, gut bewaffneten Team vorbeimüssen.

Oder, Nummer drei, sie könnte jetzt gleich hinter Kellan her und die Konfrontation mit ihm suchen. Er sollte ihr jetzt entweder ein für alle Mal ins Gesicht sagen, dass er nichts mehr für sie empfand, oder, falls er sie doch noch liebte, sollte er ihr erklären, warum er nicht mit Lucan sprechen wollte, damit sie beide an dem Punkt anknüpfen konnten, wo sie vor Jahren schon einmal gewesen waren.

Eine leichte Wahl. Sie entschied sich für Nummer drei.

Jahrelang hatte Mira Kellan immer wieder hinter den Mauern hervorgeholt, die er um sich herum aufgebaut hatte. Auf keinen Fall würde sie ihn jetzt aufgeben.

Rasch schlüpfte sie in die Turnhosen, ließ das riesige T-Shirt, in dem sie geschlafen hatte, darüberhängen und glitt dann hinaus aus dem Quartier auf den Korridor.

Im Bunker war es sehr still, an diesem Ende der Festung war kaum etwas von den frühmorgendlichen Beschäftigungen der Rebellen zu hören. Mira erinnerte sich dunkel daran, wo sich der Hauptwohnbereich des Lagers befand. Dort würde sie wahrscheinlich Kellan finden. Sie ging in diese Richtung los. Im schlimmsten Fall lief sie einem Mitglied seines Teams in die Arme, das dann zweifellos sofort ihren Anführer alarmieren würde.

Aber es war so still. Mira war sich nicht sicher, ob überhaupt noch jemand hier war.

Dann hörte sie es … ein leises Geräusch irgendwo vor ihr, das aus einem der Räume drang, die am Korridor lagen. Aus dem

Duschraum, in den Candice sie gestern Abend zum Duschen gebracht hatte.

Das Geräusch aus dem Duschraum klang jetzt gedämpft, irgendwie feucht.

Vertraut.

Miras Magen zog sich zusammen, doch ihre Beine liefen wie von selbst weiter den Gang entlang.

Leises Stimmengemurmel war zu hören – eine Frau sagte etwas, dann ein Mann. Miras Herz schlug dumpf und schwer, als würde ein Bleiklumpen in ihrem Brustkorb stecken. Sie kannte diese tiefe, leise grollende Stimme. Sie kannte den Tonfall der ruhigen Worte. Vertrauliche Worte. Liebevolle Worte.

Oh Gott.

Eine Angst erfasste sie, wie sie sie noch nie verspürt hatte – nicht seit der Nacht, als sie mit ansehen musste, wie die Lagerhalle in Flammen aufging und Kellan nicht herauskam –, und sie schlich weiter mit qualvollen, langsamen Schritten, bis sie schließlich vor der offenen Tür stand.

Candice war dort und saß auf einer Bank vor den Duschen. Ihr langes schwarzes Haar fiel feucht und glänzend auf ihr dünnes weißes T-Shirt, sie hatte den Kopf gegen die Wand gelehnt. Die Augen hatte sie geschlossen, und eine Art andächtiger Verzückung lag über ihrem Gesicht.

Und Kellan trank von ihrem Handgelenk. Er kauerte neben ihr und hatte den dunklen Kopf über den Arm der Menschenfrau gebeugt. Seine scharfen weißen Fänge bohrten sich in das Flammentattoo, das sich hoch bis zu Candices Ellenbogen zog. Mit ihrer freien Hand streichelte sie sanft seinen nackten Rücken. Die Geste war vertraut und fast beiläufig. Der Anblick traf Mira bis ins Mark.

Nein, verbesserte sie sich in Gedanken, während sie noch um Atem rang.

Dieser Anblick traf sie direkt in ihrem gebrochenen Herzen.

In diesem einen entsetzlichen Moment hatte sie allen Kampfeswillen verloren. Leise zog sich Mira zurück. Sie war unendlich dankbar, dass die beiden sie nicht bemerkt hatten.

Vielleicht wollte Kellan sich aus diesem Grund nicht von ihr helfen lassen. Vielleicht wollte er deshalb nicht zurück in den Orden. Vielleicht wollte er deshalb bei den Rebellen bleiben, die ihm vor acht Jahren das Leben gerettet hatten.

Vielleicht war das der Grund, warum es ihm anscheinend so leichtfiel, Mira und allem, was zwischen ihnen gewesen war, den Rücken zu kehren. Weil er eine andere gefunden hatte. Die hübsche, mitfühlende Candice.

Mit einem Mal klang ihr Fluchtplan mit Jeremy Ackmeyer wie die weitaus bessere Wahl. Ihr Brustkorb tat ihr so weh, als ob er jeden Moment aufbrechen könnte. Irgendwie musste sie aus diesem Bunker herauskommen. Sie musste so weit wie möglich weg von diesem Ort, bevor der Schmerz sie überwältigte und sie auf der Stelle zusammenbrach.

Sie fuhr herum – und stand direkt vor Vince.

»Na, na, wen haben wir denn hier?« Er verzog den Mund, als er sie von Kopf bis Fuß musterte. »Weiß der Boss schon, dass eines seiner Hühner aus dem Stall ausgebrochen ist?«

Mira zuckte zusammen. Der Rebell hatte absichtlich einen lauten, warnenden Ton angeschlagen. Im Duschraum rührte sich etwas, hektische Bewegungen waren zu hören, der Tritt von Kampfstiefeln und nackten Füßen auf dem Betonboden.

»Geh mir aus dem Weg.« Mira stieß Vince mit aller Kraft nach hinten. Der Mensch stolperte rückwärts, offenbar hatte er nicht damit gerechnet, dass sie so stark war.

Sie rannte an ihm vorbei den Korridor hoch.

Kellan war hinter ihr her. Mira konnte ihn hinter sich spüren. Obwohl sie es besser wusste, wandte sie sich dennoch rasch nach ihm um. Er wischte sich gerade Candices Blut von den Lippen. Seine bernsteingelben Augen glühten wie Feuerkreise, die die messerscharfen Pupillenschlitze im Zentrum zu verschlingen drohten. Seine Fänge waren enorm, und seine *Dermaglyphen* pulsierten immer noch in vollen, lebendigen Farben, obwohl er gerade erst getrunken hatte.

Sein Anblick – satt und high vom Blut einer anderen Frau – brachte sie fast um den Verstand.

Mira wandte sich wieder nach vorn und sprintete los. Wohin der Korridor führte, wusste sie nicht. Sie wollte nur weg von Kellan und dem, was sie gerade gesehen hatte.

»Alle stehen bleiben«, brüllte er. Seine Stimme klang heiser und wie aus einer anderen Welt. »Mira!«

Sie ignorierte ihn und rannte weiter den Korridor entlang. Wenn sie ihm doch nur entkommen könnte.

Aus dem Nichts spürte sie einen kühlen Luftstoß an ihr vorbeiwehen. Dann stand Kellan vor ihr und versperrte ihr den Weg. »Mira, hör auf damit.«

Sie schüttelte den Kopf. Ihre Stimme erstarb, als sie ihm antworten wollte, aus ihrer Kehle kam nur ein heiseres Schluchzen. Sie verschluckte sich fast daran, gleichzeitig versuchte sie, Kellan auszutricksen und so an ihm vorbeizukommen. Er packte sie an den Schultern.

»Lass mich los«, schrie sie heiser. »Ich möchte weg. Ich muss jetzt sofort hier raus!«

»Das kann ich nicht zulassen.« Gefasste, ruhige Worte, die keinen Widerspruch duldeten.

Es war ihr egal. »Versuch nur, mich aufzuhalten«, fauchte sie ihn an und schaffte es, sich von ihm loszureißen.

Sie fuhr herum und wollte sich in die andere Richtung davonmachen, doch an diesem Ende des Korridors warteten Vince und Candice. Die beiden verfolgten die ganze unselige Szene mit offenem Mund. Sie sagten nichts, aber es war auch so deutlich, was sie von Miras Fluchtversuch hielten. Mira war sich noch nie so bescheuert vorgekommen.

Kellan befahl den beiden zu gehen. »Das hier ist eine Privatsache. Dabei brauche ich keine Zuschauer.«

Sie verschwanden sofort, doch allein mit Kellan fühlte sich Mira auch nicht besser. Sie eilte ein paar Schritte zurück Richtung Duschraum, doch schon stand er wieder vor ihr und zwang sie anzuhalten. »Wir können das Spielchen den ganzen Tag treiben, Maus. Beruhige dich, sei kurz mal vernünftig.«

Sie stieß ein hartes Lachen aus. »Vernünftig? Fick dich doch ins Knie, Kellan. Ist dir das ruhig und vernünftig genug?«

Wieder wandte sie sich von ihm weg und stürzte so schnell davon, wie sie konnte. Dieses Mal bewegte er sich mit einer solchen Geschwindigkeit, dass sie ihn weder sah noch spürte – bis sie in die Luft gehoben wurde und sich in Kellans mächtigen Armen wiederfand.

»Lass mich runter!« Sie wehrte sich gegen seine Umarmung, aber er war stark – warm, massiv und unnachgiebig, eine greifbare Erinnerung daran, dass er etwas war, das über die menschliche Natur hinausging, etwas Tödliches, Dunkles, etwas Furchterregendes.

Er ließ sich von ihren Befreiungsversuchen nicht beeindrucken und trug sie zurück in sein Quartier. Mit dem Stiefel gab er der Tür einen Tritt und sie knallte hinter ihnen ins Schloss. Er setzte Mira ab, doch ließ er ihr keine Zeit von ihm wegzukommen. Sie hatte kaum Luft geholt, da hatte Kellan sie schon mit dem Rücken gegen die Tür gestoßen und hielt sie mit seinem großen Körper fest. Seine muskulösen Arme versperrten ihr die Flucht nach beiden Seiten.

Sie blitzte ihn wutentbrannt an und versuchte, die heiße Erregung zu ignorieren, die wie ein Pfeil durch sie schoss, als ihr bewusst wurde, wie nahe ihre Körper sich waren. Ihre Brüste sehnten sich nach seiner Berührung und ihre Brustwarzen wurden hart, obwohl sie immer noch kochte vor Wut.

Kellan atmete scharf aus, seine Bernsteinaugen brannten sich in die ihren. »Verdammt, Mira, ich habe dir gesagt, du sollst mein Quartier nicht verlassen.«

»Hattest du Angst davor, dass ich etwas sehen könnte?« Sie hob ihr Kinn. Immer noch brannte die Eifersucht wie Säure in ihrem Rachen. »Du hättest vorsichtiger sein müssen, Bowman. Du hast die Tür nicht abgeschlossen.«

Er ließ sie nicht aus den Augen, nicht für einen Moment. Trotzdem hörte sie hinter sich die Türsicherung metallisch einschnappen. Er hatte das Schloss allein mit der Kraft seines Geistes abgesperrt. »Jetzt ist abgeschlossen.«

Er bleckte Zähne und Fänge, als er das sagte, und seine Stimme klang dunkel und grollend und hätte ihr Herz nicht so zum Rasen bringen sollen, doch sie tat es. Ihre Adern hätten nicht singen müssen zum wilden, elektrischen Takt ihres Pulsschlags, nur weil er sie hier festhielt, an diesem unerträglichen Ort zwischen Ärger und Schmerz, Erkenntnis und Verlangen.

Wenn sie ihn doch nur nicht so sehr begehren würde – zumindest jetzt nicht. Sie war wütend auf ihn und hielt nur mit Anstrengung bittere Tränen zurück. Seit sie seinen Mund auf einer anderen Frau gesehen hatte, stiegen die Tränen immer wieder in ihr hoch. Eine Menschenfrau durfte seine Blutwirtin sein und ihm Nahrung geben, die Kellan nie von ihr angenommen hatte.

»Warum hast du es mir nicht gesagt?« Die Frage, leise, gebrochene Worte, war aus ihrem Mund, bevor sie darüber nachdenken konnte. »Warum konntest du mir nicht einfach sagen, dass es eine andere gibt?«

Das Feuer in seinen Augen loderte auf. »Weil es nicht stimmt.«

»Ich habe dich gesehen, Kellan – gerade eben, mit Candice. Deine Fänge waren in ihrem Handgelenk, das war ihr Blut auf deinen Lippen …«

»Ja«, gab er zu. Er blinzelte nicht, er zuckte nicht zurück. »Ich trinke von Candice, weil mir nichts anderes übrig bleibt. Ich gehöre zum Stamm und kann ohne Blut nicht leben. Ich habe schon oft von Candice getrunken. Ihr kann ich vertrauen, und sie stellt im Gegenzug keine Forderungen.«

Mira lachte schroff auf. »Wie praktisch für dich.«

Es sollte sarkastisch und gleichgültig klingen, doch ihre Stimme verriet, wie viel es ihr ausmachte. Sie hasste sich selbst dafür, dass sie so verletzlich war. Bestimmt konnte Kellan den Schmerz in ihren Worten hören, wenn er nicht schon längst ihre feuchten Augen bemerkt hatte. Mira senkte den Kopf und blinkte nach unten, um sich zu fassen.

Doch das ließ Kellan nicht zu. Erbarmungslos hob er ihr Kinn und machte dann alles noch schlimmer, indem er mit dem Daumen eine einzelne Träne wegwischte, die ihr über die Wange rollte.

»Schau mich an, Mira. Glaubst du wirklich, dass da zwischen Candice und mir mehr ist als das, was ich dir gesagt habe?« Seine Stimme war ruhig, aber voller Gefühl. »Schau dir meine Augen an. In ihnen brennt immer noch der Hunger, obwohl ich mich an Candice satt getrunken habe. Schau dir meine *Glyphen* an, Mira. Sieht das nach Befriedigung aus? Oder sind sie immer noch aktiv und pulsieren farbig vor Hunger? Und jetzt, wo ich vor dir stehe, siehst du, wie die Farben dunkler werden, weil sie noch auf ein anderes, ein tieferes Verlangen reagieren?«

Mira wollte seinen Körper nicht ansehen, aber er ließ ihr keine Wahl. Als sie seiner Aufforderung folgte und ihn anschaute – ihn wirklich anschaute, den beeindruckenden Mann ebenso wie das gefährliche, überirdische Wesen –, da wurde ihr klar, dass alles, was er gesagt hatte, die Wahrheit war. Sein Verlangen nach Blut war gestillt worden, doch er war bei Weitem nicht gesättigt.

Kellan drückte sich an sie, und sie spürte die volle Länge seines muskelbepackten Körpers. Er senkte den Kopf zu ihr und flüsterte heiser in ihre empfindliche Ohrmuschel: »Fühlt sich das an wie ein Mann, der von einer anderen bekommen hat, was ihm nur eine einzige Frau geben kann? Die Frau, die er mehr als alles andere begehrt?«

Mira stockte der Atem, aus ihrer Kehle entwich ein leises Stöhnen. Sie konnte seine harte Erektion fühlen, sie spürte sein Verlangen, das heiß von ihm abstrahlte.

Kellan stieß leise einen dunklen Fluch aus. »Seit acht Jahren suche ich jemanden, bei dem ich dich vergessen könnte. Aber ich habe niemanden gefunden, Mira.« Er nahm ihr Ohrläppchen zwischen die Lippen und saugte es zärtlich zwischen seine Fänge und Zähne. Sein warmer Atem kratzte leicht an ihrem Ohr und löste tief in ihr etwas aus, das ihren Puls rasen ließ und ihre Schenkel zum Zittern brachte. »Es gab niemanden seit dir, Mira.«

Er nahm ihr Gesicht in seine Hände und küsste sie. Doch anders als vorhin liebkoste er sie nicht zärtlich mit seinen Lippen, sondern er nahm ihren Mund wild in Beschlag. Sein Kuss war heiß und besitzergreifend; ungeduldig und gnadenlos drängte sich seine Zunge zwischen ihre Lippen. Dieser Kuss war hemmungslos und brutal, eine Herausforderung.

Und Mira gab sich ihm mit Leib und Seele hin.

Sie konnte sich ihm nicht verweigern. Und genauso wenig konnte sie die Leidenschaft verleugnen, die in feuerflüssigen Wellen durch ihren Körper schoss, als Kellan sie immer tiefer mit in den Kuss zog und ihren Körper an seine breite Brust und seine harte Erektion drückte.

Der Damm war gebrochen, Miras sowieso schon schwacher Widerstand und der letzte Rest ihrer kämpferischen Wut auf

Kellan wurden mitgerissen und davongespült. Sie schlang die Arme um ihn und öffnete sich, damit er sie noch leidenschaftlicher küssen konnte. In ihrem Inneren zerschmolz sie. Das Blut rauschte ihr heiß durch die Adern und sammelte sich in ihrem Zentrum. Ihre Glieder wurden schwach und wacklig, ihre Knie gaben fast nach.

Sie wollte ihn. Gott, sie wollte Kellan so sehr.

»Kellan«, murmelte sie, bäumte sich auf und presste sich in seine Hitze.

Einen Moment später fuhr er mit seinen starken Händen über ihren Bauch, dann schob er sie unter den losen Baumwollstoff des T-Shirts. Mira keuchte auf. Seine Finger fühlten sich rau an auf ihrer nackten Haut, sie waren schwielig und verhärtet, die Finger eines Kämpfers. Doch seine Berührungen waren sanft, und ein Schauer durchfuhr sie, als er mit den Handflächen über ihre Rippen hochglitt zu ihren nackten Brüsten. Er nahm sie in seine Hände, drückte sie leicht und rieb mit den Daumen über ihre Brustwarzen. Sie zogen sich unter seinen Liebkosungen zusammen und wurden hart wie kleine Kiesel.

Mira vergrub das Gesicht in seinem starken Nacken und genoss, wie sich seine Hände überall auf ihrer nackten Haut anfühlten. Auch sie berührte ihn und fuhr mit den Fingern über die dicken Muskelstränge seitlich von seiner Wirbelsäule. Jeden Zentimeter seines Rückens erkundete sie und erinnerte sich an seinen Körper, als wären sie nie getrennt gewesen. »Oh Gott … Kellan, das habe ich so sehr vermisst. Ich habe mich so nach dir gesehnt … nach *uns*.«

Er antwortete mit einem tiefen Knurren. Die Vibration ging ihr durch und durch. Wortlos und ohne um ihre Erlaubnis zu fragen, drehte er sie blitzschnell um, sodass sie mit dem Rücken zu ihm stand, und schob sie dann zum Bett. Bei jedem Schritt auf dem kurzen Weg küsste er sie.

Sie hätte sich nicht wehren können, selbst wenn sie gewollt hätte. Alles Weibliche in ihr war willig, lüstern und feucht und nur zu bereit, ihn wieder bei sich willkommen zu heißen.

Er drückte sie hinunter auf die Matratze und legte sich auf sie, bedeckte sie mit seinem ganzen Körper. Mit der Zunge erkundete er ihren Mund, immer wieder stieß er zwischen ihre Lippen. Der Kuss ließ keinen Zweifel daran, was er mit ihr vorhatte. Mira öffnete sich ganz für ihn und erwiderte den Kuss. Wenn er zurückwich, saugte sie an seiner Zungenspitze, wenn er wieder in ihren Mund stieß, ließ sie los.

Sie hielt sich an ihm fest, bäumte sich unter ihm auf und wollte nichts mehr, als dass sie ihn endlich tief in sich spüren konnte.

Er wusste immer noch, was sie von ihm wollte. Er wusste genau, wie er sie berühren musste und wie sie geküsst werden wollte. Alles wusste er noch ganz genau, nach all den Jahren.

Mira spreizte die Finger und fuhr ihm durch das dichte kastanienbraune Haar, als er sie noch leidenschaftlicher, noch besitzergreifender küsste. Danach lag sie keuchend und wie betäubt vor Lust unter ihm. Sie wusste nicht, wie er ihr die Turnhose und den Slip ausgezogen hatte, und es war ihr auch egal. Denn mit einem Mal rutschte er an ihr hinunter, schob ihr T-Shirt hoch und legte eine Spur aus warmen, feuchten Küssen auf ihren flachen Bauch. Sie stöhnte und bog ihren Rücken durch, als er ihre Brüste massierte und eine ihrer samtenen Brustwarzen in den Mund nahm. Er küsste auch die andere und fuhr leicht und aufreizend mit seinen Zähnen darüber.

»Du schmeckst noch genauso wie früher«, flüsterte er, den Mund nah an ihrer Haut. »Immer noch so süß und weich.«

Sie war zu keiner Antwort fähig, konnte nur die Finger ins Leintuch krallen und den Atem anhalten, als sein Mund tiefer glitt und überall da, wo seine Lippen ihre Haut berührten, einen feurigen Pfad hinterließ. An ihrem Hüftknochen hielt er inne und fuhr mit der Zunge über die zarte Erhebung. »Hier schmeckt es süßer.«

Oh Gott.

Sie hob den Kopf und schaute zu, wie er sich immer weiter nach unten schob. Er erwiderte ihren Blick, als er sich auf ihre Schenkel legte. Seine Augen schienen aus glühendem Bernstein zu bestehen, die schmalen Schlitze seiner Pupillen waren fast nicht mehr zu sehen. Mit diesem übernatürlichen, raubtierhaften Blick hielt er sie in seinem Bann. Seine Fänge wurden länger und spitzer, sein breiter Mund verzog sich zu einem sinnlichen Lächeln. Dann schob er ihre Schenkel auseinander und ließ sich dazwischen niedersinken.

Er küsste das Dreieck aus hellen Locken auf ihrem Venushügel. Mira wagte kaum zu atmen. Ihr Puls raste, durch ihre Adern schoss flüssiges Feuer. Noch ein Kuss, der viel länger dauerte, und er schob seine Zungenspitze in die empfindlichen Hautfalten. Er leckte sie ausgiebig, saugte an der zarten Knospe und sog sie in die feuchte Hitze seiner Zunge. Sein erregtes Knurren vibrierte in ihrer bebenden Klitoris, als er mit der Zunge noch tiefer fuhr. »So süß und saftig. Das ist es, was ich brauche. Du bist es, Mira.«

Wieder widmete er sich ihrer Klitoris. Ihr Atem ging stockend und schwer, sie stöhnte auf, als kleine Blitze der Lust durch sie zuckten und den kommenden Sturm ankündigten. Er spielte mit ihr, rieb ihre Klitoris, umzüngelte sie, bis Mira so feucht war, als würde ihr Körper Tränen vergießen vor Lust.

»Ich brauche dich«, keuchte sie und kam hoch, um sich an ihm festzuhalten. Ihre Finger gruben sich in die harten Muskeln seiner Schultern. »Bitte, Kellan, ich möchte nicht länger warten. Ich habe Angst, wenn wir auch noch eine Sekunde warten …«

Angst, dass dieser Augenblick ihr entrissen und die Realität sie einholen und an den Punkt zurückwerfen würde, an dem sie noch vor ein paar Minuten gewesen waren. Als sie Feinde gewesen waren, nicht Liebende. Fremde, nicht Freunde.

Zurück an den Punkt, als sie ein Mann und eine Frau waren mit einer längst vergangenen, gemeinsamen Vergangenheit, einer unangenehmen, beklemmenden Gegenwart und einer zweifelhaften, unsicheren Zukunft.

Mira konnte ihn nicht gehen lassen, nicht jetzt. »Komm hoch. Ich muss dich nah bei mir spüren. Ich brauche dich in mir.«

Er sagte etwas, doch es ging unter in dem tiefen Knurren, das aus seiner Kehle drang. Er kam wieder hoch zu ihr und entledigte sich dabei seiner Hose. Mira konnte sich kaum an seinem Anblick sattsehen – ganz nackt, hager und wunderschön. Er war so stark, so kraftvoll.

So lebendig.

Sie hatte so lange von diesem Moment geträumt – dem Moment, wenn sie wieder mit Kellan zusammen sein, wenn er von den Toten zurückkommen würde.

Sie hatte so lange gewartet, dass sie sich jetzt kaum zügeln konnte. Sie wollte, musste ihn in den Armen halten und seinen Körper so nah bei sich spüren wie nur irgend möglich.

Kellan legte sich auf sie, und alles an ihm pulsierte vor Wärme und männlicher Energie. Wieder küsste er sie, ein tiefer, langer, besitzergreifender Kuss. Er hatte seine Schenkel zwischen ihre Beine geschoben, und sie spürte seine schwere, harte Erektion. Sein breiter Schwanz schmiegte sich in seiner ganzen Länge in die feuchte Spalte ihrer Vulva.

Doch Mira war es nicht nah genug.

Sie bewegte die Hüften, sodass er direkt in sie hineinstoßen konnte. Begierig saugte sie an seiner Zunge, und sein Schwanz zuckte. Kellan stöhnte in ihren Mund, ein raues, lüsternes Keuchen. Mit einem Fluch löste er seinen Mund von ihren Lippen und starrte auf sie hinunter, während er sich mit den Fäusten aufstützte.

»Ich möchte mir Zeit lassen mit dir, aber …« Seine Stimme brach ab, und er schüttelte den Kopf, sein Becken leicht nach vorn schiebend. Die Eichel seines Penis drang in sie ein. »Ah, Himmel … du fühlst dich so gut an.«

Miras Herz flatterte in ihrer Brust wie ein Vogel in einem Käfig. Alle ihre Nervenenden bebten vor wilder Lust. »Ich will mir keine Zeit mehr lassen. Zwischen uns steht schon viel zu viel Zeit, wir haben viel zu lange gewartet. Schluss damit, Kellan. Nicht jetzt.«

Er nickte und schaute ihr in die Augen, als er mit einem zweiten, zögernden Stoß tiefer in sie eindrang. »Du bist so eng. Genau wie beim ersten Mal, als wir zusammen waren.«

Sie war noch Jungfrau gewesen, bei dem ersten – und einzigen – Mal, als sie und Kellan miteinander Sex gehabt hatten. Auch für ihn war es das erste Mal. Obwohl sie einander schon Jahre vor dieser Nacht unzweifelbar begehrt hatten, waren sie niemals zuvor so weit gegangen. Zuerst war Mira zu jung gewesen, und dann, später, als sie zur Frau gereift war, hatte sich Kellan voll und ganz in den Dienst des Ordens gestellt und wiederholt Missionen angenommen, die seine mehrwöchige, manchmal sogar mehrmonatige Abwesenheit von zu Hause erforderten. Aber er kam immer wieder zu ihr zurück, und sobald er wieder da war, dauerte es nicht lange und sie machten da weiter, wo sie aufgehört hatten: ein Knäuel unentwirrbar ineinander verschlungener Körperteile und fiebrig suchender Münder.

Schon vor dieser Nacht vor acht Jahren hatten sie herausgefunden, wie sie sich auf andere Weise befriedigen konnten, aber dann war ihr Verlangen doch größer gewesen als alles Leugnen und alle Zurückhaltung. Mira hatte sich Kellan hingegeben und er sich ihr.

Es war magisch gewesen. Ein Wunder. Doch nur wenige Stunden später hatte eine Bombe der Rebellen alles zerstört.

Sie schaute hoch zu Kellan, der in der weichen Stille des Bettes über sie gebeugt war. Die Ereignisse dieser Nacht vor acht Jahren und die Zeit danach hatten ihr das Herz gebrochen. Die Wunde war immer noch nicht verheilt. Doch dieser Augenblick war real. Er war jetzt. Und er gehörte ganz ihnen.

Sie lächelte, weil sie seinen nackten Körper überall spüren konnte, dann stöhnte sie vor lustvollem Schmerz auf, als seine Eichel langsam tiefer drang und sie bis an die Grenzen des Aushaltbaren weitete. Er war so vorsichtig mit ihr. Viel zu vorsichtig. Sie streichelte sein wundervolles Gesicht. »Für mich hat es auch keinen anderen gegeben, Kellan. In der ganzen Zeit gab es niemanden.«

Ein Ausdruck der Bestürzung glitt blitzartig über seine Züge. »Niemanden?«

Sie schüttelte den Kopf. »Nur dich.«

»Gott, nein.« Für einen Moment schloss er die Augen, und als er sie wieder öffnete, brannte darin ein neues, wilderes Feuer. Er war nicht glücklich, ganz und gar nicht. »Himmel, Maus, verdammt noch mal. Wir sind beide nicht zu retten. Wenn wir bei Verstand wären, hätten wir schon lange losgelassen.«

Mit einem Knurren, das er zwischen Zähnen und Fängen hervorpresste, drang er mit einem schnellen Stoß tief in sie ein. Mira schrie auf und biss sich in die Lippe, als ihr Körper damit kämpfte, ihn ganz in sich aufzunehmen. Dann verwandelte sich der erste, scharfe Schmerz des Eindringens in ein glorreiches Gefühl der Vereinigung.

Oh Scheiße!

Er fühlte sich so gut an.

Sie schwebte auf Wolken, als sie ihn tief in sich festhielt.

Sie kannte jeden Schritt dieses Tanzes mit ihm, alle ihre Instinkte reagierten wie von selbst, als hätte sie ihn erst gestern zum letzten Mal so geküsst – nackt und atemlos, Haut an Haut, vor Lust schmelzend und unersättlich.

Zwischen keuchenden Atemstößen flüsterte sie seinen Namen, und er änderte den Rhythmus, wurde schneller und drang bei jedem langen Stoß noch tiefer in sie ein und heizte damit das Feuer an, das in ihr schon lichterloh brannte. Tief aus ihrer Kehle kam der erste gebrochene Schrei, als eine orgiastische Lust sie erfasste, und Kellan bedeckte ihre Lippen mit seinem Mund und küsste sie.

Er war gnadenlos, doch sie hatte ihn auch nicht um Gnade gebeten. Nicht dieses Mal. Nicht, wenn sie vor neu entdecktem Verlangen heiß brannte und ihn noch so sehr brauchte.

Doch ihr Orgasmus ließ sich nicht mehr aufhalten. Jeder Stoß, jedes Zurückziehen erregte sie mehr, jeder Kuss, jede Zärtlichkeit brachte sie dem Höhepunkt näher. Kellan drang immer wieder in sie ein, unaufhaltsam und mit nur einem Ziel: Erbarmungslos trieb er sie auf die Klippe zu.

»Oh Gott«, keuchte sie, als die ersten heißen Wellen über ihr zusammenschlugen. »*Kellan*.«

Sie krallte sich an Kellans Schultern fest und stürzte sich kopfüber in die Lust dieses Augenblicks, in dem sie und Kellan endlich vereint waren. Mochte ihr Glück auch kurz sein, wie sie in ihrem Herzen fürchtete, doch dieser Moment würde ihr immer bleiben.

11

Erst einmal in seinem Leben hatte Kellan die enge, feuchte Glückseligkeit verspürt, mit der Miras Körper ihn umgab. Erst einmal hatte er gespürt, wie sich ihr Schoß lustvoll um ihn zusammenzog, und die winzigen Wellenstöße ihres Orgasmus seinen Schwanz quetschten und pressten, dass es eine Wonne war. Er erinnerte sich mit vollkommener Klarheit an dieses eine Mal. Doch der Anblick von Mira, wie sie für ihn kam, sich an ihm festkrallte und seinen Namen keuchte – dieser Anblick ließ alle seine Erinnerungen blass und trocken wie Staub erscheinen.

Gott, sie war so schön.

Ihr blondes Haar lag in wilden Locken auf seinem Kissen. Ihre perfekte alabasterweiße Haut hatte einen rosa Farbton angenommen durch das Blut, das ihr in die Wangen und ihre wundervollen Brüste mit den keck aufgerichteten Nippeln geschossen war. Ihre Lider waren halb geschlossen, die dunklen Wimpern verdeckten fast ihre Augen. Sie seufzte auf durch ihre geöffneten Lippen, die dunkelrot glänzten von seinem Kuss. Ihr süßer Mund zitterte bei jedem Atemzug. Wieder durchzuckte ein heftiger Schauder ihren Körper, und sie packte ihn an den Schultern und hielt sich an ihm fest.

Gebannt und mit einem Gefühl von Triumph beobachtete Kellan, wie ihr Orgasmus sie überwältigte. Sie zitterte vor Lust, so gewaltig war ihr Höhepunkt, der auch Kellan mit fester heißer Faust in den Griff nahm. Sein Schwanz zuckte und bebte, er explodierte fast, als seine eigene Lust immer drängender und wilder wurde, bis es die reinste Folter war.

Doch es war eine süße Qual. Der ziehende Schmerz fühlte sich so gut an, dass Kellan Mira am liebsten ewig gevögelt hätte. Bei ihr kündigte sich der zweite Orgasmus an – ihr zierlicher Körper spannte sich unter ihm, ihr Atem ging schneller, ihr Puls dröhnte in ihm, wo immer sie sich berührten. Er trieb sie weiter, höher, schob sich in sie mit tief penetrierenden Stößen, die die Flammen ihrer Lust nur noch mehr anfachten.

»Hör nicht auf«, flüsterte sie atemlos. »Oh Gott, Kellan … bitte … hör nie mehr auf.«

Er knurrte seine Zustimmung, und männlicher Stolz schwoll in ihm an wie eine Flutwelle.

Sie gehörte ihm.

Wieder.

Immer noch.

Für ewig …

Der letzte Gedanke, diese Lüge, verhakte sich in ihm und ließ ihn nicht mehr los. Für sie gab es kein *ewig* mehr, auch wenn er es sich mehr als alles andere wünschte.

Und es war nicht fair, dass er sich das alles von Mira genommen hatte – ihre Lust, ihre Hingabe, ihre Treue und Zuneigung, die er nicht verdiente. Er wusste doch, dass ihre Beziehung nicht halten würde. Sie *konnten* nicht zusammenbleiben, denn auf ihn wartete eine finstere Zukunft.

Aber es fiel ihm schwer, sich in diesem Moment der grausamen Tatsache zu stellen. Er war vollkommen erfüllt von dem Gefühl reiner männlicher Befriedigung, als er ihre schweißgebadete, nackte Schönheit an sich zog und sich ganz der Lust hingab, die er ihr bescherte.

Als die letzten Schauer ihres Orgasmus abebbten, küsste er sie und streichelte ihr hübsches Gesicht. Sie schaute hoch zu ihm, noch immer trunken vor Lust, und blickte direkt in seine bernsteingelben Pupillen. »Ich wusste, dass wir hier enden würden:

nackt und zusammen in meinem Bett.« Seine Stimme war so harsch und tief, dass sie selbst in seinen Ohren nicht mehr menschlich klang.

Er war nicht stolz darauf, dass es so weit gekommen war. Aber Teufel noch mal, leid tat es ihm auch nicht.

Mit gutem Grund hatte er sich so lange bei Mira zurückgehalten, bevor sein Leben den Umweg über die Rebellen genommen hatte. Er hatte genau gewusst: Sobald er einmal seinem Begehren nachgab und mit Mira schlief, würde er sich nur noch mehr nach ihr verzehren. Wenn sie sich körperlich liebten, dann wollte er auch von ihr trinken. Dann wollte er sie an sich binden, sodass sie auf ewig blutsverbunden wären. Und dies waren Dinge, die ihm nicht mehr zustanden, Dinge, die er sich nicht einmal mehr wünschen durfte.

Wie er vor all den Jahren der Versuchung mit eisernem Willen hatte widerstehen können, verstand er jetzt kaum mehr. Was war er doch für ein Idiot gewesen, dass er Mira auf Abstand gehalten und sie von sich gestoßen hatte. Jetzt wollte er sie immer bei sich haben. Er konnte ihr gar nicht nahe genug sein.

Langsam stieß er sein Becken nach vorn und stöhnte auf, als er die unvergleichliche, feuchte Reibung ihrer Körper spürte. Wieder streichelte er ihr Gesicht und wischte eine Locke weg, die ihr in die Stirn gefallen war. »Ich wusste es sofort, als der Anruf reinkam von meinem Team von Ackmeyers Anwesen und ich die Entscheidung treffen musste, ob sie dich herbringen sollen … Ich wusste genau, wenn ich dich sehe, dann kann ich der Versuchung nicht widerstehen. Ich muss dich einfach berühren, ich muss dich küssen.« Er presste seine Lippen auf ihre Augenbraue und fuhr mit dem Daumen den Umriss des Mals der Stammesgefährtinnen nach, das sich am Haaransatz auf ihrer linken Schläfe befand. »Und ich wusste auch, wenn ich das zulasse, wenn ich dich berühre, dann kann ich mich nicht mehr zurückhalten. Wenn ich dich küsse, muss ich auch wieder in dir sein.«

Mira hatte ihre Finger tief in seine Haare vergraben, sie hielt seinen Kopf in ihren Händen. »Ich möchte nicht, dass du dich zurückhältst.« Sie zog ihn nach unten in einen leidenschaftlichen Kuss, der seinen ganzen Körper in elektrische Hochspannung versetzte. Sie bewegte sich unter ihm, sodass er leicht nach vorne kippte. Es war eindeutig, was sie wollte. Sie beendete den Kuss, indem sie ihn leicht in die Unterlippe biss. Ihr Atem an seinem Mund war heiß und hungrig. »Hör nicht auf, Kellan.«

Ah, gütiger Gott.

Selbst wenn sein Leben davon abhängen würde, könnte er jetzt nicht mehr an sich halten.

Er küsste sie wild und fordernd, gleichzeitig stieß er seinen Schwanz tief und langsam in sie, sodass seine ganze Länge sie ausfüllte und sein breiter Ständer komplett in ihr steckte. Ihr keuchender Atem trieb ihn an, ihr erregtes Wimmern verstärkte die lustvolle Spannung in seinem Unterleib immer mehr. Mit jedem hungrigen Stoß nahm er mehr von ihrem Körper Besitz.

Er fuhr mit der Hand ihren langen glatten Schenkel entlang und beugte ihr Knie, damit sie ihm das Bein auf die Schulter legen konnte. Er drückte sein Becken noch mehr an sie, sodass er noch tiefer in sie hineingleiten konnte. Der Rhythmus seiner Stöße wurde schneller, fast so schnell wie sein rasender Pulsschlag.

»Ich kann nicht tief genug in dir sein«, knurrte er über ihrem Mund. »Ich will alles von dir spüren.«

»Ja«, flüsterte sie und klammerte sich an ihn, als er noch härter in sie stieß. Für ihn gab es nur noch das Gefühl ihrer Scheide, die ihn wie ein Handschuh umfasste, und ihrer weichen Muskeln, die sich in süßen Wellen um ihn zusammenzogen.

Er berührte ihre Wange, weil er ihr Gesicht in dem Moment

sehen wollte, wenn er in ihr explodierte. Sein Orgasmus baute sich rasch und donnernd auf, unten an seiner Wirbelsäule zog sich ein Knoten aus heißer Spannung immer mehr zusammen.

Mira drehte den Kopf zu seiner Handfläche und presste einen Kuss hinein. Ihre rosa Zungenspitze schoss zwischen ihren Lippen hervor, sie war nass und heiß auf seiner Haut. Er stieß noch härter zu, noch schneller, gleich würde er die Kontrolle verlieren. Und da drehte sie wieder den Kopf und nahm seinen Daumen zwischen ihre Lippen. Sie ließ ihn tief in ihren Mund gleiten und saugte daran. Ihre Zunge war wie ein weiches Kissen, das seinen Daumen umfasste, genau wie ihre enge Scheide, die seinen harten Schwanz umfasste und seinen Orgasmus aus ihm heraussaugte.

Kellan konnte nicht mehr an sich halten, er stieß wieder und wieder in fiebriger Leidenschaft in sie hinein. Der Knoten aus Schmerz und Lust glühte, und jeder rasende Pulsschlag zog ihn enger. Mira ließ Kellans Daumen nicht los. Sie umspielte ihn mit ihrer Zunge, Kellan nicht aus den Augen lassend, als sie seinen Daumen immer aufs Neue in ihren Mund saugte. Er spürte ein Schaudern tief in seinem Inneren, als ihre stumpfen kleinen Zähne ihm über die Haut fuhren. Da umfasste sie den Daumen mit den Zähnen und biss zu.

Es war, als sei jeder Schalter in seinem Körper umgelegt worden. Kellan brüllte, als sein Orgasmus mit Gewalt aus ihm herausbrach.

Er konnte nichts mehr zurückhalten. Wild und überstürzt schoss sein Samen in ihm hoch und erfüllte Mira. Kellan kam heftig, ungestüm, wie in einem irren Fieber. Die Stärke des Orgasmus verschlug ihm den Atem, und er zitterte am ganzen Leib, als er sich in Miras heißer, feuchter Scheide entlud.

Noch während er kam, erfüllte ihn Erleichterung bei dem Gedanken, dass es zwar falsch war, wenn er sich auf Kosten Miras dieser Leidenschaft hingab, doch wenigstens machte er ihr kein Kind. Nein, es brauchte mehr als den leichtfertigen Impuls, der ihn heute zwischen ihre Schenkel gebracht hatte. Eine Zeugung zwischen einem Stammesvampir wie ihm und einer Frau, die das Muttermal der Stammesgefährtinnen besaß, konnte nur in der fruchtbaren Zeit stattfinden, wenn der Mond zunahm. Außerdem musste gleichzeitig ein Austausch von Blut stattfinden.

Solche Gedanken an Blut und Zeugung waren in seinem jetzigen Zustand gefährlich. Sein lustbetäubter Blick suchte schon ihre Halsschlagader, die wie der Flügel eines eingesperrten Schmetterlings an der Seite von Miras schlankem Hals flatterte. Klarer Schweiß perlte auf Miras Haut, doch unter diesem Geruch und dem Moschusduft von Sex konnte Kellan mit den übernatürlichen Sinnen seiner Art den schwachen, süßen Lilienduft ihres Blutes ausmachen. Das Blut einer Stammesgefährtin.

Sein Hunger nach ihrem Blut kehrte mit der Macht eines Wirbelsturms zurück. Er wollte seine Fänge in ihren weichen weißen Nacken schlagen und sie an sich binden, als seine Gefährtin für alle Zeit. Der Drang, es einfach zu tun, war fast nicht mehr auszuhalten.

»Verdammte Scheiße«, murmelte er, schloss die Augen und wand den Kopf ab von der Versuchung des Blutes.

Miras zärtliche Berührung brachte ihn zurück. Sie nahm sein Gesicht in die Hände, doch in ihren Augen lag eine Spur von Traurigkeit. Ihre leisen Worte klangen verwirrt. »Du wolltest diesen letzten Schritt nie mit mir gehen. Du wolltest nie mit mir blutsverbunden sein.«

»Glaubst du das wirklich?« Er schaute ihr in die Augen mit den lila getönten Kontaktlinsen. Sie schirmten Miras wahre Augenfarbe ab und dämpften ihre Sehergabe. Kellan hoffte, dass sie wusste, dass sie die Einzige war, die er sich jemals als seine blutsverbundene Gefährtin an seiner Seite hatte vorstellen können.

Doch selbst dies war nur eine grausame Hoffnung für ihn. Denn egal, ob er Mira wollte oder nicht, das Schicksal hatte anscheinend andere Pläne mit ihnen.

Kellan hatte die Zukunft gesehen, an einem Morgen ähnlich wie diesem, als er Mira nackt in den Armen gehalten hatte, ihre Körper eng umschlungen, erschöpft und befriedigt, genau wie jetzt. Er beugte sich zu ihr hinunter und küsste sie zärtlich auf beide Augenlider, vielleicht als Entschuldigung oder um sie von aller Schuld freizusprechen, er wusste es nicht. »Du wärst die Gefährtin für mich gewesen, Mira. Wenn ich glauben könnte, dass es für uns irgendeine gemeinsame Zukunft gibt – eine Zukunft, die nicht damit endet, dass ich dich furchtbar verletze –, dann wärst du meine Gefährtin. Aber ich kann nicht in etwas einwilligen, das uns unwiderruflich für alle Ewigkeit aneinander bindet, wenn ich weiß, dass nichts Gutes dabei herauskommen wird.«

Ihr Blick, in dem noch vor einem Moment Traurigkeit und Verwirrung gelegen hatten, wurde ein wenig härter. Sie gab einen abfälligen Laut von sich, und sie verzog den Mund auf eine Art, die er oft genug gesehen hatte, als sie zusammen aufgewachsen waren. »Eigentlich bist du doch wirklich ein Oberarschloch, dass du das hier verkündest, während dein Schwanz noch in mir steckt. Aber ich will fair sein, okay? Weil ich genauso mit dir vögeln wollte wie du offensichtlich mit mir. Nicht, dass *dabei* etwas Gutes rauskommen würde.«

Kellan zuckte zusammen. »Das war nicht nur Sex, Teufel noch mal.«

»Was denn dann?«

Er schüttelte den Kopf, und tausend Adjektive schossen ihm durch den Kopf, von denen keines auch nur annähernd das ausdrücken konnte, was er gerade fühlte, als er mit Mira im Bett lag und sein Schwanz in ihr schon wieder hart wurde.

Er pumpte einmal langsam mit dem Becken und glitt tiefer in sie hinein. Sie bäumte sich auf, sodass sich ihr Rücken über der Matratze hob und er noch tiefer in sie eindringen konnte. »Gott, du fühlst dich so gut an. So richtig. Ich wünschte mir, dass es nicht so wäre. Aber ich kann dich einfach noch nicht gehen lassen.« Er senkte den Kopf und küsste sie, ein langer, leidenschaftlicher Zungenkuss. Als er sich schließlich von ihren Lippen löste, atmete er tief aus, und die Luft entwich zischend zwischen seinen Fängen, die spitzer und länger geworden waren. »Ach, Scheiße … das war ein Fehler. Jetzt habe ich dich endlich hier, unter mir. Keine Ahnung, wie ich dich jemals wieder aus meinem Bett lassen soll.«

Mira stieß sich mit beiden Händen von seinem nackten Brustkorb ab und rollte ihn auf den Rücken. Dabei drehte sie sich mit ihm, sodass sein Schwanz immer noch tief in ihr vergraben war, als sie sich aufsetzte. »So, jetzt liegst du unter mir, und was die Frage betrifft, ob und wann wir jemals wieder dieses Bett verlassen – da habe ich auch ein Wörtchen mitzureden.«

Sie bewegte ihre Hüften und setzte sich so, dass er so tief wie möglich in ihr war. Dann begann sie ihn langsam zu reiten, wobei sie jedes Auf und Ab in süßer Qual in die Länge zog. Als sie sich auf ihm bewegte, schloss sie die Augen, und ihr geschmeidiger Kriegerinnen-Körper streckte und bäumte sich auf mit der Anmut einer Tänzerin. Dabei glitt sein Schwanz nicht ein einziges Mal aus ihr heraus, und Kellan spürte, wie sich sein zweiter Orgasmus mit rasanter Geschwindigkeit näherte. Ihre kleinen Brüste wippten und hüpften, als sie ihren Rhythmus gefunden hatte. Kellan konnte sehen, wie sein breiter Schwanz jedes Mal mit einem Wippen in ihrer Spalte verschwand, und er musste an sich halten, damit er nicht vorzeitig und viel zu schnell kam.

Gott, sie war so sexy. Das heißeste Mädchen, das er je kennengelernt hatte. Tough und eigensinnig und mutig und extrem hartnäckig, wenn es um etwas ging, das ihr wichtig war. Ihn eingeschlossen.

Kein Mann – egal ob Vampir oder Mensch – konnte sich eine bessere Frau zur Gefährtin wünschen. Und einen verrückten Moment lang stellte Kellan sich vor, wie es wäre, wenn sie wirklich ganz ihm gehören würde. Wenn alles ganz anders kommen würde und er sie nicht aufgeben müsste.

Er stellte sich vor, er hätte vor acht Jahren nicht in ihre ungeschützten Augen geschaut und dort die Zukunft gesehen, die sie auseinanderreißen würde. Eine Zukunft, die ihn in den Augen aller, die er jemals geliebt hatte, als Verräter brandmarkte und ihn zum Tod durch eine Hinrichtung des Ordens verurteilte.

Jedes noch so kleine Detail der Vision stand ihm schonungslos vor Augen.

Er selbst, wie er vor Lucan und den Stammesältesten des Ordens steht und der Verschwörung, des Mordes und des Hochverrats angeklagt wird. Gegen keinen der Anklagepunkte legt er Widerspruch ein. Alle seine Verbrechen sind Schwerstverbrechen, für alle wird die Todesstrafe verhängt.

Und Mira, wie sie an seiner Seite steht und Lucan, Niko und die anderen um Gnade bittet.

Mira, die einen Moment später auf den Boden des Anhörungssaals sinkt, als das Urteil des Ordens verlesen wird.

Tod.

Miras Hände strichen ihm über das Gesicht. Erst jetzt wurde Kellan klar, dass er aufgehört hatte, sich zu bewegen. »Geht es dir gut, Kellan? Wo warst du denn gerade eben?«

Er schüttelte den Kopf und versuchte dabei, die Vision loszuwerden und das tiefe Bedauern, das ihm wie ein Klumpen schwer im Magen lag. »Ich bin hier«, sagte er und strich ihr über die Lippen, damit sich ihre besorgten Mundwinkel wieder hoben. »Mir geht's gut. Jetzt, hier, mit dir, ist alles gut.«

Sie lächelte und küsste seine Handfläche. Langsam begann sie sich wieder auf ihm zu bewegen. Mit einem Stöhnen fand sie bald in ihren Rhythmus zurück und ritt ihn mit ganzer Seele. Sie war wunderschön.

Als sie vor Erregung keuchte und sich über ihm zu einem erneuten Orgasmus aufbäumte, wirbelte Kellan sie wieder herum, sodass sie unter ihm lag und er sie in noch größere Höhen der Lust vögeln konnte. In diesem Augenblick wollte er ihr alles Glück schenken, das er ihr geben konnte. So viel Glück, dass es genug war für dieses Leben.

So viel Glück, dass es für sie beide genug war.

12

Etwas später erwachte Mira wieder, in Kellans starken Arm gekuschelt. Seine Wärme umgab sie, ein Kokon des Friedens und Behagens, wie sie ihn schon sehr lange nicht mehr gespürt hatte.

Nicht seit dem Morgen vor acht Jahren, als sie in einer ähnlichen Pose, in einem ähnlichen Zustand seliger Erschöpfung erwacht war.

Dieser Tag damals war in einem Albtraum aus Feuer, Asche und Tränen untergegangen. Heute fühlte sie sich wie erneuert. So voller Hoffnung. Sie war glücklich, und das machte ihr mehr Angst als alles sonst. Besonders, da sie das Glück in den Armen von Kellan Archer gefunden hatte. Nicht mehr der Teenager, den sie als Kind vergöttert hatte. Nicht einmal mehr der junge Stammeskrieger, der an ihrer Seite seine Ausbildung beim Orden absolviert hatte und ihr bester Freund und Vertrauter geworden war.

Nein, sie hatte das Glück in den Armen des Anführers einer gesetzlosen Rebellentruppe gefunden, die nicht nur einen unschuldigen Zivilisten entführt, sondern Lucan Thorne und dem ganzen Orden getrotzt hatten, indem sie eine seiner Operationen gestört und eines seiner Mitglieder als Geisel genommen hatten.

Eine Geisel, die nur allzu willig mit dem Feind ins Bett gegangen war.

Der dort scharfe, wunderbare Dinge mit ihr angestellt hatte.

Mira konnte nicht widerstehen und küsste den massigen

Bizeps, der sie an Kellans riesigen Körper drückte. Sie fuhr mit der Zunge die verschlungenen *Glyphen* auf seinem Arm nach und freute sich daran, wie sie sich nach ihrem neckenden Kuss mit dunklen Farben füllten.

Er regte sich. Mit einem tiefen Stöhnen zog er sie enger an sich. Seine Brust war eine solide Hitzewand an ihren Brustwarzen, sein Waschbrettbauch wie sonnenwarmer Granit an ihrem Bauch. Und noch weiter unten war seine Erregung nicht zu übersehen, drückte sich steif und heiß gegen ihre Hüfte. Viel zu verlockend für ihre wandernden Hände.

Vorsichtig strich Mira mit den Fingern über seine glatten Brust- und Bauchmuskeln, vorbei an seinem Nabel zu seinem stacheligen Schamhaar und seinem erigierten Schwanz. Sie streichelte ihn und staunte, wie gut er sich anfühlte, so weich und gleichzeitig hart wie Stahl. Und aus seiner Eichel, die wie eine dicke Pflaume seinen Schaft krönte, perlte bereits ein Tropfen Flüssigkeit, als sie mit den Fingerspitzen darüberstrich.

Sie sah rasch zu ihm auf, ob sie ihn geweckt hatte.

Glühende Augen starrten zu ihr zurück, hellwach und bernsteingelb vor Verlangen.

»Schön geträumt?«, fragte sie ihn mit gespielter Unschuld.

Er bleckte die Lippen zu einem lüsternen Lächeln. »Wer braucht schöne Träume, wenn du mich in der Realität so wunderbar anfasst?«

Mit einer übernatürlichen Geschwindigkeit, die sie immer noch verblüffte, auch wenn sie nur zu gut um seine Macht und Wendigkeit wusste, rollte er sich auf sie. Mira spreizte die Beine, um ihn aufzunehmen, schon wieder bereit für ihn, und ihr Herz schlug wie ein Presslufthammer.

Kellan beugte sich zu ihr hinunter, nahm ihr Ohrläppchen zwischen seine Lippen und Zähne und murmelte ihr zu, auf welche Arten er sie gleich vernaschen würde.

Miras Puls tobte so drängend, ihr Körper gierte so sehr nach ihm, dass sie eine Sekunde brauchte, um zu bemerken, dass er plötzlich über ihr erstarrt war. Er hob den Kopf und lauschte.

»Scheiße, was – «

Draußen auf dem Gang hämmerte jemand an die Tür. Dann wieder, schnell und heftig. Panisch.

»Bowman! Bist du da drin?« Eine hohe, beunruhigte Frauenstimme. Nicht Candice, sondern die andere Frau im Rebellenstützpunkt. »Bowman, komm schnell!«

»Das ist Nina«, murmelte Kellan. Er rollte von Mira herunter, fuhr in seine Jeans und warf ihr einen ernsten Blick zu. Mira kletterte aus dem Bett und zog sich hastig sein T-Shirt und seine weite Trainingshose über. Er vergewisserte sich noch einmal, dass sie angezogen war, dann schloss er mit einem mentalen Befehl die Tür auf und öffnete sie. Ninas Gesicht war kalkweiß.

»Oh mein Gott«, keuchte die Menschenfrau. »Es ist Vince. Er … oh mein Gott!«

»Was ist los?«, fragte Kellan heftig. »Wo ist er?«

»Ich weiß es nicht!« Nina schüttelte so heftig den Kopf, dass ihr indigoblaues Haar zur Seite flog und ihre vielen winzigen Ohrringe klirrten. Jetzt schluchzte sie. »Vince ist mit dem Lieferwagen weg. Er hat Ackmeyer mitgenommen.«

Obwohl Mira versuchte, sich im Hintergrund zu halten, konnte sie ein erschrockenes Keuchen nicht unterdrücken. Sogar Kellan schien von der Neuigkeit geschockt. Einen Augenblick lang war er völlig stumm und reglos. Dann schien er die Lähmung abzuschütteln, ganz der Anführer, der er war.

»Wohin?« Seine Stimme war Donnergrollen, tief und tödlich, ganz Stammesvampir. Er trat in den Korridor hinaus. »Wohin hat er ihn gebracht?«

»Weiß ich nicht«, weinte Nina. »Aber Chaz und Candice haben versucht, ihn aufzuhalten. Oh Gott … er hat Chaz umgebracht.

Er ist tot, Bowman – Vince hat ihm die Kehle durchgeschnitten –«

»Herr im Himmel«, murmelte Kellan. Seine Schultern sackten ein wenig nach unten, aber als er redete, war seine Stimme kalt und beherrscht. »Wann ist das passiert? Wie lange ist der Mistkerl schon weg?«

Wieder schüttelte Nina den Kopf. »Weiß ich nicht. Nicht lange her, gerade eben. Er hat Chaz umgebracht, dann hat er sich den Lieferwagen genommen und ist weggefahren.«

Mira schloss die Augen und nahm die Bedeutung des Gehörten in sich auf. Jeremy Ackmeyer in den Händen eines kaltblütigen Killers. Kellan verraten, von einem seiner eigenen Männer. Ein Mord an einem seiner Kameraden.

»Und Candice«, fuhr Nina fort. Sie schluchzte auf und brach wieder in Tränen aus. »Vince hat auch sie verletzt. Doc kümmert sich um sie, aber sie blutet stark. Er sagt, eine Arterie in ihrem Oberschenkel ist verletzt, und er kann die Blutung nicht stillen.«

Kellan stieß einen leisen, wilden Fluch aus. Er sah sich über die Schulter zu Mira um mit einem Blick, der irgendwo zwischen Kummer und Entschuldigung lag. Auch Mira kämpfte mit ihren Schuldgefühlen. All diese Gewalt und dieser Verrat waren passiert, während sie und Kellan sich geliebt hatten.

Ihr Körper summte immer noch von der Lust, die Kellan ihr bereitet hatte, aber ihr Herz war schwer von dem Wissen, dass heute ein Mensch getötet und ein anderer entführt worden war. Und in Kellans gequältem Blick konnte Mira sehen, dass, wenn jetzt auch noch Candice starb, er sich das nie vergeben würde.

Sie nickte ihm leicht zu, verstand, dass alles, was sie in den letzten Stunden miteinander erlebt hatten, jetzt vorerst vorbei war. Er gehörte ihr nicht in diesem Augenblick; er gehörte ihnen. Seinen Kameraden. Seinen Freunden.

»Sie brauchen dich«, sagte Mira leise, nur für seine Ohren bestimmt. »Geh zu ihnen.«

Kellan schoss los, Nina im Laufschritt hinterher.

Kellan brauchte nicht zu raten, wo Doc Candice behandelte. Der frische Blutgeruch war übermächtig und führte ihn wie ein Leuchtsignal zu der Zelle, in der sie Ackmeyer gefangen gehalten hatten.

Herr im Himmel.

Blut war überall, sammelte sich in fast schwarzen Pfützen unter Chaz' zusammengesackter Leiche in der geöffneten Zelle, und überall waren Blutspritzer auf den Betonwänden. Auf dem Boden die chaotischen blutigen Spuren von Vinces Stiefeln und Jeremy Ackmeyers stolpernden Füßen, als er offensichtlich mit Gewalt weggeschleift worden war. Und dann war da Candice.

Sie lag auf dem Rücken vor der Zelle, die Arme seitlich ausgestreckt, ihr T-Shirt von der Hüfte abwärts blutgetränkt, und immer noch sickerte es unter ihr heraus. Ihre Beine waren nackt, offenbar hatte Doc ihre Jeans entfernt, um an die üble Stichwunde an ihrem rechten Oberschenkel heranzukommen. Seine braunen Augen waren ernst, er sah nur kurz zu Kellan hinüber, bevor er sich wieder mit voller Konzentration der Behandlung von Candices Wunde widmete.

Kellans Haut spannte sich an, seine Fänge schossen ihm in den Mund. Schlagartig sah er rot – nicht nur wegen der physischen Reaktion auf so viel frisches Blut, sondern aus tödlicher Wut über den Verrat durch einen seiner eigenen Männer. Ein Verrat, der zu der sinnlosen Ermordung eines Freundes und der schweren Verletzung einer Freundin geführt hatte.

Und all dieses tödliche Chaos war verübt worden, während Kellan von der Lust abgelenkt gewesen war, Mira in seinem Bett zu haben.

Er hatte sein Team auf die schlimmstmögliche Art im Stich gelassen. Auch Jeremy Ackmeyer, den Kellan sofort hätte freilassen sollen, nachdem er vor einigen Stunden von seiner Unschuld erfahren hatte. Nichts von alldem wäre passiert, wenn Kellan als Anführer einen kühlen Kopf bewahrt und gehandelt hätte, wie es diese Leute von ihm erwarteten. Sie hatten ihm ihr Leben anvertraut, darauf vertraut, dass er sie beschützte.

Stattdessen hatte er sich ein romantisches Techtelmechtel mit Mira gegönnt, das nur in einer Katastrophe enden konnte. Das hieß, er hatte heute auch sie im Stich gelassen, und es war zu spät, um seinen Fehler wieder ungeschehen zu machen.

»Gottverdammt«, knurrte er, und vor lauter Wut auf sich selbst klang seine Stimme rau und brutal, selbst für seine eigenen Ohren.

Am liebsten wäre er aus dem Bunker gerast, um Vince zur Strecke zu bringen – Tageslicht hin oder her. Er wollte den Bastard leiden, ihn bluten lassen.

Aber es war Kellans Team, das jetzt litt und blutete – einer seiner Leute lag tot zu seinen Füßen; die andere war vermutlich kurz davor.

Der Anblick der schwer verletzten Candice holte Kellan mit einem Ruck zurück zu seinen Pflichten als Befehlshaber dieses Rebellenstützpunktes und dessen Bewohner. Er ignorierte den kupfrigen Blutgeruch von Candices Wunde, der ihm zusetzte wie ein Schlag in den Magen, ging zu ihr hinüber und kauerte sich neben sie.

Sie atmete heftig durch ihre schlaffen, blassen Lippen. Ihre Augen waren geweitet und fixierten starr die Decke, als Doc ihr Bein am Knie anwinkelte, es hochlagerte und dann seinen Gürtel als Druckverband um ihren Oberschenkel schloss.

Kellan griff nach ihren Jeans auf dem Boden und rollte sie zu einem provisorischen Kissen zusammen. Als er ihren Kopf anhob und ihn dann auf die weichere Stoffunterlage zurücksinken ließ, glitten ihre glasigen Augen zu ihm hinüber. »Vince … ich wollte ihn aufhalten, aber er – «

»Ich weiß. Mach dir wegen ihm keine Gedanken. Du musst jetzt nur durchhalten, hörst du?« Sie nickte schwach, und ihr fielen die Augen zu. Kellan biss die Zähne zusammen, als er mit den Fingern über ihre klamme Stirn strich. »Wie sieht's aus, Doc?«

»Wäre verdammt gut, wenn ich die Blutung stillen könnte«, antwortete Doc grimmig und zurrte mit roten, glitschigen Händen den Gürtel um Candices Oberschenkel fest.

Kellan sah sich über die Schulter nach Nina um, die nervös im Türrahmen wartete. »Saubere Handtücher und Waschlappen, so viel du finden kannst.«

»Wird gemacht.« Sofort war sie verschwunden.

Candice begann mit den Zähnen zu klappern. Ihre glasigen Augen rollten immer wieder zurück, bis man das Weiße sah, und glitten dann wieder zu ihm hinüber. »H-hab Angst, Bowman. Will nicht sterben.«

»Du schaffst das«, beruhigte er sie. »Doc hat schon Schlimmeres wieder hingekriegt. Weißt du noch, in welcher Verfassung ich war, als du mich das erste Mal zu ihm geschleppt hast?«

»Ja.« Ihre Stimme war schwach und leise. »Weiß ich noch gut.«

Kellan nickte und strich eine feuchte Haarsträhne fort, die an ihrer Wange klebte. Ihre Haut war beunruhigend kalt. »Doc hat mich damals nicht sterben lassen und du auch nicht. Und er und ich werden dich jetzt auch nicht sterben lassen. Also halt durch, Brady, das ist ein Befehl, verdammt noch mal.«

»Okay«, sagte sie und lächelte ihm leicht zu, während ihre Augen sich langsam wieder schlossen. Ihr ganzer Körper wurde von einem langen Krampf erfasst, sie zitterte heftig, und trotz der feuchtwarmen Sommerluft im Bunker wurden ihre Lippen blau. »Eiskalt hier«, murmelte sie. »Mir ist so kalt.«

Bevor Kellan reagieren oder etwas suchen gehen konnte, mit dem er sie etwas wärmen konnte, erschien irgendwo hinter ihm eine Decke.

Mira.

Er sah auf. Sie stand hinter ihm mit einer Decke, die sie aus seinem Bett geholt hatte. Sie ging um ihn herum, legte sie auf Candices Oberkörper und steckte den Stoff sanft unter ihrem Kinn und ihren Schultern fest, damit so wenig Wärme wie möglich entwich.

Als sie fertig war, trat sie zurück und legte die Hand sanft auf Kellans Schulter. Er griff nach ihr und drückte ihr dankbar die Finger. Seine Schuldgefühle und Selbstvorwürfe brannten immer noch wie Säure in seinem Magen, aber der Anblick von Mira, die bei ihm stand, das Gefühl ihrer Hand, die ihn voller Unterstützung und Verständnis berührte, war eine Wohltat, die er nicht leugnen konnte. Er sah, wie Doc den unausgesprochenen Austausch registrierte, sah die Frage in den Augen des Rebellen, als Kellans Hand auf Miras verweilte, besitzergreifend und vertraut.

»Sag uns, was wir tun müssen, Doc.«

»Sie wach halten«, sagte der Sanitäter und wandte sich wieder der Wunde zu. »Der Schock bewirkt, dass sie einschlafen will, aber das darf sie nicht, sie muss jetzt bei Bewusstsein bleiben.«

Kellan nickte. »Mach die Augen auf, Candice. Schau mich an, konzentrier dich«, drängte er, ließ Miras Hand los und schüttelte Candice leicht an der Schulter. »Du musst mir noch erzählen, was hier mit Vince passiert ist. Schaffst du das?«

»Ja«, murmelte sie. Ihre Augenlider hoben sich, aber das bereitete ihr sichtlich Mühe. »Bin hergekommen, um Ackmeyers Essenstablett zu holen. Chaz kam mit ... wollte mit Ackmeyer aufs Klo.«

Kellan grunzte ermutigend und sah zu dem umgestürzten

Tablett mit dem halb verzehrten Essen hinüber, das in der Nähe auf dem Boden lag. Als Candice wieder heftig zitterte und um Atem kämpfte, streckte Kellan die Hand aus und strich ihr über den Kopf. »Du machst das gut. Lass dir Zeit, aber bleib mir wach. Wach bleiben, Brady.«

»O-okay. Ich bin okay.« Sie sah zu ihm auf und holte ein paarmal tief Luft. »Ackmeyer hat gefragt, ob wir ihn gehen lassen … sagte ständig, dass er unschuldig sei … wollte nie jemandem mit seinen Erfindungen schaden.«

All das hatte Kellan selbst von dem Wissenschaftler gehört und sich durch die Berührung davon überzeugt, dass es die Wahrheit war.

»Er sagte, jemand muss seine Arbeit gestohlen haben«, fuhr Candice fort. »Sagte, dass er uns helfen will herauszufinden, wer das war, und dafür sorgen, dass er bestraft wird … er sagte, wenn es wirklich so war – wenn seine Arbeit zum Morden missbraucht wurde –, dann würde er seine Erfindung persönlich zerstören, egal wie viel sie wert ist.«

Kellan biss die Zähne zusammen beim Gedanken daran, wie sehr er sich damit geirrt hatte, Jeremy Ackmeyer zu entführen. Er hatte das Schlimmste angenommen und fürchtete nun, dass die Folgen seines Irrtums alles andere als ausgestanden waren.

Candice ließ sich einen Augenblick zurücksinken und wurde von einem weiteren heftigen Krampfanfall geschüttelt, als Nina mit einem Arm voller Handtücher hereinkam und sie Doc reichte. Mira legte ungefragt Hand an, und sie und Nina halfen Doc dabei, Candices Wunde zu verbinden, während sie ihren Bericht fortsetzte. »Wir haben nicht gemerkt, dass Vince auch mit im Raum war … erst als er Ackmeyer fragte, was andere wohl für seine Technologie zahlen würden.«

»Arschloch«, knurrte Kellan und brauchte keine weitere Erklärung, um zu verstehen, was Vince als Nächstes im Schilde führte. »Was hat Ackmeyer ihm gesagt? Wie viel ist seine UV-Technik wert?«

»Er hat keine Summe genannt«, antwortete Candice. »Er sagte Vince, das sei irrelevant … sie sei unverkäuflich, und er würde nicht mehr zulassen, dass andere davon profitieren.«

»Was Vince nicht gefallen haben dürfte«, knurrte Kellan. Jede Faser seines Körpers kochte immer noch vor raubtierhafter Wut und dem Bedürfnis, seinen abtrünnigen Kameraden zur Rechenschaft zu ziehen.

Mira sah ihm in die Augen. Sie hockte neben Doc und Nina und arbeitete mit ihnen zusammen wie ein eingespieltes Mitglied seines Teams, längst nicht mehr die widerwillige Gefangene, die sie gestern Abend noch gewesen war. Er wollte sie nicht als Mitglied seines Teams sehen. Wollte nicht an sie denken, so wie er es gerade tat. Er zwang sich zum Wegsehen und wandte sich wieder seiner verletzten Kollegin zu. »Lass die Augen auf, Candice. Erzähl mir jetzt den Rest.«

»Ging alles so schnell«, sagte sie, ihre Stimme war ein schwaches Flüstern. »Vince hatte so einen seltsamen finsteren Gesichtsausdruck … und dann hatte er plötzlich ein Messer in der Hand. Er hat sich auf Chaz gestürzt … ihm mit aller Kraft in die Brust gestochen. Dann packte er Ackmeyer … hielt ihm das Messer unters Kinn … sagte, er würde die Dinge jetzt auf seine Art regeln.«

Kellans Knurren hallte durch die stille Zelle. Seine Augen glühten in einem dunkleren Gelbton, er kochte vor Wut bei jedem Wort, das er hörte.

»Ich habe versucht, ihn zu stoppen, Bowman.« Jetzt hob Candice die Augen und sah ihn an, glasig und lethargisch, aber mit unverwandt festem Blick, so als bäte sie ihn um Vergebung. Kellan fluchte leise. »Auch noch nachdem er mich verletzt hat, habe ich versucht, ihn aufzuhalten, ihn nicht mit

Ackmeyer entkommen zu lassen«, sagte sie schwach. »Ich hab's versucht ...«

»Ist schon okay.« Kellan legte ihr die Hand an die Schläfe. »Du hast getan, was du konntest, das weiß ich. Ich bin derjenige, der hätte da sein und sich Vince vornehmen sollen.« Sein Blick wanderte zu Chaz' Leiche und den drei ernsten Gesichtern, die ihn in der blutigen Zelle des Rebellenbunkers anstarrten. »Der Mistkerl ist ein toter Mann.«

Ohne weitere Erklärung richtete Kellan sich auf und stapfte aus dem Raum.

Er war nicht überrascht zu hören, dass Mira ihm folgte, sobald er den ersten Schritt auf den Korridor tat, war aber alles andere als glücklich darüber. »Was machst du?«, fragte sie seinen Rücken und rannte, um mit seinem wütenden Schritten mitzuhalten. »Kellan, wo willst du hin?«

Dass sie ihn bei seinem echten Namen rief, brachte ihr ein gefährliches Knurren ein. Er fuhr zu ihr herum, packte sie an den Oberarmen und drückte sie gegen die nächste Wand. »Einer meiner Männer ist tot. Ein weiteres Mitglied meines Teams könnte in den nächsten Minuten verbluten, wenn Doc mit ihrem Bein nicht ein Wunder gelingt. Und ein Gefangener in meiner Obhut wurde von einem meiner eigenen Männer entführt – direkt vor meiner Nase, verdammt –, um wahrscheinlich an den Höchstbietenden verkauft oder heute Nacht vor Sonnenuntergang ermordet zu werden. Denkst du, ich sitze hier tatenlos rum?«

»Aber es ist mitten am Tag. Du kannst jetzt nicht raus – «

»Lass das meine Sorge sein«, blaffte er, bewusst barsch. Dann ließ er sie los, drehte sich um und ließ sie im Korridor stehen.

Aber Mira hatte sich noch nie leicht geschlagen gegeben. Nein, sie nicht. Sie marschierte ihm sofort entschlossen nach, wie ihm das Geräusch ihrer nackten Füße hinter ihm sagte. Sie brauchte nur einen Augenblick, und schon stand sie vor ihm und blockierte mit ihrem Körper den Weg. Einem Körper, der in seinem T-Shirt und der an den Knöcheln aufgerollten überlangen Trainingshose definitiv zu gut aussah.

»Sei kein Idiot«, sagte sie, und ihre Augen hinter den lila getönten Kontaktlinsen blitzten. »Wenn du jetzt da rausgehst, krepierst du.«

»Ich habe eine gute halbe Stunde, bevor ich mir Sorgen wegen der UV-Strahlung machen muss«, bemerkte er. »Zu Fuß kann ich in knapp zehn Minuten in der Stadt sein.«

»Und dann?«, konterte sie hitzig. »Zwanzig Minuten, um Boston auf den Kopf zu stellen und nach Vince und Ackmeyer zu suchen, bevor du als Grillware endest? Das ist ein Selbstmordkommando, und das weißt du auch.«

Er schnaubte verächtlich, obwohl sie recht hatte. »Hast du vielleicht eine bessere Idee?«

»Allerdings. *Ich* gehe sie suchen. Wenn ich Vince selbst nicht finde, nehme ich mir jeden einzelnen Rebellen in der Stadt vor, bis einer mir verrät, wo er steckt.«

Kellan stieß ein sarkastisches Lachen aus. »Vergiss es. Das ist mein Problem, nicht deines, Mira. Und lieber gehe ich in die Sonne, bevor ich dich in diese Scheiße reinziehe.«

Wenn er auch nur einen Funken Ehrgefühl hätte, hätte er das schon vor acht Jahren tun sollen. Dafür sorgen sollen, dass er nie die Möglichkeit haben würde, sie so zu verletzen, wie ihre Vision es ihm vor acht Jahren gezeigt hatte. Aber er hatte es einfach nicht geschafft, sich ganz von Mira zu lösen, nicht endgültig. Er war in ihrer Nähe geblieben, näher, als klug war. Er hätte Kontinente zwischen sie bringen sollen, alles tun, um sicherzugehen, dass ihre Wege sich nie wieder kreuzten.

Aber er hatte nichts dergleichen getan.

Selbst jetzt war es ihm fast unmöglich, nicht die Hand nach ihr auszustrecken und sie zu berühren. Er verschränkte die Arme vor der Brust, als die Versuchung, ihr die verärgert gerunzelte Stirn glatt zu streicheln, fast übermächtig wurde.

»Du Mistkerl.« Mira holte Atem und stieß ihn mit einem scharfen Seufzer wieder aus. »Gott, du bist immer noch der dickköpfigste Kerl, den ich kenne. Du stehst da und sagst mir, ich habe nichts mit alldem zu tun – dass du dich lieber umbringst, als mich in deine Welt zu lassen –, wo du erst vor Kurzem noch deinen Schwanz in mir drin hattest? Du hast mir so viele liebe Sachen gesagt, und ich war fast so dumm, sie zu glauben –«

Kellan fluchte. »Ich habe alles ernst gemeint, was ich gesagt habe. Jedes Wort, Mira. Aber das war *vorher*.«

Sie stand mit offenem Mund da und atmete heftig. »Vor was?«

»Bevor das in dieser Zelle da hinten passiert ist«, antwortete Kellan. »Bevor das, was Vince eben getan hat, mich daran erinnert hat, dass das mit uns nie funktionieren wird. Es kann nicht funktionieren.«

Er fuhr sich mit der Hand über den Kopf, versuchte einen Ausweg zu finden aus dem, was das Schicksal offenbar für ihn bereithielt. Aber da war keiner. Dass Vince sich mit Jeremy Ackmeyer abgesetzt hatte, hatte das praktisch unmöglich gemacht.

»Was immer jetzt passiert, was immer Vince mit Ackmeyer tun wird, ich will, dass du dich da raushältst. Für jeden außerhalb dieses Bunkers bist du immer noch meine Gefangene, gegen deinen Willen beteiligt an allem, was ich getan habe. Und ich will, dass das auch so bleibt. Ich werde nicht dulden, dass du deine Zukunft aufs Spiel setzt, weil du denkst, du könntest mir helfen. Das kannst du nicht, weil ich es dir nicht erlauben werde.«

Ihre schmalen blonden Brauen senkten sich noch tiefer auf ihre blitzenden Augen. »Das ist nicht deine Entscheidung. Ich brauche deine Erlaubnis nicht, um etwas für dich zu empfinden, Kellan. Nicht du entscheidest, was mir wichtig ist.«

Er konnte sich nur allzu gut an das störrische kleine Mädchen erinnern, das ihm so ziemlich dasselbe gesagt hatte, immer wieder und wieder mit Worten und Taten. Damals, als er ein verschlossener, dummer Teenager gewesen war, der nicht wusste, wie er ihre Freundschaft annehmen sollte – und schon gar nicht ihre Liebe. Einzig durch ihre ungeheure Willenskraft hatte sie es geschafft, dass er wieder am Leben teilnahm, als ihn Trauer und Wut über die Auslöschung seiner Familie innerlich beinahe zerstört hatten. Als Mädchen hatte Mira ihn an der Hand gehalten und aus der Dunkelheit herausgeführt. Heute, als Frau, hielt sie sein Herz, trotz all seiner Bemühungen, sich davor zu schützen, dass er sich an jemanden binden könnte, dessen Verlust er nicht würde ertragen können.

Nun hoffte er nur, dass er die Kraft haben würde sie wegzustoßen – wo er sie doch am liebsten an sich gezogen und nie wieder losgelassen hätte.

Er sprach bemüht leise, sagte die Worte, so sanft er konnte. »Dieses Mal entscheide ich das. Schlimm genug, dass ich mich nicht von dir fernhalten konnte, obwohl ich doch wusste, worauf das alles am Ende hinausläuft.« Er senkte den Kopf und hielt ihren suchenden Blick, musste spüren, dass sie ihn verstand. »Wenn ich untergehe, will ich dich nicht mitnehmen.«

Mira erstarrte förmlich. Sie blinzelte nicht, atmete kaum. »Was soll das heißen, du hast gewusst, worauf das alles am Ende hinausläuft?«

Kellan starrte ihr in die Augen, diese gedämpften Spiegel, die ihn verflucht hatten damals, an diesem Morgen vor acht Jahren, der für so kurze Zeit perfekt gewesen war. Jetzt sahen sie flehend zu ihm auf, suchten nach einer Wahrheit, und das wo er doch hoffte, dass sie sie niemals würde hören müssen.

»Sag's mir«, sagte sie, und ihre leise Stimme zitterte leicht. Ihre Wut war jetzt verflogen und einem Ernst, einer mit Händen zu greifenden Angst gewichen, die ihm das Herz zusammenzog. »Was hast du damit gemeint, Kellan?« Jetzt war ihre Stimme nur noch ein Flüstern, und soweit er sehen konnte, atmete Mira kaum noch. »Sag mir, was du weißt, verdammt.«

Er streckte die Hand nach ihr aus, aber sie zuckte vor ihm zurück und schüttelte langsam den Kopf, während sie ihm unablässig in die Augen sah. »Sag's mir.«

»Damals, an diesem Morgen«, sagte er, und die Worte kamen nur stockend und widerwillig heraus. »Vor der Explosion der Lagerhalle ...«

»Wir haben uns geliebt«, murmelte sie.

»Ja.«

»Wir haben uns stundenlang geliebt«, erzählte sie weiter, als ihm die Stimme versagte. »Zum ersten Mal.«

Er nickte. »Das erste Mal für uns beide. Es war die schönste Nacht meines Lebens, Mira. Bis vorhin, als ich wieder mit dir zusammen war, waren diese Nacht vor acht Jahren und dieser Morgen, an dem ich das erste Mal neben dir aufgewacht bin, die schönsten Augenblicke meines Lebens. Ich hatte nie die Möglichkeit, dir das zu sagen. Ich hätte es dir damals sagen sollen, aber da wusste ich es noch nicht.«

Sie schluckte, ihr zarter Hals zog sich sichtlich zusammen. »Was wusstest du nicht?«

»Dass in derselben Nacht alles zu Ende sein würde. Ich wusste nicht, dass ich dich so bald verlassen würde. Ich dachte, ich würde die Zeit haben, es dir zu erklären.« Er zuckte lahm mit den Schultern und schüttelte den Kopf. »Ich dachte ... ich betete, dass wir das alles besprechen könnten, irgendwie schaffen könnten, es abzuwenden.«

»Ich weiß nicht, wovon du redest, Kellan.« Ihr Stirnrunzeln vertiefte sich, und obwohl sie es bestritt, konnte er in ihren Augen sehen, dass ihr zunehmend die Erkenntnis dämmerte, je länger sie ihn ansah. »Was ist an diesem Morgen passiert? Habe ich was falsch gemacht? Habe ich was gesagt oder …«

»Nein. Gott, nein. Du hast gar nichts falsch gemacht.« Er legte die Hand an ihr Gesicht und strich ihr mit dem Daumen über die zitternden Lippen. »Du warst perfekt. Du warst alles, was ich mir je gewünscht habe. Mehr, als ich je verdient habe.«

»Aber du hast mich verlassen«, sagte sie leise. »Warum, Kellan? Sag mir endlich die Wahrheit. Etwas ist passiert, an dem Morgen, als wir zusammen waren. Etwas so Schlimmes, dass du dachtest, ich wäre glücklicher anzunehmen, dass du bei dieser Explosion umgekommen bist.«

»Ach Maus«, murmelte er und ließ seine Hand von ihren Lippen zu dem Muttermal an ihrer Schläfe gleiten. Er streichelte das winzige Mal einer Träne, die in die Wiege einer Mondsichel fiel, dann beugte er sich vor und küsste sie auf beide Augenlider. Als er sich wieder von ihr zurückzog, hatte sie Tränen in den Augen. »Siehst du? Du wärst glücklicher, wenn ich damals gestorben wäre. Und ich wollte dich lieber um jemanden trauern lassen, den du liebtest, als dass du eines Tages um mein Leben würdest flehen müssen, um das Leben eines Verräters, zu dem mein Schicksal mich gemacht hat.«

Sie hob die Hände an seine Brust und stieß ihn von sich. »Was soll das heißen?«

»Ich hab es gesehen, Mira. In deinen Augen, an dem Morgen, als wir zusammen aufgewacht sind, nackt in deinem Bett. Auch deine Augen waren nackt. Deine Kontaktlinsen – «

Sie keuchte auf. »Nein.«

»Ich habe in deine Augen gesehen, nur eine Sekunde lang – «

»Nein«, stieß sie hervor. Sie schüttelte den Kopf, dann noch einmal, heftiger. »Nein, ich glaub's nicht. Ich hätte doch gemerkt, wenn sich danach mein Sehvermögen verschlechtert hätte. Das ist immer so, wenn ich meine Gabe benutze …«

»Das weiß ich«, sagte er sanft. »Und das ist der einzige Grund, warum ich schnell weggesehen habe. Ich wollte nicht, dass du für meine unabsichtliche Nachlässigkeit zahlen musst. Aber ein Teil von mir hätte sich für immer in deinen nackten Augen verlieren können.«

»Nein!«, keuchte sie, ungläubig und fassungslos. »Das hättest du nicht gemacht. Du weißt doch, dass du mir nicht in die Augen sehen darfst, wenn sie ungeschützt sind. *Alle* wissen das!«

»Ich hatte nicht an deine Visionen gedacht oder was ich in deinen Augen sehen könnte, Maus. Ich habe mich an diesem Morgen zu dir umgedreht, um die wunderschöne Frau zu küssen, die mich in ihr Bett eingeladen und mir mehr Lust gegeben hat, als ich für möglich gehalten hätte. Du hast mich geküsst, es war der schönste Kuss meines Lebens, und dann hast du mich angelächelt und die Augen geöffnet.«

»Oh Gott. Nein, Kellan. Warum hast du nur hingesehen?« Sie stöhnte, ein kummervolles Geräusch, das ihm bis ins Mark ging. Als sie ihren Kopf wegdrehte, zog Kellan sie wieder zu sich.

»Deine Augen sind etwas ganz Besonderes, Mira. Sie strahlen wie Diamanten. Klar und makellos, wie kristallene Seen. In diesem flüchtigen Augenblick, als ich in deine Augen sah, hatte ich das Gefühl, dich zu sehen – dich zum ersten Mal ganz zu sehen. Und noch nie habe ich etwas so Schönes gesehen.« Er streichelte ihr Gesicht, wischte die Träne ab, die ihr über die Wange rollte. »Das war jeden Preis wert. Alles, was mein Schicksal noch für mich bereithält.«

»Was hast du gesehen, Kellan?«

Er hatte keine andere Wahl, als es ihr zu sagen. »Ich sah mich selbst, vor Lucan und dem Rat. Ich war wegen mehrerer Verbrechen angeklagt, schwerer Verbrechen. Verschwörung, Mord, Verrat. Sie haben mich in allen Punkten für schuldig befunden. Und so haben sie mich verurteilt.« Er wollte seine Worte etwas abmildern, aber da gab es keinen Weg, ihr das, was gesagt werden musste, schonend beizubringen. »Das Urteil lautete auf Todesstrafe, Mira. Und ich sah dich bei mir, wie du um mein Leben flehtest. Ich will nicht über deinen Schmerz nachdenken, den Kummer, den ich dir verursachen werde, wenn ich für meine Verbrechen mit dem Tode bestraft werde.«

Sie sagte nichts, starrte ihn nur in stummer Qual an, und Tränen liefen ihr übers Gesicht.

Kellan versuchte, sie wegzuwischen, aber es kamen immer neue nach. Er fluchte leise, hasste es, ihr diesen Schmerz zuzufügen, und hoffte, dass er ihr nicht noch mehr Schmerzen bereiten würde.

»Ich habe dir gesagt, ich dachte, es ist besser für dich, wenn du vor acht Jahren dachtest, dass ich gestorben bin«, sagte er. »Aber ich hatte auch einen egoistischen Grund. Ich wollte lieber die Erinnerung an dein süßes Lächeln an diesem Morgen bewahren, im Bett, nachdem wir uns zum ersten Mal geliebt hatten, als daran, wie du mich jetzt anschaust.«

Hinter ihnen im Korridor kam jemand. Nina räusperte sich unbehaglich. »Bowman? Doc muss Candice bewegen, damit er ihre Wunde ausbrennen kann. Er hat mir gesagt, ich soll dich holen – «

»Ich komme«, antwortete Kellan. Seine Augen waren unablässig auf Mira gerichtet, auch dann noch, als er sich von ihr entfernte.

Als er sich schließlich umdrehte, um zu seinen Kameraden zurückzugehen, hoffte er, dass Mira diese Chance ergreifen würde, ihn zu verlassen und nie mehr zurückzublicken.

Er hätte es ihr nicht verübeln können.

13

Die Ellbogen auf die breiten Planken eines Picknicktischs in einem der Naturschutzparks im Bostoner Umland gestützt, lehnte Vince seinen Kopf zurück und ließ sich die heiße sommerliche Mittagssonne ins Gesicht scheinen. Über ihm segelte eine Krähe über den blendend blauen Himmel.

Das bin ich, dachte Vince und grinste selbstzufrieden zu den Wolken auf. *Frei wie ein Vogel.*

Und bald auch noch verdammt reich.

Er wusste nicht, wen genau er gleich treffen würde bei diesem Rendezvous, das Rooster für ihn organisiert hatte. War ihm auch egal. Vince wusste nur, dass sein Anruf bei dem rothaarigen Informanten nach seiner Flucht mit Ackmeyer ihm gleich die Megakohle einbringen würde.

Rooster hatte sofort die Fühler bei seinen Bekannten ausgestreckt, die wiederum bei ihren Bekannten die Fühler ausstreckten, und bingo! Keine Stunde war vergangen, und schon hatten sie einen Kunden am Haken, der bereit war, ihm für den Wissenschaftler und seine Anti-Vampir-UV-Technologie Gott weiß wie viel Knete hinzublättern.

Wenn Bowman klug gewesen wäre – so klug wie Vince –, hätte er selbst daran gedacht, für Ackmeyer abzukassieren. Aber nix da. Der war zu sehr damit beschäftigt gewesen, mit der Schlampe vom Orden rumzumachen, um die goldene Gelegenheit zu erkennen, die Ackmeyer ihm bot. Aber Bowman und Vince waren sich eigentlich nie einig gewesen, wie die Dinge zu laufen hatten.

Bowmans Missionen basierten immer auf edleren Prinzipien und solchem Blödsinn wie Vergeltung und Gerechtigkeit. Mit dem Verfolgen von korrupten Politikern oder dem Entlarven von betrügerischen Unternehmern war nicht viel Geld zu machen, aber das schien Bowman immer egal gewesen zu sein. Und er hatte auch keine Bedenken, die Aktionen anderer Rebellengruppen zu sabotieren, wenn ihm ihre Ziele oder ihre Methoden zu zweifelhaft erschienen.

Was Vince betraf, konnten ihm Bowman und seine erhabenen Moralvorstellungen gestohlen bleiben. Er operierte lieber auf der Basis von Profit und guten Verbindungen.

Besonders wenn sie ihm die Vorteile direkt in die Hände spielten, wie es jetzt jede Minute der Fall sein würde.

Es fiel ihm schwer, nicht zu fantasieren, was er mit seinem Hauptgewinn, den er gleich einkassieren würde, alles tun und kaufen würde. Dürften garantiert ein paar Millionen rausspringen. Vielleicht sollte er seinen Anfangspreis gleich bei fünf Mille ansetzen und sehen, wie der Deal sich entwickelte.

Zuerst war mal ein schicker Schlitten fällig. Und eine schicke Wohnung. Vielleicht würde er sich eine eigene Operationsbasis aufbauen, ein neues Team zusammenstellen und wirklich groß einsteigen. Allerdings ging das leider nur irgendwo weit weg von Boston, denn nach dem heutigen Tag wäre Bowman ihm schon sehr bald auf den Fersen.

Vince machte sich nichts vor – der Gedanke, einen wutschnaubenden Vampir im Nacken zu haben, beunruhigte ihn durchaus. Und er hatte Bowman schon oft genug in Aktion erlebt, um zu wissen, was ihm da bevorstand. Der Stammesvampir hatte Fähigkeiten, die er nicht nur seinen außerirdischen Genen zu verdanken hatte. Er war tödlich, sogar ohne den Vorteil seiner außerirdischen DNA, und konnte jedem Ordenskrieger das Wasser reichen. Und zum ersten Mal, seit er diesen Vampir kannte, der den Rebellenstützpunkt in New Bedford leitete, gab diese Erkenntnis Vince ernsthaft zu denken.

Er hatte bisher angenommen, dass Bowmans Identität als Stammesvampir sein größtes Geheimnis war, aber jetzt fragte er sich, ob der Vampir ihnen auch noch etwas anderes verheimlicht hatte … Nicht, dass es noch von Bedeutung war.

Wenn es nach Vince ging, war er bald groß genug im Geschäft um Bowman mit seinem Team selbst aufspüren zu können. Hölle noch mal, vielleicht würde er etwas von seinem unmittelbar bevorstehenden Geldregen in einen Anschlag auf den verdammten Vampirbastard investieren. Wie poetisch es doch wäre mit anzusehen, wie Bowman von Ackmeyers UV-Munition eingeäschert wurde.

Ja, das stand definitiv ganz oben auf seiner Prioritätenliste. Vinces erste Operation, und eine erstklassige Art und Weise zu verkünden, dass ab sofort er das Sagen hatte.

Als er seine Augen schloss und zum x-ten Mal von der Geburt seines Rebellenimperiums fantasierte, näherte sich das leise Motorengeräusch eines unverkennbar teuren Wagens. Vince senkte das Kinn, schirmte die Augen mit dem Arm ab und spähte zum Parkplatz hinüber, wo gerade eine schnittige schwarze Limousine zum Stehen kam und ein Mann in dunklem Anzug und mit Sonnenbrille aus der Beifahrertür kletterte. Mit dem winzigen Kommunikationsgerät am Ohr und dem militärisch kurz geschorenen, grau melierten Haar sah der Typ definitiv nach Regierung aus, aber der teure Wagen schrie geradezu nach einem Privatunternehmen. Einem extrem lukrativen.

Bei der Vorstellung, wie er aussehen würde, wenn er in so einem Auto durch die Stadt fuhr, setzte Vince seine Preisforderung für Ackmeyer gleich noch mal höher.

Der Typ in dem makellosen Anzug stapfte vom leeren Parkplatz über das Gras auf den Picknicktisch zu. »Mr Sunshine?«

Vince lächelte, amüsiert von dem passenden Decknamen, den er für seine Transaktion gewählt hatte. »Wie er leibt und lebt. Und Sie sind?«

»Warum setzen wir uns nicht in den Wagen? Dort redet es sich besser.«

Das war keine Antwort. Hölle noch mal, das war nicht einmal höflich. Klang mehr wie ein Befehl als die Art von Respekt, die Vince zustand. Dieses überlegene Getue gefiel ihm nicht und er war nicht so dumm, mit jemandem in einen Wagen zu steigen, den er gerade zum ersten Mal sah. Egal wie viel Geld im Spiel war.

»Ich genieße das schöne Wetter«, sagte er, ließ den Arm sinken und wünschte sich, er hätte daran gedacht, auch mit Sonnenbrille zu diesem Treffen zu kommen. Stattdessen blinzelte er gegen das grelle Sonnenlicht. Er versuchte, es zu seinem Vorteil einzusetzen, und verzog höhnisch das Gesicht in der Hoffnung, so einen auf besonders hart zu machen. »Hören Sie, ich bin ein viel beschäftigter Mann. Ich habe mehrere Interessenten für diese Transaktion, also kommen wir zum Geschäft.«

»Natürlich«, antwortete der Typ im Anzug. »Wo ist das Päckchen?«

Vince kicherte. »In Sicherheit.«

Er war auch nicht so dumm, Ackmeyer hier vor Ort zu haben, bis der Deal nicht in trockenen Tüchern war. Vince hatte seine Geisel sicher im Lieferwagen, der in etwa einer Meile Entfernung in einem anderen Teil des Naturschutzgebietes geparkt war. Sobald er Bares in den Fingern hatte, würde Vince liefern, aber keine Sekunde früher.

Der Typ im Anzug schien das Konzept nicht zu erfassen. »Solange ich meinem Arbeitgeber nicht versichern kann, dass Sie liefern, was Sie versprechen, haben wir nichts miteinander zu verhandeln.«

»Ihr Arbeitgeber?«, wiederholte Vince aufgebracht. »Ich dachte, ich habe mit dem Kunden direkt zu tun, nicht mit irgendeinem Lakaien.«

»Holen Sie die Ware oder nicht?«, fragte der Anzugträger ungerührt, aber unnachgiebig.

»Scheiße, einen Dreck werd ich!« Vince machte einen Satz vom Picknicktisch, zitternd vor Erregung. »Sie stehlen mir meine Zeit, Mann. Ich habe vier – nein, fünf andere Interessenten, mit denen ich gerade reden könnte, allesamt bereit und in der Lage, einen angemessenen Preis zu zahlen.« Ein Bluff, aber seine Wut machte ihn dreist. Angespannt begann er, vor dem Laufburschen in Armani auf und ab zu gehen. »Ich will diese Sache zum Abschluss bringen, und zwar pronto, also sag ich Ihnen was. Ich bin bereit zu einem schnellen Deal mit Ihnen – oder vielmehr Ihrem Arbeitgeber. Zehn Millionen in bar auf die Kralle, hier und jetzt, und keine Spielchen, oder ich bin weg.«

Der Typ sagte kein Wort. Vince war sich nicht einmal sicher, ob er ihm überhaupt zuhörte. Er sah zu, wie der Typ die Hand an das Kommunikationsgerät in seinem Ohr hob. »Status«, murmelte er, mehr Befehl als Frage. Eine Sekunde später grunzte er und sagte: »Hervorragend«, dann ließ er die Hand sinken und starrte weiter durch Vince hindurch, als wäre er gar nicht da.

»Also?«, fragte Vince heftig, verdammt ungeduldig und allmählich stinksauer über diesen Mangel an Respekt. »Wie hätten Sie's gern? Lassen Sie mich noch eine Sekunde länger warten, und mein Preis verdopp- «

Mitten im Satz wurde Vince von Motorengeräusch und quietschenden Reifen übertönt. Nicht das heisere Summen einer weiteren schicken Limousine, sondern das rostige Scheppern und Rumpeln eines Wagens, den er gut kannte. Desselben Wagens, den er an einem vermeintlich sicheren Ort in einem anderen Teil des Parks abgestellt hatte.

Der Lieferwagen, in dem Jeremy Ackmeyer war, Vinces zukünftiges Vermögen.

Ein anderer Gorilla im dunklen Anzug saß am Steuer. Der Typ, der vor Vince im Gras stand, nickte dem Fahrer kurz zu.

»Was zum Henker soll das?«, schrie Vince. »Was läuft hier?« Wie zur Hölle hatte das nur so schnell schieflaufen können?

Er hatte keine Zeit um Vermutungen anzustellen. Als er sich wütend zu dem Anzugträger neben ihm umsah, blickte er direkt in die Mündung einer schwarzen Neunmillimeter.

Jetzt endlich begann der Typ doch etwas Interesse zu zeigen. Er lächelte ihm dünn zu. »In den Wagen, Arschloch.«

Er stieß Vince an, damit der sich in Bewegung setzte, und die Waffe sorgte dafür, dass er auch in Bewegung blieb.

Als er auf die wartende Limousine zustolperte, hatte er das flaue Gefühl, dass es seine erste und letzte Fahrt in so einem Luxusschlitten sein würde und dass man ihn reingelegt hatte.

Im Duschraum des Bunkers ließ Mira einen Arm voller nasser, blutgetränkter Handtücher in ein Waschbecken mit kaltem Seifenwasser fallen und sah zu, wie der Schaum sich rot färbte.

Sie hätte gehen sollen, als sie die Chance dazu hatte.

Sie hätte einfach davonlaufen sollen, nach dem, was Kellan zu ihr gesagt hatte. Zurück zum Orden, zu ihren Teamkameraden in Montreal. Nach Hause, zu Niko und Renata.

Überallhin, nur nicht hierbleiben.

Kellan wäre das sicher lieber gewesen. Und wenn es stimmte, was er gesagt hatte – dass das Schicksal ihn ihr wieder entreißen würde und dieses Mal für immer –, dann war sie gut beraten, alles zu tun, um sich diese Art von Schmerz zu ersparen. Sie hatte es schon das erste Mal kaum überlebt ihn zu verlieren. Wie sollte sie diesen Schmerz noch einmal ertragen?

Aber sie hatte es einfach nicht geschafft Kellans Rebellenbasis zu verlassen.

Sie konnte ihn nicht verlassen, nicht, wenn sie doch spürte, dass sie ihm immer noch etwas bedeutete, ihm immer noch wichtig war. Ein hoffnungsvoller Teil von ihr wollte glauben, dass er sie immer noch liebte, auch wenn er sich weigerte, es einzugestehen, sich selbst oder ihr gegenüber.

Also war Mira nicht geflohen.

Sie war dageblieben und hatte es auf sich genommen, das Blut von Vinces Angriff aufzuwischen, während Kellan, Doc und Nina irgendwo im Bunker waren und sich vermutlich um ihre Rebellengeschäfte und Chaz' Leiche kümmerten, wenn Candices Zustand sich wieder etwas stabilisiert hatte.

Mira tauchte die Hände in das blutige Wasser, begann die Handtücher auszuwaschen. Sie versuchte sich innerlich von der Aufgabe zu distanzieren – dem Wissen, dass das Blut, das ihre Hände und Kleider färbte und scharlachrot den Ausguss hinuntergurgelte, dafür stand, dass heute ein Mensch gestorben und ein anderer nur knapp mit dem Leben davongekommen war. Sie versuchte sich zu sagen, dass dieser Ort, diese Leute, die hier gelebt hatten und heute hier gestorben waren, nicht ihr Problem waren.

Aber sie machte sich trotzdem Sorgen.

Um Candice, um Doc und Nina, die heute alle einen alten Freund verloren und einen neuen Feind dazugewonnen hatten. Sie sorgte sich auch um Jeremy Ackmeyer, denn so sehr sie um sein Leben gefürchtet hatte, als er sich in Kellans Gewahrsam befand, war das nichts im Vergleich zu dem Gedanken, dass Vince ihn jetzt hatte und offensichtlich bereit war, jeden zu töten, der sich ihm in den Weg stellte.

Und natürlich machte sie sich Sorgen um Kellan.

War zutiefst erschrocken über die Vision, die er in ihren Augen gesehen hatte, an diesem schrecklichen Morgen, den sie irrtümlich für so perfekt gehalten hatte.

Mira ließ den Kopf hängen und füllte das Becken für die nächste Ladung Wäsche.

Nicht zum ersten Mal wünschte sie sich ohne ihre Gabe geboren zu sein. Ihre verdammte übernatürliche Fähigkeit, die fast jedem Angst und Qualen bereitete, der das Unglück hatte, einen Blick in ihre ungeschützten Augen zu werfen. Sie wusste nicht, ob ihre Augen ihr auch ihre eigene Zukunft zeigen würden. Sie hatte nie den Mut gehabt, es auszuprobieren.

Jetzt fragte sie sich, ob sie es nicht versuchen sollte.

Würde sie dasselbe wie Kellan sehen?

Mira tauchte ein paar weitere blutgetränkte Handtücher ins Wasser und sah zu, wie die klare Flüssigkeit sich zu einem trüben Rot färbte.

Ob sie die Kraft ihrer Gabe endgültig erschöpfen konnte, wenn sie nur lange genug mit ungeschützten Augen ihr Spiegelbild anstarrte? Sie war versucht es herauszufinden, auch wenn ihr Sehvermögen sich jedes Mal etwas verschlechterte, wenn sie ihre Sehergabe ausübte. Das war ihr egal. Besser blind zu werden, als zu riskieren, anderen mit ihrer schrecklichen Gabe noch mehr Schmerz zuzufügen.

Sie fand ihr Gesicht im dunklen Wasser des Waschbeckens. Helle lavendelfarbene Augen starrten zurück, erschöpft, aber undurchdringlich. Der Schmerz, den sie fühlte, stand ihr ins Gesicht geschrieben, in den Sorgenfalten um ihre Mundwinkel und den dunklen Ringen unter ihren Augen.

Sie hörte ein ersticktes Stöhnen und erkannte nicht, dass es aus ihrer eigenen Kehle kam, bis die verhärmte junge Frau in dem blutroten Spiegelbild ihren Mund öffnete und aufschluchzte.

Das rot gefärbte Wasser kräuselte sich von ihrem Atem, und ihr Spiegelbild zerbrach in hundert Teile.

Sie brauchte einige Minuten, um sich zu sammeln. Zeit, die Mira nutzte, um die Wäsche fertig zu machen. Sie hängte die sauberen Handtücher auf ein Gestell, wo schon andere Sachen zum Trocknen hingen. Dann schrubbte sie sich gründlich die Hände, aber die Flecken unter ihren Fingernägeln und tief in ihren Nagelhäuten wollten nicht abgehen. Dafür würde sie die Hände lange einweichen und viel Seife verwenden müssen.

Später, sagte sie sich, trocknete sich ab und trat dann hinaus auf den Hauptkorridor des Bunkers. Sobald sie dort war, erkannte sie, dass sie gar nicht wusste, wohin sie eigentlich gehen sollte.

Sie brachte es nicht über sich, zu Kellans Quartier zu gehen und dort tatenlos auf ihn zu warten. Und sie wusste, es stand ihr nicht zu, in seine Besprechungen oder Aktivitäten mit seinem dezimierten Team hineinzuplatzen. Mira ging los und fand sich bald vor Candices Zimmer wieder.

Sie sah nur kurz hinein, aber lange genug um zu bemerken, dass die junge Frau wach war. Sie lag auf dem Rücken in ihrem Bett, ihr verletztes Bein war abgewinkelt und hochgelegt auf einen Stapel aus Kissen und gefalteten Decken, die meisten waren inzwischen verrutscht und drohten seitlich herauszufallen. Gerade versuchte sie erfolglos, nach ihnen zu greifen.

Mira stieß einen Seufzer aus und ging zögernd einen Schritt hinein. »Komm, ich mach dir das.«

»Danke.« Candice ließ sich wieder zurücksinken und sah zu, wie Mira den Stapel richtete und vorsichtig wieder unter ihr Bein schob.

Mira sah auf. »Wie ist das?«

»Besser.« Sie war immer noch so weiß wie das Bettzeug, das sie umhüllte, hatte kaum Farbe in den Lippen, die sich jetzt zu einem kleinen Lächeln kräuselten. »Könntest du mir bitte mein Wasser geben?«

»Klar.« Mira nahm die Tasse mit dem Trinkhalm von dem klapprigen Nachttisch neben dem Bett und hielt sie, während Candice schwach daran saugte. »Wie fühlst du dich?«

»Gut.« Sie bedeutete Mira mit einem Nicken, die Tasse wieder wegzunehmen. »Doc sagt, ich werde es schaffen. Ich darf eine Woche nicht laufen und muss mich eine Weile generell schonen.«

»Aber du lebst«, bemerkte Mira und war ehrlich froh darüber.

»Ja. Doc ist der Beste. Er ist ein guter Mann.« Candice sah jetzt an Mira vorbei, ihre schwarzen Augenbrauen runzelten sich leicht. »Wo sind die anderen alle?«

»Irgendwo in der Nähe«, sagte Mira. »Sie hatten was zu tun. Für Chaz …«

Sie sagte es sanft, wollte Candice nicht aufregen. Aber die grünbraunen Augen der Frau verdunkelten sich, und Tränen stiegen in ihnen auf. »Haben sie ihn schon begraben?«

»Noch nicht. Sie wollen es später am Abend machen, hieß es. Sie wollen, dass sein Leben angemessen gewürdigt wird.«

»Bowman«, sagte Candice und lächelte wieder, breiter als zuvor. »Das klingt wie etwas, das er sagen würde.«

Mira starrte sie an, weder bestätigte noch leugnete sie es. Aber es war wirklich er gewesen, der das gesagt hatte. Er war es gewesen, der Chaz' leblosen Körper aus der Zelle und in einen Raum irgendwo tief im Bunker getragen hatte. Er war es gewesen, der die anderen darüber informiert hatte, dass er ein Begräbnis veranstalten wollte, das dieses Kriegers würdig war, der ehrenhaft gedient hatte und viel zu früh gefallen war.

Candices Augen blickten Mira intensiv und voller Verständnis an. »Bowman ist auch ein guter Mann. Ich habe das Gefühl, du weißt das besser als jeder von uns hier.«

Mira wollte schon den Kopf schütteln, schaffte es aber nicht, es zu leugnen. Stattdessen murmelte sie nur: »Das ist lange her.«

Candices Miene wurde noch weicher. »Ich muss nicht wissen, wie er damals hieß, aber ich weiß, dass Bowman nicht sein echter Name ist. Das wusste ich schon von der Minute an, als er mir diese Lüge aufgetischt hat, damals, als er endlich aufgewacht ist, nachdem ich drei Monate bei ihm gewacht habe, ohne zu wissen, ob er je wieder die Augen öffnen oder gar sprechen würde. Sein wahrer Name war mir schon damals egal oder was er getan hatte, um mitten in einem Kriegsschauplatz zu landen.«

Mira fehlten die Worte. Sie konnte Candice nur ansehen und ihr zuhören, die private Hölle jener Nacht aufs Neue erleben, in der sie Kellan verloren und er sein neues Leben begonnen hatte.

»Ich dachte mir, eines Tages wird er mir schon verraten, wie er wirklich heißt, aber das hat er nie. Und irgendwann habe ich aufgehört, mir darüber Gedanken zu machen.« Candice streckte ihre Hand unter der Bettdecke hervor und legte sie auf Miras. »Es hat nicht lange gedauert, bis ich über den Stammesvampir Bowman, der sich dafür entschieden hatte, unter Menschen statt seiner eigenen Spezies zu leben, alles wusste, was ich wissen musste. Ich habe gesehen, dass er ein Ehrenmann war. Sobald er sich wieder erholt hatte, erfuhr er, dass eine Rebellentruppe eine Gruppe junger Frauen in die Prostitution verkaufen wollte. Der Deal mit ein paar üblen Typen aus dem Ausland war schon fast unter Dach und Fach, doch in der Nacht, als sie den Handel perfekt machen wollten, platzte Bowman dazwischen und brachte die Übergabe zum Scheitern. Ganz allein hat er diese Mädchen befreit.«

Mira war nicht überrascht, das zu hören. Sie hatte Kellan mit eigenen Augen kämpfen sehen, als sie zusammen im Orden gewesen waren. Er war ein tapferer Krieger, der vor nichts und niemandem Angst hatte, wenn es darum ging die zu verteidigen, die sich nicht selbst schützen konnten. Anscheinend hatte er diese Eigenschaften in seinem neuen Leben nicht abgelegt, auch wenn er moralisch auf einem viel wackligeren Boden stand.

Candice sprach weiter. »Er war mutig und gerecht. Aber auch irgendwie verwundet. Er war allein und hat sich bewusst von den anderen isoliert. Ich wusste, dass er einer anderen gehört. Ich wusste nur nicht, wem, bis ich sah, wie er dich angeschaut hat, als wir dich neulich mit ins Camp gebracht haben.«

»Du hast ihm das Leben gerettet«, schaffte Mira endlich mit trockener Kehle zu krächzen, überflutet von Dankbarkeit für diese Frau, die sie kaum kannte. »Ich dachte, er sei tot, aber du hast ihn gefunden. Du hast dich um ihn gekümmert. Du und Doc kanntet ihn gar nicht, aber ihr habt ihn nicht sterben lassen …«

Candice runzelte ein wenig die Stirn und zuckte leicht mit den Schultern. »Er brauchte Hilfe. Wir haben sie ihm gegeben. Das ist alles.«

»Ihr habt das alles getan, obwohl er ein Stammesvampir war.«

»Und? Wenn du einen blutenden Schwerverletzten auf der Straße findest, schaust du zuerst nach, ob er anders ist als du, bevor du ihm hilfst?«

Mira schwieg, als sie Candices Worte in sich aufnahm. Und dann spürte sie eine tiefe Scham, weil sie erkannte, dass sie vor noch gar nicht langer Zeit genau das getan hätte. Ihr Hass und ihr Misstrauen gegenüber Menschen, besonders Rebellen, waren so blind und saßen so tief – wahrscheinlich wäre sie gar nicht erst stehen geblieben, wenn einer von ihnen ihre Hilfe benötigt hätte.

Es war widerwärtig, was aus ihr geworden war.

So lange hatte sie Leute wie Candice, Doc und Nina verachtet, sie mit Gesindel wie Vince und Rooster in einen Topf geworfen – alles Schurken, die sie mit ihren Stiefelsohlen zerquetschen oder mit ihren Dolchen durchbohren wollte.

Und jetzt …?

Sie zog ihre Hand unter der von Candice hervor, fühlte sich der Freundlichkeit unwürdig, die sie ihr bezeugte. Sie spürte

Trauer über den Verlust, den diese Menschen heute erlitten hatten. Und sie hatte Angst, was die Zukunft ihnen bringen würde, wenn sich das, was Kellan in ihren Augen gesehen hatte, einmal bewahrheitete.

Die Kälte, die diese Vorstellung mit sich brachte, legte sich in Miras Brust wie Eis. Sie musste das Grauen irgendwie ausblenden, das sie erfasste beim Gedanken daran, welchen Preis sie alle zahlen würden, wenn ihre Vision sich erfüllte.

Mira hoffte, dass ihr Lächeln, das ihr nur mit Mühe gelang, beruhigend wirkte. »Du solltest dich jetzt ausruhen. Ich sage Doc Bescheid, wie's dir geht.«

Als Candice nickte, entfernte sich Mira vom Bett und ging zur Tür. Dort blieb sie stehen. Ein Gefühl der Dankbarkeit breitete sich in ihr aus und überlagerte sogar die düsteren Gefühle, die sie gerade in ihren Klauen hatten.

Sie sah zu der Menschenfrau zurück, die vor acht Jahren das Unmögliche getan, Kellan von den Toten zurückgeholt und das Wunder vollbracht hatte, auf das Mira so verzweifelt gehofft hatte. »Danke, dass du ihn gerettet hast.«

Candice lächelte. »Mein Part war leicht. Jetzt bist du dran.«

14

Seine Kleider klebten ihm von der Feuchtigkeit des Bunkers am
Körper, seine Hände und Unterarme waren mit angetrockneten
Blutspritzern bedeckt. Selbst der schwache, schale Kupfergeruch
der toten roten Zellen ließ Kellans Schädel dröhnen, und seine
Muskeln zuckten vor Aggression, als er durch den Hauptkorridor
der Festung stapfte.

Er wollte töten. Nicht nur weil der Geruch von so viel frischem
Blut heute das Raubtier in ihm geweckt hatte, sondern weil
Menschen, die ihm wichtig waren – seine guten Leute – unver-
dient zu Schaden gekommen waren.

Seinetwegen.

Weil sie ihm als ihrem Anführer vertraut hatten und er versagt
hatte.

Er hatte Vince diesen Morgen nicht verfolgt, wie er es hätte
tun sollen. Er kochte immer noch vor Wut, hatte den Drang,
ganz Boston abzureißen, um den Bastard zu finden, aber sein
Team hatte ihn hier mehr gebraucht. Und der rationale Teil
seines Verstandes erinnerte ihn daran, dass Mira recht hatte – am
helllichten Tag die Verfolgung aufzunehmen wäre ein Selbstmordkommando.

Ihrer Vision zufolge würde er sowieso bald tot sein. Und er
konnte nicht umhin zu denken, dass die Tatsache, heute nicht in
die Sonne hinausgerannt zu sein, nur bekräftigte, dass er immer
noch auf einem direkten Kollisionskurs mit dem Schicksal war,
das er in Miras Augen gesehen hatte.

Kellans Stiefel dröhnten hohl im Korridor, als er auf sein

Quartier zustapfte, um sich umzuziehen und zu duschen. Ihm fiel auf, wie ungewöhnlich still es hier im Bunker war. Er mochte die Stille nicht. Mochte den Gedanken nicht, dass er diese Probleme über seinen Stützpunkt gebracht hatte.

Obwohl sie am äußersten Rand des Gesetzes lebten, hatten Kellan und seine kleine Rebellentruppe nie Gewalt innerhalb ihres Schlupfwinkels erlebt. Sie hatten noch nie ein Mitglied ihres Teams verloren, nicht einmal im Kampf. Sie waren glücklich gewesen, verhielten sich möglichst unverdächtig, führten zahlreiche Aktionen durch und bewegten sich abseits der normalen Gesellschaft. Sie versuchten, jene unerwünschte Aufmerksamkeit und Bekanntheit, durch die andere Rebellengruppen förmlich aufblühten, zu vermeiden. Nun, nach diesem Schlag heute, saßen Schock und Kummer tief.

Kellan kannte das Gefühl nur zu gut.

All dieses Blutvergießen ließ seine Vergangenheit wiederaufleben, als er ein behüteter Jugendlicher aus den Dunklen Häfen gewesen war, dem seine Familie entrissen wurde. In einer einzigen Nacht hatte der Terrorakt eines Wahnsinnigen das Familienanwesen der Archers in Boston zerstört und Kellan jeden genommen, den er liebte, bis auf seinen Großvater Lazaro. Zum Glück für sie beide war der Orden ihnen zu Hilfe gekommen, hatte ihnen Zuflucht und Schutz gewährt. Sie hatten Kellan und Lazaro bei sich aufgenommen, eine Freundlichkeit, die Kellan ihnen wahrscheinlich nie in seinem Leben würde vergelten können.

Schon gar nicht mehr jetzt.

Und Mira …

Sie war für ihn da gewesen, vom ersten Augenblick an, als er auf der Türschwelle des Ordens angekommen war. Ein kleiner Knirps von Nervensäge, die ihm nichts von seinem Getue durchgehen ließ, schon damals nicht. Nachdem er so viele geliebte

Menschen verloren hatte, hatte er solche Angst vor Nähe, dass er sich damals geweigert hatte, andere an sich heranzulassen.

Und während er ein dummer Junge gewesen war, kaum fähig, diese Angst als die Wurzel seiner Verdrossenheit und seines Schmerzes zu erkennen, war Mira so viel weiser gewesen, sogar schon als Kind. Sie hatte ihn gleich durchschaut. Sie hatte ihn zu ihrem Freund erklärt, sich um ihn gekümmert und nicht locker gelassen, nicht einmal dann, wenn er sie auflaufen ließ.

Nein, immer wenn er sie wegstieß, hatte sie hartnäckig zu ihm gehalten – genau wie sie es heute getan, mit Hand angelegt hatte wie ein Mitglied seines Teams, ihnen echte Besorgnis und Unterstützung gezeigt hatte, und das ungeachtet der Art und Weise, wie er sie zurückgelassen hatte.

Er wollte deswegen wütend auf sie sein, so wie der sarkastische, distanzierte Teenager, den sie so gut gekannt hatte, auf diesen trotzigen Akt der Großherzigkeit reagiert hätte. Aber der Mann, der er seither geworden war, konnte keine Wut aufbringen. Was er stattdessen fühlte, war ein warmer Druck in seiner Brust, ein viel zu angenehmes Gefühl von Dankbarkeit und Stolz, dass sie ihm gehörte.

Ihm hätte gehören sollen, berichtigte er sich barsch.

Und wie ihre verdammte Vision ihm gezeigt hatte, konnte sie nicht lange ihm gehören.

Mit einem rauen Fluch voller Selbsthass ging er um eine Ecke des Korridors und stapfte an der geschlossenen Tür des Duschraumes vorbei.

Das Wasser lief.

Es waren nicht Doc oder Nina, die Kellan erst vor ein paar Minuten bei Chaz' Leiche am anderen Ende der Festung zurückgelassen hatte. Und Candice würde die nächsten Tage nirgends hingehen, sie hatte still in ihrem Bett gelegen, als er eben auf dem Weg nach ihr gesehen hatte.

Geh weiter.

Das sollte er. Und doch blieb er vor der Tür stehen und drückte die Klinke herunter.

Mira stand nackt unter dem Strahl der Dusche, den Kopf zurückgelegt, Wasser strömte über ihr hellblondes Haar und ihre samtige Haut.

Kellan stieß den Atem aus. Anstatt leise die Tür zu schließen und weiterzugehen, öffnete er sie ganz, trat in den dampferfüllten Raum und zog sie dann hinter sich zu.

Beim leisen Klicken des Türschlosses hielt Mira sich Hände und Arme vor ihre Blöße und sah zu ihm hinüber, Unsicherheit in den lavendelfarbenen Augen. Sie hatte den Mund leicht geöffnet, sagte aber nichts.

Kellan stand da und nahm ihren Anblick in sich auf. »Du bist geblieben«, murmelte er.

Sie schluckte, Wasser tropfte von ihrem Kinn und ihren langen Wimpern. »Ich bin geblieben.«

Er nickte, konnte aber spüren, wie er die Stirn runzelte. »Ich habe eben nach Candice gesehen. Sie hat mir gesagt, dass du bei ihr warst und ihr beiden geredet habt … über mich?«

»Ja«, sagte Mira leise, verbarg sich immer noch vor ihm, immer noch abwartend und vorsichtig. Nicht, dass er es ihr verübeln konnte.

»Du hast ihr meinen Namen nicht verraten«, bemerkte er. »Und auch nicht, dass ich früher beim Orden war.« Mit gesenktem Kopf, die Augen unablässig auf sie gerichtet, trat er einen Schritt vor. Dann noch einen. »Du hast meine Geheimnisse bewahrt. Alle meine Geheimnisse.«

»Natürlich«, antwortete sie.

»Du hast mich beschützt«, sagte er. Jetzt stand er direkt vor ihr, genau vor der offenen Duschkabine. »Du hast das für mich getan, obwohl ich dir keinen Grund dafür gegeben habe.«

Sie nickte leicht, die Arme immer noch wie einen Schild vor der Brust verschränkt. »Ja.«

Sie quietschte leise auf vor Überraschung, als er voll angezogen und mit den Stiefeln zu ihr unter den Wasserstrahl trat. Er stand vor ihr, wurde von Kopf bis Fuß nass, und es war ihm so was von egal. »Du hättest heute einen klaren Schlussstrich ziehen können. Verdammt, ich wünschte, du hättest es getan.«

»I-ich«, setzte sie an, aber er unterbrach sie mit einem gezischten Fluch.

»Du hättest dich aus alldem hier herausziehen können. Stattdessen hast du geholfen, eine Schweinerei aufzuräumen, für die ich verantwortlich war, und dann warst du so lieb, nach meinem verletzten Teammitglied zu sehen.« Er schüttelte den Kopf, dann nahm er sanft ihre Hände, zog sie von ihrem nackten Körper und drückte einen Kuss auf jede ihrer geballten Fäuste. »Nach allem, was ich heute zu dir gesagt habe, bist du trotzdem geblieben.«

Sie starrte ihn an, die Lippen leicht geöffnet, und ihre Brüste hoben und senkten sich mit jedem hastigen Atemzug. Kellan hielt immer noch ihre Hände. Langsam ließ er sie sinken und entblößte so die ganze Schönheit ihres nackten Körpers. »Nach allem, was ich getan habe«, flüsterte er heiser, »nicht nur heute oder vor acht Jahren, als ich gegangen bin und dich im Glauben gelassen habe, ich wäre tot, sondern vom ersten Tag an, als wir uns kannten, Maus. Von Anfang an bist du immer bei mir geblieben und hast mir den Rücken gestärkt.«

»Und das werde ich auch immer«, antwortete sie. Ihre Stimme war leise, aber ihre Augen blickten entschlossen. »Das macht man eben, wenn man jemanden liebt.«

Kellan erstarrte. Er konnte sich kaum rühren, schaffte kaum zu atmen. »Sag das nicht, Mira. Das ist das Schlimmste, was du mir gerade sagen kannst.«

»Warum?« Sie sah unter dem Strahl der Dusche zu ihm auf,

ihre Haut war von seinen glühenden Augen in einen warmen Lichtschein getaucht. »Warum sollte ich dir nicht sagen, was ich für dich empfinde?«

Er suchte nach seiner Stimme, aber nur ein außerirdisches Knurren kam heraus. »Weil, wenn du das sagst, will ich dich nur noch fester halten, wo ich dich doch loslassen sollte. Und ich muss dich loslassen … bevor die Lage noch schlimmer wird.«

»Dann lass mich los, Kellan.«

Ihre Worte verdutzten ihn. Es war ein Befehl, gesprochen ohne Schärfe und ohne das leiseste Zittern in der Stimme. Er starrte in ihr wunderschönes Gesicht, in die mutigen, unverwandt blickenden Augen und auf die spitzbübische Nase mit den hellen Sommersprossen. Auf den störrischen Mund, aus dem er nie auch nur das leiseste Mitleid gehört hatte, sogar wenn es um Lust und Verlangen ging. Ein Mund, der jetzt zu einer dünnen Linie zusammengepresst war und auf seine Antwort wartete.

»Wenn du mich nicht liebst«, sagte sie, »wenn du wirklich willst, dass ich gehe … dann lass mich gehen.«

Er ließ sie nicht. Seine Finger blieben um ihre Hände geschlossen, hielten sie noch fester, obwohl jede rationale Faser seines Verstandes ihm sagte – nein, ihm befahl – sie loszulassen und zu gehen.

»Verdammt, Maus«, zischte er, leise und tödlich. Dann, ohne jede Vorwarnung, senkte er den Kopf und küsste sie.

Der Kuss war hart, tief und besitzergreifend. Er konnte sie nicht anders küssen, nicht in diesem Augenblick.

Und sie stand ihm in nichts nach. Er schob seine Zunge zwischen ihre Lippen und stöhnte auf vor animalischem Verlangen, als sie an ihr saugte, ihr Mund sich ihm mit einem gebrochenen Seufzer öffnete.

Seine Adern brannten, Lava schoss ihm durch die Glieder, in seinen Kopf, sein Herz und zwischen seine Beine. Er schob seine Finger zwischen ihre und schob sie mit seinem Körper vor sich her, bis er sie mit dem Rücken gegen die nasse Wand der Dusche drückte. Ihre Brustwarzen waren so hart, dass er sie durch sein nasses T-Shirt spüren konnte. Ihre Rundungen aber waren weich und üppig, schmiegten sich so perfekt gegen seine harten Flächen und Kanten.

Kellan hob die Arme und führte ihre an der Wand entlang nach oben, bis er ihre Hände hoch über ihrem Kopf festhielt. Dort nagelte er sie fest, gefangen in seinem Griff und mit seinem Körper, der sich gegen sie lehnte.

Während er sie immer noch leidenschaftlich küsste, rieb er seine Erektion gegen ihren Bauch. Sie fühlte sich so gut an, dass seine Hüften von alleine zuckten und sein Schwanz in seinen plötzlich viel zu engen Jeans pulsierte.

Er senkte den Kopf an ihren Hals und küsste sie dort, und sie stöhnte auf und erschauerte unter seinen Lippen. »Verdammt, Mira«, knurrte er an ihrem zarten, wasserüberströmten Hals. »Verdammt.«

Er wiegte sich an ihr, seine Kleider klatschnass, sein Kopf berauscht vom warmen, nassen Duft ihrer nackten Haut und ihrer honigsüßen Erregung. Seine Fänge pulsierten und fuhren sich aus.

Er musste sie schmecken.

Jetzt sofort.

Ihr Blut rief ihn, aber es war ein anderer Nektar, der ihn mit einem heiseren Knurren von ihrem Hals ablenkte. Erst jetzt ließ er ihre Hände los und küsste sich von ihren Brüsten über ihre Rippen und dann tiefer, über ihren weichen, aber muskulösen Bauch.

Sie machte ein ungeduldiges, kehliges Geräusch, als er sich Zeit damit ließ, mit Mund, Zunge und Lippen jeden Zentimeter ihrer zarten Haut zu kosten. Eine Hand auf ihrer Brust ließ er die andere über ihren Körper hinuntergleiten, hinterließ Gänsehaut und brachte sie keuchend zum Erzittern.

Während er ihren Körper küsste, wanderte seine Hand ihren Oberschenkel hinunter, dann herum zur Innenseite und langsam aufwärts. Kaum tippte er sie mit dem Finger an, öffnete sie die Schenkel für ihn. Ihre gierige Reaktion brachte ihn an ihrem Bauch zum Lächeln, dann tauchte er mit der Zungenspitze in ihren Nabel und ließ gleichzeitig seine Fingergelenke über ihre seidigen Schamlippen gleiten.

Er teilte sie mit den Fingerspitzen und glitt in ihre heiße Spalte. Sie erzitterte an seiner Hand und atmete keuchend, als er mit dem Daumen über ihre harte kleine Perle strich. Kellans Fänge schossen noch weiter heraus, Verlangen durchzuckte ihn.

Jetzt war er vor ihr auf den Knien und senkte den Kopf zwischen ihre Beine, während der warme Strahl der Dusche auf ihn hinunterprasselte. Mit einem tiefen Knurren drehte er sein Gesicht zur Innenseite ihres Schenkels und saugte an der zarten Haut. Sie stöhnte und keuchte, ihr Höhepunkt kündigte sich schon an, und dabei hatte er seinen Mund noch nicht einmal dort, wo er sein wollte.

Kellan hob ihr Bein über seine Schulter, küsste sie weiter und freute sich daran, wie bereit sie für ihn war, wie begierig sie auf ihn reagierte. Für ihn, dachte er gierig. Sie hatte es selbst gesagt, heute Morgen in seinem Bett. Es hatte keinen gegeben außer ihm, in all dieser Zeit nicht. Niemals.

Eine Welle der Besitzgier überrollte ihn. Ungerufen. Unverdient.

Und doch nicht zu leugnen, besonders, wenn Mira sich so leidenschaftlich an ihn schmiegte.

Er legte den Kopf zurück und bewunderte ihr verlockendes rosa Geschlecht. Ein kurzer Kuss brachte sie zum Zittern. Seine

Lippen und Fänge reizten ihre feuchten Schamlippen, und sie keuchte heftig auf, vergrub die Hände in seinem Haar und hielt ihn fest, als er mit der Zunge hineinfuhr und ihren berauschenden Geschmack genoss.

»Oh mein Gott«, keuchte sie atemlos. »Gleich komme ich.«

»Noch nicht«, murmelte er. Dann packte er ihren festen kleinen Po mit beiden Händen und presste sie hart gegen seinen hungrigen Mund.

Er vergrub sein Gesicht in ihr, leckte sie, ertrank in ihr. Im nächsten Augenblick kam sie heftig an seinem Mund, ihre Hüften zuckten, Welle auf Welle. Er leckte sie heftig weiter, durstig nach mehr.

Als ihr Orgasmus abebbte, hob sie das Bein von seiner Schulter und packte ihn. Sie vergrub die Finger in seinem durchnässten T-Shirt und versuchte, es ihm vom Leib zu reißen. »Fick mich«, keuchte sie. »Jetzt sofort, Kellan.«

Das ließ er sich nicht zweimal sagen. Er richtete sich auf, zog sein T-Shirt aus und warf es auf den Boden der Dusche. Dann kickte er seine Stiefel von den Füßen, während Mira sich an den Knöpfen seiner nassen Jeans zu schaffen machte. Ihre Finger zitterten, und er übernahm. Sobald er sie ganz aufgeknöpft hatte, zog Mira ihm die Hosen über die Hüften, befreite seinen steifen Schwanz und nahm ihn in ihre nassen Hände.

Sie streichelte ihn ein paarmal, und da hielt er es nicht länger aus.

Er hob sie in seine Arme, schob ihre Schenkel um seine Hüften und drang mit einem Stoß tief in sie ein. Sie keuchten beide auf angesichts der Wucht ihrer Vereinigung, erschauderten beide, als er sich bis zum Anschlag in ihr vergrub, sie ausfüllte und ausdehnte wie einen seidenen Handschuh. Er pumpte einige Male mit dem Becken, aber er war schon zu weit, um es langsam anzugehen.

Er verfiel in einen drängenden Rhythmus, hielt Mira fest gepackt und beobachtete ihr Gesicht, als ein weiterer Orgasmus wie eine Welle in ihr aufbrandete. Sie klammerte sich an ihn, schlug ihm die Fersen in den Po, krallte die Fingernägel in seine Schultern. Sein eigener Orgasmus baute sich auf, Hitze schoss ihm durch die Adern.

Mira packte ihn heftiger, ihre lustvollen Seufzer wurden zu heftigem Keuchen, als die ersten Kontraktionen ihres Höhepunktes um Kellans Schwanz zuckten. Er stieß sie tiefer, härter, trieb sie darauf zu. Zügelte sein eigenes Verlangen, bis er spürte, wie sie um ihn zersplitterte. Sie kam mit einem kehligen Schrei, ihr Atem sengend heiß an seinem Ohr.

Kellan hielt seine fiebrigen Augen auf sie gerichtet und nahm jede Nuance ihres Höhepunkts in sich auf. Sie war so wunderschön. So verdammt sexy. So heiß und nass und gierig, und ihre Scheidenmuskeln molken ihn, als er in einem wilderen Tempo in ihre nasse Scheide stieß, sein Schwanz schoss so gnadenlos in sie hinein wie der Kolben einer Maschine.

Er kam wie ein Güterzug, wild und unaufhaltsam.

Er brüllte auf, seine Hüften bäumten sich auf, konnten nicht aufhören, nicht einmal, nachdem er seinen letzten Samen vergossen hatte. Erschöpft, aber alles andere als gesättigt, ließ er den Kopf auf ihre Schulter fallen und wiegte sich einfach nur in sie, genoss das Gefühl ihres Körpers an seinem, ihre heiße, nasse Scheide hielt ihn in ihr fest.

»Du bist geblieben«, murmelte er, den Mund an ihrem Hals, wo ihr Puls im selben Rhythmus mit seinem hämmerte.

Ihr Mund ruhte an seinem Kopf, und sie flüsterte ihre Antwort leise in sein Haar. »Du hast mich nicht gehen lassen.«

15

Sie liebten sich wieder, dieses Mal langsam, und dann wuschen sie sich gegenseitig unter dem warmen Wasserstrahl der Dusche.

Einige Minuten später war Mira in Kellans Quartier und zog sich in behaglichem Schweigen zusammen mit ihm an. Sie konnte sich fast vorstellen, dass sie zusammen hier wohnten, diese Räume als blutsverbundenes Paar miteinander teilten und das Bett als Liebespaar – ein Gedanke, der nicht so verlockend hätte sein sollen, in Anbetracht der Tatsache, wie oft er sie gerade zum Kommen gebracht hatte.

Mira sah zu, wie Kellan sich frische Sachen anzog: ein schwarzes T-Shirt, das hauteng an seiner muskulösen Brust und seinen Schultern klebte, die kurzen Ärmel spannten um seine *glyphen*bedeckten Bizepsmuskeln. Seine langen, festen Schenkel verschwanden in dunklen Jeans, die hauteng seinen Knackarsch umspannten und genau richtig auf seinen schmalen Hüften saßen.

Er war eine Augenweide, und vor ein paar Minuten hatte sie jeden göttlichen Zentimeter von ihm gekostet. Sie gönnte es sich, diese Erinnerung einen Augenblick lang zu genießen, während sie in BH und Höschen am Fußende des Bettes stand.

Es war so leicht, sich normal mit ihm zu fühlen. Sich heil und ganz zu fühlen. Sie war nicht bereit, das aufzugeben. Dazu war sie nie bereit gewesen, egal was die verdammte Vision ihm gezeigt hatte.

Kellan warf ihr über die Schulter einen anerkennenden Blick zu, während er seine Jeans zuknöpfte. »So gut, wie du aussiehst, ziehst du dir besser schnell was über, bevor ich dich wieder vernasche.« Er zeigte mit dem Kinn auf seine Kleidertruhe zu ihren Füßen. »Da drin sind noch mehr T-Shirts. Such dir was aus.«

Die schwarzen Jeans, die sie angehabt hatte, als sie und Jeremy Ackmeyer zur Rebellenbasis gebracht worden waren, sah immer noch leidlich aus, etwas lädiert, aber akzeptabel. Aber ihr T-Shirt war hinüber, beim Kampf zerrissen und von Blut und Dreck ruiniert. Mira kauerte sich vor Kellans Kleidertruhe und sah sich das Dutzend T-Shirts und Pullis durch, die ordentlich darin gestapelt waren.

Ihre Hand stieß gegen etwas Kaltes, Metallisches zwischen einigen der Sachen. Sie zog es heraus, um zu sehen, was es war. Ein Handspiegel, elegant und feminin, die Rückseite aus poliertem Silber, mit zierlichen Intarsien aus schwarzem Onyx, geschnitzt zu einem zierlich geschwungenen Bogen mit eingelegtem Pfeil – das Familienwappen der Archers.

»Der hat meiner Großmutter gehört«, sagte Kellan, als Mira fragend zu ihm aufsah.

»Er ist wunderschön.« Sie fuhr mit der Fingerspitze über die kunstvolle Handarbeit, bewunderte jedes makellose Detail. »Woher hast du ihn?«

Als er damals verschwunden war, hatte er nichts mitgenommen außer den Kleidern, die er am Leib trug, in der Nacht der Patrouille, die so schrecklich geendet hatte.

Kellan stapfte zu ihr hinüber und nahm ihr den Spiegel sanft aus der Hand. Er drehte ihn um und sein Mund kräuselte sich zu einem abwesenden Lächeln. »Vor ein paar Jahren war ich auf Erkundungsmission zu einer Milizgruppe, die ich vorhatte auszulöschen. Sie handelten mit Drogen und Handfeuerwaffen in Maine, nördlich von Augusta. Hinterher wurde mir klar, dass ich nur ein paar Kilometer von meinem Großvater entfernt war, Lazaros altem Anwesen da oben.«

»Wo der Orden vorübergehend eingezogen war, nachdem unser Hauptquartier in Boston aufgeflogen ist.« Mira erinnerte sich gut daran, obwohl sie damals noch ein kleines Mädchen gewesen war, als sie und Kellan und der Rest der Krieger und ihre Gefährtinnen dort gewohnt hatten.

Nach der Ersten Morgendämmerung hatten Lucan und die anderen Ältesten entschieden, dass der Orden seine Ressourcen über die Vereinigten Staaten und Europa verteilen musste, um die Gewalt und die Aufstände, die ausgebrochen waren, nachdem der Stamm der Menschheit seine Existenz offenbart hatte, effektiver bekämpfen zu können. Lazaro Archer, Kellans Großvater, war jetzt der Anführer der Kommandozentrale des Ordens in Italien.

Mira dachte zurück an die schönen Zeiten – und auch einige schlimme –, die sie in diesem versteckten Dunklen Hafen tief in den Wäldern im nördlichen Maine erlebt hatte. Ihre erste Schneeballschlacht, gegen Kellan und Nathan. Ihr erster Weihnachtsbaum, zusammen mit Renata und Nikolai und dem Rest ihrer neuen Familie, allen Kriegern und ihren Gefährtinnen. Die Weihezeremonie für Xander Raphael, Dantes und Tess' Sohn, der nur wenige Tage vor dem überstürzten Aufbruch des Ordens aus Boston geboren wurde.

So viele Erinnerungen, und sie konnte sehen, dass auch Kellan gerade daran zurückdachte.

»Das Anwesen stand leer, sonst hätte ich nie versucht, in seine Nähe zu gehen«, sagte er. »Aber da waren noch ein paar zurückgelassene Dinge. Möbel, ein paar Kleider … und der hier.« Ehrfürchtig berührte er das Pfeil-und-Bogen-Emblem. »Er lag im alten Quartier meines Großvaters auf einem Toilettentisch, den er für meine Großmutter aus dem Fichtenholz der umgebenden Wälder gemacht hatte. Der Spiegel war angekohlt und von Ruß und Asche geschwärzt. Da wurde mir klar, dass Großvater zu unserem Dunklen Hafen nach Boston zurückgegangen sein musste, nachdem der zerstört worden war. Er musste durch die Trümmer gekrochen sein, um ihn zu finden, und das, wo er doch geschworen hatte, nie zum Schauplatz ihres Todes zurückzukehren. Zurück zu dem Haus, wo sie und meine Eltern – meine und seine ganze Familie – in den Flammen umgekommen waren.«

»Ach Kellan«, flüsterte Mira, und ihr Herz zog sich in ihrer Brust zusammen.

»Ich hatte kein Recht, ihn mitzunehmen, aber sobald ich ihn in der Hand hatte, konnte ich ihn nicht dort lassen.« Vorsichtig legte er den Spiegel in die Truhe zurück, bettete ihn wieder in den weichen Kleiderstapel. »Ich habe da noch was, was mir nicht gehört.«

Er stapfte zu seinem Schreibtisch hinüber und öffnete die oberste Schublade. Nahm ihren geliebten Dolch heraus und brachte ihn ihr. Sie nahm ihn mit einem dankbaren kleinen Lächeln aus seiner ausgestreckten Hand.

Sie las die Worte, die auf beiden Seiten der kostbaren Klinge eingraviert waren. »*Ehre. Opfer.*« Der andere Dolch, den sie an dem Tag verloren hatte, als man sie wieder in Kellans Leben gebracht hatte, trug zwei weitere Parolen, nach denen sie sich zu leben bemühte: *Glaube. Mut*. »Es fühlt sich komisch an, nur den einen zu haben«, murmelte sie. »Nicht im Gleichgewicht. Nicht so stark ohne sein Gegenstück. Ich hätte nie gedacht, dass sie einmal getrennt sein würden.«

Kellan sah sie sanft an, seine Miene war ernst, voller Reue. Ihm war klar, dass sie auch über sie beide redete. »Ich wollte dir nie etwas wegnehmen, Maus. Schon gar nicht dein Glück und auch nicht den Dolch. Ich hab dir versprochen, dass du ihn wiederkriegen würdest, bevor alles so schiefgelaufen ist. Ich habe dich schon wieder enttäuscht.«

Er streckte die Hand aus und zog sie sanft auf die Beine. Er streichelte ihr Gesicht, seine Finger waren so vorsichtig und sanft, dass sie fast erstickte an dem Schluchzen, das in ihrer Kehle aufstieg. »Wenn ich die Zeit zurückdrehen könnte, würde ich so vieles ändern«, sagte er. »Ich würde alles dafür tun, dass du erst gar nicht mit mir in diese Sache reingezogen wirst.«

»Nein«, antwortete sie, riss sich zusammen und schüttelte entschieden den Kopf. »Nein. Keine Minute würde ich rückgängig machen von dem, was wir eben miteinander erlebt haben. Du etwa?«

Er schwieg lange, streichelte ihr nur die Wangen und strich ihr mit dem Daumen über die Lippen, dann legte er ihr seine warme Hand um den Nacken.

»Du würdest wirklich alles ungeschehen machen?«, fragte sie, und ihr graute vor seiner Antwort.

Langsam breitete sich ein Lächeln auf seinem Gesicht aus, und in seinen Augen blitzte gezügelte, aber immer noch brennende Glut. »Ich halte dich immer noch fest, oder nicht?«

Er küsste sie, und Mira konnte das Grauen nicht wegschieben, das beim Gedanken in ihr aufstieg ihn wieder zu verlieren. Sie wollte sich diesen Augenblick nicht von ihrer schrecklichen Vision ruinieren lassen, aber sie war trotzdem da, wollte ihr keinen Frieden geben. Sie brach Kellans liebevollen Kuss ab, senkte den Kopf und schloss die Augen. Er lehnte seine Stirn an ihre und hielt sie weiter fest an sich gedrückt.

»Kellan«, sagte sie, dann zog sie sich zurück und sah zu seinen braungrünen Augen auf, in denen bernsteinfarbene Funken blitzten. »Erzähl mir noch mal von dieser Vision, die du gesehen hast. Von den Anklagepunkten gegen dich.«

Sein gut aussehendes Gesicht wurde ernst, sein Kiefer spannte sich an, als er die Backenzähne zusammenbiss. »Es waren Kapitalverbrechen, Maus. Genau wie ich's dir gesagt habe.«

»Ja, aber was genau?«

»Verschwörung«, sagte er ruhig. »Hochverrat. Entführung und Mord.«

Beim letzten Punkt setzte ihr Puls einen Schlag aus. »Mord. Wie viele Leute hast du getötet, Kellan?«

»Mehr als ich mich erinnern kann«, antwortete er ohne eine Spur von Rechtfertigung in der Stimme. »Du weißt von ihnen allen. Du warst dabei, viel zu oft, als die Straßen im Blut schwammen.«

»Nein«, sagte sie. »Das war Krieg damals, nicht Mord. Wie viele nicht genehmigte Tötungen, Kellan? Wie oft hast du gemordet, seit du Bowman bist?«

Er starrte lange nachdenklich vor sich hin, dann schüttelte er resolut den Kopf. »Wir können nicht wissen, wann genau in der Zukunft die Vision sich erfüllen wird. Wir wissen nur, dass sie sich erfüllen wird, weil deine Visionen niemals falsch liegen, Mira. Niemals, nie in all der Zeit.« Er ging ein paar Schritte von ihr fort und fuhr sich durch sein dunkelbraunes Haar. »Außerdem sind da auch noch die anderen Anklagepunkte, derer ich mich wirklich schuldig gemacht habe: Ackmeyer zu entführen, den Verwandten eines hochrangigen Diplomaten vom Rat der Globalen Nationen. Die Störung eines Friedensgipfels zu planen. Und indem ich diese Dinge getan habe, haben ich und mein Team wissentlich einen Akt des Hochverrats begangen.«

»Aber nicht Mord«, betonte Mira. Jetzt, wo sie einen Hoffnungsschimmer sah, würde sie diese Chance ergreifen. »Im letzten Anklagepunkt bist du nicht schuldig. Und das ist doch etwas, was du von diesem Moment an in der Hand hast. Und wenn die Vision in einem Punkt nicht zutrifft, kann das doch auch bei den anderen der Fall sein. Vielleicht können wir das abwenden, Kellan. Gemeinsam.«

Er kam zu ihr zurück, stand direkt vor ihr, sagte aber nichts. Seine Augen durchbohrten sie, und bis auf das plötzliche Zucken einer Sehne in seinem Kiefer war sein Gesicht völlig reglos geworden. Sie konnte spüren, wie seine Gedanken kreisten, konnte seinen heftigen, heißen Puls spüren, der in der Luft vibrierte in dem knappen Zentimeter, der ihre Körper voneinander trennte.

Er fluchte leise, heftig und rau. Nicht vor Wut – vor Erleichterung.

Vor Hoffnung.

Er streckte die Hände nach ihr aus, zog sie an sich und küsste sie heftig auf den Mund. Dann ließ er sie los, wirbelte herum und griff nach seinem Kommunikationsgerät auf dem Schreibtisch neben seinem Bett. Er sah nach der Uhrzeit und drehte sich wild zu ihr um. »In dreißig Minuten ist Sonnenuntergang.« Er schnappte sich ein Paar Stiefel vom Boden und zog sie an. »Ich gehe nach Boston. Ich muss Vince finden und Ackmeyer lebend da rausholen.«

»Ich komme mit«, verkündete Mira. Sie hatte schon eines seiner T-Shirts angezogen und fuhr in ihre schwarzen Jeans. Sie griff nach ihren Kampfstiefeln, aber da packte Kellan sie fest am Handgelenk.

»Du bleibst hier«, sagte er. »Ich dulde nicht, dass du dich in Gefahr bringst. Außerdem bin ich zu Fuß viel schneller.«

Sofort stand sie vor ihm und forderte ihn heraus, genau wie damals in ihrer Kindheit. »Entweder komme ich mit dir, oder ich gehe alleine, Archer.«

Die Sehne an seinem Kiefer zuckte heftiger. Seine Augen glühten feurig, versengten sie mit ihrem bernsteinfarbenen Schein. Aber Mira wich nicht zurück. Sie starrte zu diesen gefährlichen Augen auf und hielt ihnen unverwandt stand. Es war ein Blick, den er nur allzu gut kannte und der ihm sagte, dass sie nicht nachgeben würde.

»Ach verdammt«, knurrte er. »Wir brechen in fünf Minuten auf.«

Er stürmte vor ihr aus dem Raum. Mira steckte ihren Dolch in die Scheide an ihrem Gürtel und folgte ihm.

Etwa sieben Minuten nach Sonnenuntergang ertönte ein Klopfen an der Tür im Erdgeschoss eines rattenverseuchten dreigeschossigen Mietshauses im Bostoner Viertel Charlestown. Das war fix, wenn man bedachte, dass Rooster erst vor fünf Minuten herbeordert worden war – sein Freund hatte ihn dringend und ohne weitere Erklärung angerufen.

Nathan warf einen Seitenblick auf den Zuhälter und Heroindealer, den er vor exakt viereinhalb Minuten erwürgt hatte. Der Mann hatte dummerweise versucht den Vampir in seinem Wohnzimmer mithilfe seines Colts loszuwerden, den er unter dem Sofakissen aufbewahrte. Der Griff der unbenutzten Smith & Wesson steckte immer noch zwischen dem ramponierten karierten Schaumstoffpolster der Couch und einer Fleecedecke, die die vielen Flecken und Brandlöcher des sperrmüllreifen Sitzmöbels kaum verbergen konnte.

Nathan nahm an, dass die Waffe geladen war, aber das spielte für ihn keine Rolle. Er war von Kindheit an dafür ausgebildet, auf hundert verschiedene Arten mit bloßen Händen zu töten. Und war seither nie besiegt worden, eine makellose Kampfstatistik – er kannte keine Gnade.

Wieder klopfte Rooster zweimal kurz und heftig an die Tür. »Hey, Billy! Machst du jetzt endlich mal auf oder – «

Im nächsten Augenblick blieben ihm die Worte im Hals stecken, denn Nathan riss die Tür auf, zerrte Rooster herein und ließ die Türverriegelung zuschnappen – all das in der Zeit, die der Mensch gebraucht hätte, um auch nur eine weitere Silbe von sich zu geben.

»He Scheiße, was soll das?«, brüllte er und fiel rücklings aufs Sofa, wo Nathan ihn fallen gelassen hatte. Seine geröteten Augen unter der lächerlichen scharlachroten Irokesenfrisur waren geweitet, und er versuchte hastig aufzustehen und sich in der dunklen Wohnung zu orientieren. Schließlich fiel sein verwirrter, suchender Blick auf Nathan, der im Schatten vor ihm stand. »Ach du Scheiße ... das gibt's doch nicht! Billy, was zum Henker hast du mit dem Orden zu tun, Mann?«

Nathan starrte auf ihn hinunter. »Ich muss mit dir reden, Rooster. Hab's zuerst bei dir zu Hause versucht, aber du warst nicht da.«

»Mit mir reden? Ich hab nichts mit dir zu schaffen, Mann. Hab keine Geschäfte mit dem verdammten Orden!« Roosters Augen wurden noch etwas größer, das Weiße wurde sichtbar, als er um Nathan herumspähte, zweifellos erwartete er Unterstützung von seinem Freund. Dass er keine bekommen würde, erkannte er einen Augenblick später, als sein panischer Blick auf die reglosen Glieder und die gebrochenen Augen des Körpers fiel, der nur etwa einen Meter neben ihm lag. »Scheiße! Ist das Billy? Glaub ich einfach nicht! Scheiße, ich hab doch noch vor fünf Minuten mit ihm geredet.«

Nathan zuckte mit den Schultern. »Billy hat dich angerufen, weil ich ihn darum gebeten habe. Dann machte Billy Dummheiten, und jetzt ist er tot.«

»Oh Gott!«, heulte Rooster und vergrub das Gesicht in den Händen. »Scheiße, Mann ... was soll das? Was zur Hölle willst du von mir?«

»Informationen, für den Anfang«, sagte Nathan. Nachdem Lucan ihn mit dieser Solomission beauftragt hatte, hatte er tagsüber, solange er noch im Orden festsaß, diskrete Nachforschungen angestellt. Sie hatten ergeben, dass das Bostoner Gesindel nichts von der Entführung eines Zivilisten wusste, also hielten die Täter sich offenbar bedeckt. Aber zum Thema Rebellensplittergruppen und -aktivitäten im Großraum Boston waren sich alle einig gewesen, dass er sich den Loser mit dem roten Haarkamm vornehmen musste, der jetzt vor ihm auf dem Sofa nervös vor sich hinfaselte.

»Ich hab keine Informationen«, jammerte Rooster. »Du hast den Falschen am Wickel, Mann.«

Nathan machte die Augen schmal. »Ich weiß, dass du Geschäfte am Laufen hast, die für mich potenziell von Interesse sind, und du bist nicht so dumm, das zu leugnen. Ich rede nicht von dealenden Zuhältern wie Billy dem Arschloch da drüben, sondern anderen Kontaktleuten, die etwas über eine Sache in den Berkshires wissen könnten, vor ein paar Tagen.«

Roosters Oberlippe zuckte. »Was für eine Sache soll das sein?«

»Entführung«, antwortete Nathan. »Hochkarätiges Opfer.«

Der Informant holte scharf Atem, zappelte herum, verschränkte die Arme und öffnete sie wieder. Jetzt wusste er, worum es ging. Und er würde reden, das war nur eine Frage der Zeit. Nur dumm für Rooster, dass Nathan auf dieser Mission keine hatte.

»Bei dieser Entführung gab es auch eine weitere Geisel«, sagte er zu dem Mann. »Eine von besonderem Interesse für den Orden und auch für mich persönlich.«

Rooster stieß eine saure Atemwolke aus. »Über die Frau weiß ich gar nichts, ich schwör's.«

»Du hast mir gerade gesagt, dass dem nicht so ist.« Nathans tödliche Instinkte prickelten voller Aufmerksamkeit, aber äußerlich blieb er so ruhig, wie seine jahrelange gnadenlose Ausbildung zum Killer ihn gelehrt hatte.

Er packte Rooster am Bizeps, drückte auf die Verletzungen, die Mira ihm erst vor einigen Nächten mit ihren Dolchen im *LaNotte* zugefügt hatte. Er drückte zu und ignorierte Roosters scharfen Schmerzensschrei. »Schau dir deinen Freund an. Weißt du noch, wie ich eben sagte, Billy machte Dummheiten, und dann war er tot?« Die rote Irokesenfrisur schwankte, ihr Eigentümer nickte ruckartig. »Keine Dummheiten, Rooster. Sag mir, wohin sie Mira und Jeremy Ackmeyer gebracht haben.«

Als Nathan durch das gequälte Stöhnen, das aus Roosters Mund kam, keine Antwort hörte, verstärkte er den Druck. »Weiß ich nicht«, heulte der Mensch. »Ich hab keine Ahnung! Zuletzt hatte Vince Ackmeyer. Den solltest du suchen, Mann, nicht mich!«

»Vince, und wie weiter?«, fragte Nathan.

»Ich weiß seinen Nachnamen nicht, nur, dass er bei Bowman und seinem Team ist. Oder war, bis heute.«

»Bowman«, wiederholte Nathan. Diesen Namen hörte er in Rebellenkreisen zum ersten Mal. »Wo finde ich den?«

»Weiß nicht. Hab ihn nie getroffen.« Roosters Gesicht war vor Schmerz zu einer Grimasse verzerrt, denn Nathan ließ seine verletzten Arme keine Sekunde lang los. »Von dem weiß ich nur, dass er eine kleine Operationsbasis irgendwo außerhalb von Boston hat.«

Nathan registrierte die neue Information, konzentrierte sich aber wieder auf den Rest von Roosters Aussage. »Und dieser andere – Vince. Er hat Ackmeyer jetzt? Hat Vince sich selbstständig gemacht, oder was?«

Rooster nickte. »Er wollte ein Lösegeld, als er mich heute Morgen angerufen hat. Hab den Typen noch nie so aufgedreht erlebt. Sagte, Ackmeyer wäre eine Art Genie. Dass er irgendwas erfunden hätte, eine UV-Technologie, die den richtigen Käufern ein Vermögen wert ist.«

Obwohl Nathan über Jeremy Ackmeyers Lebenslauf und seine Leistungen in Wissenschaft und Technologie einigermaßen im Bilde war, war das eine Überraschung für ihn. Eine sehr beunruhigende Überraschung.

Er sagte nichts dazu, spielte nur im Kopf eine Reihe von Möglichkeiten durch, die ein wissenschaftlicher Durchbruch in der UV-Technologie zur Folge hätte – keine von ihnen war gut für den Stamm. Und er konnte sich nur allzu gut vorstellen, welches Interesse eine solche Erfindung auf dem freien Markt auslösen musste.

»Was weißt du noch über Vinces Lösegeldpläne mit Ackmeyer? Hat er potenzielle Kunden erwähnt?« Nathan musterte den nervösen Informanten. »Lass mich raten. Deshalb hat Vince dich angerufen – um ihn mit Interessenten für seinen Deal zusammenzubringen.«

Rooster schluckte, er verzog immer noch das Gesicht angesichts der Schmerzen, die Nathan ihm zufügte. »Er hat mir einen Anteil versprochen, also habe ich ein paar Anrufe für ihn gemacht. Hab nur ein paar Kontaktleute gebeten, sich mal umzuhören, das ist alles.«

Allein schon dafür fühlte Nathan sich berechtigt, Rooster zu töten, aber er hatte noch an Mira zu denken. »Was ist mit der Frau? Wollte Vince auch an ihr verdienen?«

»Wie ich schon sagte, Mann, ich weiß gar nichts über sie. Nur was Vince heute am Telefon sagte.«

»Und das war?«, fauchte Nathan.

»Er sagte, Bowman hätte großen Spaß mit ihr«, verkündete Rooster schadenfroh. Er kicherte, sogar trotz seiner Schmerzen. »Die Schlampe tut mir weiß Gott nicht leid. Nach dem, was sie neulich mit mir gemacht hat, kann sie mir auch gerne den Schwanz lutschen.«

Es verblüffte Nathan, wie wütend er war. Seine Wut brandete wie eine Flutwelle in ihm auf und schoss ihm sengend heiß durch die Adern. Derweil quatschte Rooster einfach weiter, hatte die plötzliche Veränderung der Atmosphäre von gefährlicher Anspannung zu tödlicher Stille nicht registriert; seine Dummheit war ungleich größer als Billys heimtückischer Versuch, sich gegen den sicheren Tod zu verteidigen. »Ich hoffe, er besorgt's ihr ordentlich und auch Vince und der ganze Rest von Bowmans Team. Soll dem arroganten Miststück mal wer zeigen, wo der Hammer hängt.«

Um Nathans Selbstbeherrschung war es geschehen, aber nach außen ließ er sich nichts anmerken.

Er ließ Roosters Arme los, packte seinen Kopf mit beiden Händen und drehte ihn ruckartig herum, brach ihm mit einer raschen Bewegung das Genick.

Er ließ die Leiche fallen, und Roosters Kopf mit dem hellroten Haarkamm sackte ihm in einem grotesken Winkel in den Schoß.

Dann drehte Nathan sich um und ging ruhig aus der vermüllten Absteige in die Nacht hinaus, um seine Mission fortzusetzen.

16

Sie waren schon über eine Stunde in der Stadt, aber bis jetzt war Rooster nirgends zu finden. Er war nicht in seiner Wohnung, und schon den ganzen Tag hatte ihn keine der kriminellen Gestalten gesehen, mit denen er meistens abhing und Drogen dealte oder unten in West Roxbury geklaute Elektronikartikel vertickte. Niemand hatte ihn gesehen oder von ihm gehört, seit er in der letzten Nacht mit ihnen unterwegs gewesen war.

Obwohl Kellan wusste, dass er Rooster an seiner Markenzeichen-Frisur sofort erkennen würde, hatte er nie direkten Kontakt mit ihm gehabt; für Informationsbeschaffung und Kontakte war immer Vince zuständig gewesen. Jetzt bedauerte er seinen Mangel an Verbindungen. Es wäre so viel einfacher gewesen, den Bastard zu finden, wenn er Rooster hätte anrufen können. Der hätte ihm schon geholfen, Vince zu lokalisieren, wenn ihm sein Leben lieb war. Allerdings war das keine gute Taktik, wenn er eine Mordanklage gegen sich vermeiden wollte.

Aber während Kellans Frustration sich unaufhaltsam zu tödlicher Wut auswuchs, ließ Mira sich von ihrem bisherigen Mangel an Erfolg nicht entmutigen. Sie preschte mit ihrer typischen störrischen Entschlossenheit voran und führte ihn in das alte Bostoner Stadtviertel North End, zu dem Club mit der illegalen Kampfarena, wo sie Rooster vor einigen Nächten zuletzt gesehen hatte.

»Wo wir schon hier in der Gegend sind«, sagte sie, als sich die Silhouette der einstigen neugotischen Kirche vor ihnen in den Nachthimmel erhob. »Es ist aber noch früh. Wenn er nicht irgendwo im Club ist, ist unsere zweitbeste Adresse ein Junkie, der sich Billy the Kid nennt. Er und Rooster saßen vor einer Weile mal wegen Drogendelikten zusammen im Knast. Soweit ich gehört habe, sind sie immer noch dicke Kumpels.«

Kellan grunzte, beeindruckt von ihr wie üblich, und viel zu leicht verfiel er wieder in den eingespielten Rhythmus als ihr Patrouillenpartner. Er musste sich daran erinnern, dass es sich hier nicht um eine Operation des Ordens handelte. Er war kein Mitglied des Ordens mehr, und Mira riskierte ihr Leben, einzig weil sie mit ihm zusammen war – nicht wegen der Gefährlichkeit ihres heutigen Vorhabens, sondern wegen der Person, die er war, der Person, zu der er in diesen letzten acht Jahren geworden war.

Glücklicherweise hatte er sich in dieser Zeit extrem bedeckt gehalten. Der Name Bowman fiel vielleicht gelegentlich in dunklen Hinterzimmern und Gassen, aber er konnte praktisch an einer Hand abzählen, wie viele Leute je sein Gesicht gesehen hatten, die meisten davon in der Basis in New Bedford. Und jetzt war einer von ihnen tot.

Schwere Bässe dröhnten, E-Gitarren kreischten, als Mira auf den Haupteingang des *LaNotte* zuging und die Tür öffnete. Kellan ging neben ihr und sah sich im Club genau um. Obwohl es hier für den frühen Abend voll war, hatten sich die meisten Gäste vor der fünfköpfigen Metal-Band versammelt, vor allem Jugendliche aus den Vorstädten und diverse Touristen. Die meisten waren Menschen, aber Kellan bemerkte auch drei junge Stammesvampire aus den Dunklen Häfen, die sich in einer gegenüberliegenden Ecke herumdrückten, eine Gruppe leicht bekleideter junger Frauen im Visier, die wild entschlossen wirkten, einen draufzumachen, und deren Tisch bereits voll leerer Gläser stand.

»Die Käfigkämpfe fangen erst gegen Mitternacht an«, sagte Mira zu Kellan und lehnte sich nah an ihn heran, um ihn über den Lärm im Raum nicht anschreien zu müssen. »Das ist nur zum Aufwärmen.«

Ihr Atem an seinem Ohr durchzuckte ihn wie eine Flamme, ungewollt, aber verdammt schwer zu ignorieren. Er widerstand nur knapp dem Drang, sie zu berühren, sein Kopf war plötzlich voller Bilder von ihr, nackt in seinem Bett, unter der Dusche … Aber dann packte Mira ihn am Unterarm und zog ihn in die Menge. »Komm. Rooster ist nicht hier. Gehen wir weiter.«

»Was ist los?«, fragte er und sah sich stirnrunzelnd zum Bereich hinter der Bar um, wohin sie eben noch geblickt hatte. Dort standen zwei Männer – einer von ihnen unverkennbar ein Stammesvampir. Sein langes blondes Haar war mit einem geflochtenen Lederband zurückgebunden, wodurch die Wangenknochen betont wurden, die besser an einer Frau ausgesehen hätten, wenn da nicht die mörderische Kälte seiner hellblauen Augen gewesen wäre. Er stand da, die muskulösen Oberarme vor der Brust verschränkt, und hörte dem anderen Mann zu, der ihm gegenüberstand, mit dem Rücken zu Mira und Kellan.

»Das ist Syn«, sagte sie und zeigte mit dem Kopf auf den riesigen Stammesvampir. »Einer unserer Neuzugänge im Orden. Und der andere, mit dem er redet …« Sie hob das Kinn und zeigte auf den ebenso großen, aber weniger massiv gebauten Mann in der schwarzen, mit glänzenden Schnallen und Stacheln gespickten Ledermontur. Sein silberblondes Haar war zu einem Schopf geschoren, der seinen Kopf krönte wie ein Strahlenkranz. Nicht, dass er auch nur entfernt etwas Engelhaftes an sich hatte. »… ist Cassian, ihm gehört der Laden hier. Die beiden sollten uns besser nicht sehen.«

Keiner der beiden Männer wirkte sonderlich zufrieden, sie waren weiter in ihr intensives Gespräch vertieft, als Mira Kellan zu einer dunklen Hintertreppe führte. Sie stiegen hinunter in das Kellergeschoss der alten Kirche und fanden sich in einem Gang, der nur von einigen trüben Glühbirnen erleuchtet wurde; alte Ziegelmauern und ausgetretene Steinplatten führten vor ihnen wie ein Tunnel in die Dunkelheit.

»Das war mal die Krypta«, informierte ihn Mira. »Heute sind hier unten die Garderoben der Kämpfer und die Arena.«

Kellan, der nie in einem der Clubs mit illegaler, vergitterter Kampfarena gewesen war, war absolut nicht begeistert, wie vertraut Mira mit ihnen schien. Der Drang, sie zu beschützen, stieg wie eine Woge in ihm auf, als er zusah, wie sich bei jedem leisen Schritt ihrer Kampfstiefel auf dem Steinboden ihre Hüften wiegten. Er wollte sie nicht in der Nähe gefährlicher Männer wissen, schon gar nicht gefährlicher Stammesvampire, die ihren Namen und ihr Vermögen damit machten, einander zum Amüsement von gewaltgeilen Menschen, die für das Spektakel Eintritt zahlten, in Fetzen zu reißen.

»Hey.« Er packte Miras Hand und brachte sie zum Anhalten. Zog sie näher an sich als nötig und wenn auch nur, um in dem kühlen, feuchten Korridor ihren warmen Körper zu spüren. »Wohin zum Teufel gehen wir?«

»Zu Rune.«

Jetzt war Kellan wütend. Er kannte diesen Namen, wusste, dass er einem Neuzugang der Bostoner Unterwelt gehörte, der sogar in den gefährlichsten Verbrecherkreisen der Stadt gefürchtet war. Genauer gesagt war Rune ein brutaler Vampirkämpfer mit dem Ruf, nie verloren zu haben. Es war allgemein bekannt, dass einige seiner Gegner im Käfig ihr Leben gelassen hatten.

»Scheiße, nein! Du gehst mir nicht in die Nähe dieses Typen.« Es war ein Befehl, der von reiner maskuliner Besitzgier motiviert war, und Kellan konnte sich einfach nicht bremsen. Genauso wenig konnte er seine Hände davon abhalten, Mira noch fester zu halten.

Miras angedeutetes Lächeln schien gleichermaßen erfreut

und genervt. »Ich bin ein großes Mädchen, Kellan. Ich kann auf mich aufpassen. Wir brauchen Informationen, und Rune könnte welche haben.« Sie stellte sich auf die Zehenspitzen und küsste ihn rasch. »Aber es gefällt mir irgendwie, wenn du zum knurrenden Beschützer mutierst.«

Sie wartete seine Antwort nicht ab, die ihm schon auf der Zunge lag, sondern drehte sich um und ging weiter den Korridor hinunter. Schließlich blieb sie vor einer ramponierten Tür ohne Aufschrift stehen. Sie hämmerte ein paarmal mit der Faust dagegen, und ihr Klopfen hallte in dem engen Gang wie eine Gewehrsalve.

»Verpiss dich«, kam die angespannte, gefauchte Antwort.

Mira klopfte wieder und sah zu Kellan hinüber, der eben neben ihr stehen blieb, die Kampfinstinkte in voller Alarmbereitschaft.

»Gottverdammte Scheiße.« Die Stimme war tief und heiser. Wieder ertönte ein drohendes Knurren hinter der Tür, dann näherten sich schwere, ungeduldige Schritte. Die alte Tür quietschte in den Angeln, als sie heftig aufgerissen wurde. Dann stand ein etwa eins neunzig großer, hundertfünfzig Kilo schwerer, wutschnaubender Vampir mit nacktem Oberkörper vor ihnen. »Welchen Teil von ›verpisst euch‹ versteht ihr nicht?«

»Ich brauche Informationen, Rune. Es ist wichtig«, antwortete Mira über das tiefe Knurren hinweg, das jetzt aus Kellans Kehle drang. Es war eine automatische Alpha-Reaktion auf die potenzielle Gefahr, die dieser tödliche Mann für die vor ihm stehende Stammesgefährtin darstellte.

Meine Stammesgefährtin, erklärten Kellans Instinkte.

Mit gesenktem Kinn starrte er den dunkelhaarigen Kämpfer an, eine stumme Warnung.

Aber Rune schien nicht darauf aus, ihn herauszufordern. Seine mitternachtsblauen Augen glitten nur kurz von Mira zu Kellan, und als er redete, war sein Ton ruppig und desinteressiert. »Ist nicht mein Job, anderen Informationen oder sonst was zu liefern. Schon gar nicht dem Orden.« Er wich zurück und wollte die Tür wieder schließen.

Mira drückte die Handfläche gegen die schartige Holztür, bevor Kellan sie zurückhalten konnte. »Wenn du mir helfen kannst«, wagte sie sich vor, unbeeindruckt von der knappen Abfuhr des Kämpfers, »verspreche ich dir, dass es sich für dich lohnen wird.«

In den schmalen dunklen Augen des Kämpfers blitzten Funken auf, und seine raue Stimme klang jetzt wirklich wütend. Das *Dermaglyphen*-Geflecht auf seiner Brust, das eben noch dunkel gewesen war, begann nun in drohenden Farben zu pulsieren. »Sehe ich für dich aus wie einer, der käuflich ist?«

»Die Lady bittet dich um Hilfe«, warf Kellan ein und schob sich subtil zwischen den offenen Türspalt und Mira, sodass sie hinter seiner Schulter stand. »Hilfst du ihr oder nicht?«

»Eine Lady, die?«, sinnierte Rune belustigt. »Ich habe sie mit ihren Dolchen in Aktion erlebt. Sie ist eine Frau, aber eine Lady ist sie keine. Und wer zum Teufel bist du?«

Kellan spürte, wie in seinen Augen bernsteinfarbene Funken aufblitzten und seine Pupillen sich zu katzenartigen Schlitzen verengten, als seine Wut in ihm aufbrandete. »Jemand, der dir den Kehlkopf rausschneidet, wenn du auch nur einen Finger gegen sie rührst.«

Rune starrte ihn an. »Glaube ich dir sofort, dass du das würdest. Oder es zumindest versuchen.« Die Worte waren eine offene Herausforderung, aber jetzt entspannte sich die grimmige Miene des riesigen Vampirs ein wenig. »Ich tue Frauen nichts. Nicht einmal solchen, die mit Dolchen bewaffnet zu meiner Wohnung kommen und mich in meiner Freizeit stören, bevor ich das nächste Arschloch im Ring zu einer blutigen Masse hämmern muss, und die dann vor mir stehen und meine Integrität beleidigen, indem sie andeuten, meine Hilfe wäre käuflich zu haben.«

»Bitte entschuldige, Rune«, sagte Mira hinter Kellans schützendem Körper hervor. »Lass uns doch rein, damit wir nicht an der Türschwelle reden müssen.«

Rune rührte sich nicht, aber hinter ihm erspähte Kellan eine plötzliche, schnelle Bewegung – es war noch eine weitere Person im Raum. Eine junge Frau, nur in ein Bettlaken aus schwarzem Satin gehüllt, mit einem Schleier von honigfarbenem Haar, das ihr Gesicht verdeckte, schlüpfte außer Sichtweite.

Jetzt konnte Kellan die Verärgerung des anderen Mannes über die Störung nachvollziehen. Runes blitzende Augen richteten sich auf ihn, als forderte er ihn heraus, die Anwesenheit der nackten jungen Frau zu kommentieren, die inzwischen in einem hinteren Raum des Privatquartiers des Kämpfers verschwunden war.

»Ich bin nicht derjenige, der hier reden will, also spuckt schon aus, was ihr zu sagen habt, und dann verschwindet. Ich hab zu tun und verschwende nicht gerne meine Zeit.«

Mira stieß einen kurzen Fluch aus. »Wir suchen Rooster. Es ist wichtig, dass wir ihn baldmöglichst finden.«

Rune machte die Lippen schmal. »Den kleinen Scheißer hast du immer noch im Visier, ja?«

»Hast du ihn gesehen?«, drängte sie.

Rune schüttelte vage den Kopf. »Nicht seit ein paar Nächten, als du dem Bastard mit deinen Dolchen fast die Arme abgeschnitten hast. Vor einem vollen Haus unten in der Arena, wohlgemerkt.«

Kellan kommentierte diese beunruhigende Neuigkeit nicht, warf aber Mira einen fragenden, um nicht zu sagen tadelnden Blick zu. Seine Missbilligung über eine so unverantwortliche Aktion konnte ihr nicht entgangen sein, aber sie sah ihm ohne jede Entschuldigung oder Reue in die streng blickenden Augen.

Rune zuckte mit den Schultern. »Wie auch immer, hab ihn seither nicht mehr gesehen. Hab gehört, JUSTIS hat ihn noch in derselben Nacht wieder laufen lassen und dich mit eingezogenem Schwanz zu deinem Boss zurückgeschickt. Hab gehört, du bist deswegen vom Orden suspendiert worden. Ich hatte ja gedacht, du bist jetzt zu Hause in Montreal und leckst deine Wunden.«

Jetzt erkannte Kellan, dass die Neuigkeit von Jeremy Ackmeyers Entführung und Miras unbeabsichtigter Beteiligung noch nicht die Runde in der Stadt gemacht hatte. Nicht einmal ein zwielichtiger Typ wie Rune wusste davon, dass Rebellen einen berühmten Wissenschaftler entführt hatten, der unter dem Schutz des Ordens stand.

Was bedeutete, dass Lucan vermutlich eine Nachrichtensperre über seine Krieger verhängt hatte.

Und das bedeutete nichts Gutes für Kellan oder sein Team.

Denn wenn Lucan und der Orden Ackmeyers und Miras Entführung noch geheim hielten, musste das bedeuten, dass bereits eine verdeckte Operation im Gange war. Dass mit Sicherheit eine Todesschwadron mit dem Auftrag unterwegs war, alle zu töten, die sich ihr in den Weg stellten.

Kellan war lange genug Mitglied des Ordens gewesen um zu wissen, dass Lucan Thorne nicht lange fackelte, besonders nach einem Angriff auf seine eigenen Leute. Ackmeyer als Geisel zu nehmen und möglicherweise den fragilen Frieden beim GN-Gipfel zu gefährden, war schlimm genug. Aber dass Kellan auch Mira entführt hatte, war ein Vergehen, das Lucan nicht vergeben würde.

Genauso wenig Nikolai und Renata, Miras Adoptiveltern.

Oder Nathan, der sowohl Kellans als auch Miras bester Freund und Bruder gewesen war, seit sie alle Kinder gewesen waren.

Und auch nicht die übrigen Krieger und ihre Gefährtinnen,

einschließlich Lazaro Archer, der Kellan dafür verachten würde, dass er wie ein Feigling verschwunden war, nur um fast zehn Jahre später als Schurke wieder aufzutauchen.

Scheiße. Sogar das optimistischste Szenario versprach keinen guten Ausgang der Geschichte, unabhängig davon, ob er und Mira heute Nacht Erfolg damit haben würden, Vince aufzuspüren und Ackmeyer in Sicherheit zu bringen.

Offenbar hatte Mira die ganze Bedeutung von Runes Eröffnung noch nicht erfasst. Sie spähte um Kellan herum und sah den anderen Stammesvampir mit gerunzelter Stirn an. »Wer hat dir erzählt, dass Lucan mich verwarnt hat? Wo hast du gehört, dass man mich von der Patrouille suspendiert hat?«

»Ist das so wichtig?«, antwortete Rune mit einem Achselzucken. »Die meisten, die ich hier zu Gesicht kriege, haben für den Orden nichts übrig, und die Leute reden. Ich hätte es überall hören können.«

»Nun, was immer du gehört hast«, sagte sie, »jetzt bin ich hier. Und ich brauche deine Hilfe, um Rooster zu finden. Es ist mir ernst, Rune, ich muss mit ihm reden. Wenn du ihn also heute Nacht hier siehst, musst du ihn irgendwie für mich festhalten, bis ich zurückkomme. Ich würde dich nicht darum bitten, wenn ich jemand anderen hätte, der mir weiterhelfen könnte.«

Er überlegte lange. »Ich tue niemandem einen Gefallen. Und schon gar nicht, weil ich dafür bezahlt werden will.«

»Dann tu es, weil es wichtig ist«, drängte Mira. »Und das ist es, Rune. Ich will dich nicht anlügen, es geht um Leben und Tod.«

»Von wessen Leben reden wir hier?«

Sie sah Kellan nicht an, aber er spürte, wie ihr Körper sich neben ihm anspannte. »Ist das so wichtig?«, fragte sie mit den gleichen Worten wie der Kämpfer vorhin.

»Vielleicht«, sagte er. »Vielleicht aber auch nicht.«

»Ich muss mit Rooster reden, je eher desto besser«, sagte Mira zu ihm. »Und niemand darf wissen, dass ich ihn suche. Niemand.«

Rune durchbohrte sie mit seinem Blick, dann warf er Kellan einen argwöhnischen Seitenblick zu. »Was ist mit dem Orden?«

»Wirklich niemand«, erklärte Mira entschieden.

Jetzt dauerte es lange, bis der bedrohliche Kämpfer antwortete. Und dann tat er es mit einem kurzen, zustimmenden Nicken. Gleichzeitig machte er wieder Anstalten, die Tür vor ihnen zu schließen, dieses Mal tatsächlich. »Wenn das alles ist, ich habe jetzt Wichtigeres zu tun.«

Das scharfe Klicken des Türschlosses markierte seinen endgültigen Abgang, und Kellan und Mira standen wieder allein im Korridor.

»Machen wir, dass wir hier rauskommen«, sagte Kellan und nahm sie bei der Hand, um mit ihr zurück zur Treppe und wieder hinauf in den Club zu gehen.

Kaum waren sie oben und gingen durch die laute Menge auf den Ausgang zu, als hinter ihnen eine tiefe Stimme ertönte. »Ich dachte, du hättest meine Nachricht bekommen vor ein paar Nächten, als du hier warst und Ärger gemacht hast, Kriegerin.«

Kellan und Mira blieben stehen, dann drehten sie sich gemeinsam zu Cassian um, dem Eigentümer des *LaNotte*. Seine Augen hatten die Farbe von Turmalin, gerissen und habichtartig unter seinen dunklen Brauen und dem kurz geschorenen weißblonden Haarschopf. Hochgewachsen und massig gebaut stand er da, die Arme vor seiner Brust in der Lederjacke gebieterisch verschränkt.

»Falls hier irgendwelche Zweifel bestehen, du bist in meinem Club nicht willkommen.« Sein Mund war zu einem Lächeln gekräuselt, das fast schon obszön wirkte. »Oder bist du mit deinem Freund hier, um dich unters gemeine Volk zu mischen?«

Er sah Kellan dabei nicht an, doch dessen Nackenhaare sträubten sich allein schon beim Anblick dieses Typen. Sein Körper spannte sich an, und er packte Miras Hand fester.

»Wir wollten gerade gehen«, antwortete sie.

»Wen hast du dabei?«, fragte Cassian jetzt. »Neuer Rekrut?«

Kellan senkte den Kopf, als der Mann auf sie zuschlenderte. Er bewegte sich mit pantherartiger Geschmeidigkeit, die seinen massigen Körper Lügen strafte. Cassians hellgrüne Augen durchbohrten Kellan. »Dich kenne ich doch.«

»Kann ich mir nicht vorstellen«, knurrte Kellan, sicher, dass er den Normalsterblichen nie zuvor getroffen hatte. An diese Arroganz und die unterschwellige Bedrohlichkeit, die er ausstrahlte, hätte er sich erinnert.

Der weißblonde Haarschopf wirkte unter den wirbelnden bunten Lichtern der Bühne hinter ihnen wie Eis. Ein riesiger Faceboard-Monitor auf der gegenüberliegenden Wand zeigte eben Livebilder eines blutigen Boxkampfes von zwei Menschen, zweifellos als Einstimmung für die echten Kämpfe, die später im Keller des Clubs stattfinden würden. Die Bilder des Monitors tauchten Cassians kantiges Gesicht in ein dramatisches Spiel von Licht und Schatten. »Ja«, sagte er langsam, fast mit einem Zischen. »Ist schon ein paar Jahre her, aber ich hab dich definitiv schon mal gesehen.«

Kellan ließ Miras Hand los und ballte unwillkürlich die Fäuste. »Und ich sagte, du irrst dich.«

»Gehen wir.« Mira nahm mit beiden Händen seinen Arm, als wollte sie ihn notfalls von der Konfrontation mit dem Eigentümer des *LaNotte* wegzerren.

Cassian kicherte. »Sie mag dich. Will dich beschützen. Ist ja interessant. Hatte schon gedacht, sie wäre andersrum … übrigens auch eine interessante Vorstellung.«

Der Mann war so unklug, einen Schritt auf Mira zuzugehen,

und Kellans Hand schoss vor wie eine Viper und blockierte ihm den Weg. Die Brust, die sich gegen seine Handfläche drückte, war steinhart, völlig unnachgiebig. Und während Cassians Augen wie aus Eis wirkten, war sein Körper unter der Ledermontur heiß wie glühende Kohlen und strahlte eine Energie aus, die Kellan kaum mit ihm in Einklang bringen konnte.

Als er den Mann festhielt, ihn körperlich daran hinderte, zu nah an Mira heranzukommen, erwachte Kellans übersinnliche Gabe in ihm. Sie griff durch seine Hand nach Cassian, suchte in ihm nach seinen wahren Absichten.

Und fand nichts.

Der Mann war völlig undurchschaubar.

Wie zum Teufel war das möglich?

Cassian hielt seinen Blick eine Sekunde länger, als Kellan lieb war, dann trat er einfach zur Seite und stapfte auf die Bar zu, wo eine Gruppe angetrunkener, hübscher junger Frauen Mühe hatten, sich auf High Heels aufrecht zu halten.

Kellan versuchte immer noch zu verarbeiten, was er gerade erfahren hatte, und war überrascht, dass Mira gar nichts zu Cassians plötzlichem Desinteresse an ihnen gesagt hatte.

Aber Mira sah den Mann nicht mehr an.

Sie starrte gebannt auf den Faceboard-Monitor am anderen Ende des Raumes. Kellan folgte ihrem Blick, und schlagartig wich alles Blut aus seinem Kopf.

Der Monitor zeigte nicht mehr den Boxkampf. Jetzt brachte er eine Eilmeldung des JUSTIS-Ministeriums, kaum zu hören über den Lärm der Menge und der Band, die immer noch auf der Bühne zugange war. Aber der Nachrichtenticker am unteren Rand des riesigen Bildschirms sagte Kellan alles, was er wissen musste.

+++ Laborexplosion im Westen von Massachusetts heute +++ bekannter Wissenschaftler Jeremy Ackmeyer umgekommen +++

zweite Leiche am Fundort identifiziert als ehemaliger Häftling
Vincent DeSalvo mit bekannten Verbindungen zu Milizen und
Rebellenorganisationen im Großraum Boston +++

Der Rat der Globalen Nationen fordert umfangreiche Er-
mittlungen und spricht von Verschwörung und vorsätzlichem
Mord ...

»Kellan«, murmelte Mira, ihr Körper war erstarrt, wie fest-
gefroren, sogar noch, als er ihre Hand nahm. »Oh Gott, Kellan ...
Jeremy Ackmeyer ist tot.«

17

Vor wenigen Stunden war die Nachricht vom Tod Jeremy Ackmeyers durch die Hand von Rebellen um die Welt gegangen. Die düstere Stimmung im Hauptquartier des Ordens in Washington hatte sich seither nicht gerade verbessert. Lucan Thorne, als Anführer des Ordens und als faktisches Oberhaupt des gesamten Stammes, war in noch trübere Gedanken versunken als die übrigen Versammelten.

Es war nach Mitternacht, und inzwischen waren die meisten Stammesältesten, die in den USA lebten, mit ihren Gefährtinnen anwesend. Sie versammelten sich im Salon der Villa, die nur ein paar Kilometer vom GN-Hauptquartier am National Mall entfernt lag. Es war ein seltsamer Anblick: ein halbes Dutzend jahrhundertealte, tödliche Stammeskrieger, die eher an Kampfanzüge und modernste Waffentechnik gewöhnt waren, saßen auf vornehmen, samtbezogenen Sofas und zierlichen neoklassizistischen Sesseln.

Die überbordenden Jugendstilmöbel entsprachen nicht unbedingt Lucans Geschmack, doch sie machten seine Gefährtin glücklich, und so hatte er ihr bei der Einrichtung freie Hand gegeben. Gabrielle hatte darauf bestanden, dass die Architektur der Villa authentisch erhalten wurde. Dazu gehörten auch ein kleines Vermögen an Kunstwerken aus dem 18. Jahrhundert und asiatisches Porzellan, das der ursprüngliche Besitzer, ein ehemaliger Botschafter der Vereinigten Staaten, Anfang des 20. Jahrhunderts geschenkt bekommen hatte.

Einen großen englischen Wandteppich aus dem 17. Jahrhundert – eine Darstellung Alexander des Großen – hatte sie allerdings durch einen viel älteren Gobelin ersetzen lassen. Dieser, so Gabrielle, stellte einen Helden dar, den sie viel lieber jeden Tag zu Gesicht bekam.

Der mittelalterliche Gobelin hatte früher in Lucans Räumen im Hauptquartier des Ordens in Boston gehangen. Als er nun davor auf und ab schritt, konnte er förmlich spüren, wie sein handgewebtes Ebenbild ihn von den wollenen Fäden des Teppichs herunter missbilligend anstarrte. Gabrielle, Gideon mit seiner Gefährtin Savannah, Brock, Jenna und all die anderen saßen schon seit Minuten schweigend im Salon, während er mit seinen Stiefeln bald eine Spur in den kostbaren Perserteppich gelaufen hatte.

Rio und seine Gefährtin Dylan waren vor knapp einer Stunde aus dem Ordensstützpunkt in Chicago gekommen. Der spanische Krieger mit dem vernarbten Gesicht, der sonst immer ein lässiges Gebaren an den Tag legte, saß vornübergebeugt auf seinem Sessel. Mit den Ellbogen stützte er sich auf die Knie, seine topasblauen Augen funkelten.

Auch Tegan und Elise waren erst vor Kurzem aus New York gekommen, wo Tegan den Stützpunkt kommandierte. Der Gen Eins mit der goldgelben Mähne war eines der Gründungsmitglieder des Ordens – doch erst seit den letzten zwanzig Jahren gehörte er zu Lucans engstem Freundeskreis. Tegan und Elise hatten ihre eigenen Probleme, vor allem wegen ihres einundzwanzigjährigen Sohnes, Micah. Er hatte gerade erst seine Ausbildung zum Krieger beendet und war mit seinem Team sofort in einer Geheimoperation eingesetzt worden, die ihn bis nach Budapest verschlagen hatte.

Elise war offensichtlich in großer Sorge, weil sie ihr einzig überlebendes Kind gerne in ihrer Nähe wissen wollte. Aber Micah kam ganz nach seinem Vater, und Lucan wusste genauso gut wie jeder andere hier, dass sie, wenn sie zu sehr klammerten, nur riskierten, dass es zu einem endgültigen Bruch kam. Lucan sah das jeden Tag an seinem eigenen Sohn. Sogar jetzt, trotz der viel drängenderen Probleme, mit denen er sich am heutigen Abend herumschlagen musste, lastete diese Sorge auf ihm.

Unter den Mitgliedern, die noch im Hauptquartier erwartet wurden, waren Hunter und Corinne, die in ein paar Stunden aus New Orleans kommen würden. Dante und Tess, die jetzt den Stützpunkt des Ordens in Seattle leiteten, würden morgen Nacht zu ihnen stoßen. Auch Kade und Alex, die die Kommandozentrale am Lake Tahoe befehligten, wollten erst morgen Nacht eintreffen. Angesichts der Ereignisse in Boston blieben Chase und Tavia noch bis zum Ende der Festveranstaltung des Gipfeltreffens dort, dann würden auch sie in die Villa kommen.

Auf der anderen Seite des eleganten Raumes stieß Nikolai einen leisen Fluch aus. Es klang mehr wie ein bösartiges Zischen, als er sich von seiner schwangeren Gefährtin löste, den blonden Kopf herumriss und Lucan mit eisigblauen Augen ins Visier nahm. »Gibt es irgendwelche neuen Informationen über diese Rebellenschweine und wo sie sich versteckt halten?«

»Nathans Anruf heute Abend ist der letzte Stand der Dinge«, erwiderte Lucan ernst. »Bis jetzt hat er leider noch keinen anderen Hinweis, als dass einer der Rebellen aus seiner Gruppe ausgeschert ist und Ackmeyer mitgenommen hat, um Lösegeld zu erpressen. Wir alle wissen, wie das geendet hat.«

Niko knurrte. »Und wir wissen nichts von Mira. Weder ihren Aufenthaltsort noch was sie mit ihr vorhaben. Nicht einmal, ob sie vielleicht schon …«

Der in Sibirien geborene, kampferprobte Krieger konnte das Ende des Satzes nicht über die Lippen bringen, und das allein zeigte Lucan, wie tief besorgt Niko um Mira war. Bei Renata war es genauso. Die sonst so knallharte Frau, die sie in den letzten zwanzig Jahren als hocheffektives Mitglied der Kampfeinsätze des Ordens schätzen gelernt hatten, war gegen ihren Gefährten gesunken. Das pechschwarze Haar fiel ihr in die Stirn, doch die Sorgenfalten in ihrem Gesicht überdeckten die Strähnen nicht. Ihre Hände, die Hände einer skrupellosen Killerin, lagen zitternd auf ihrem Bauch, in dem ihr ungeborenes Kind heranwuchs.

»Wir wissen noch nicht mehr, aber das wird sich bald ändern«, sagte Lucan zu den beiden. »Wir werden sie sicher und gesund zurückholen, das verspreche ich euch.«

Er dachte an den Befehl, den er Nathan gegeben hatte: Mira und den Menschen zu finden und ihre Entführer so unauffällig und leise wie möglich aus dem Weg zu räumen. Nathans Fähigkeiten standen außer Frage, und er war zweifellos der Richtige für den Auftrag gewesen, doch die Explosion in dem Labor und der Tod von Jeremy Ackmeyer hatten das Ziel seiner Mission in der Luft zerfetzt, und das war wörtlich zu verstehen.

Und die Folgen dieses katastrophalen Ereignisses zogen neue und größere Probleme nach sich.

Seit vor wenigen Stunden die Nachricht vom Tod des berühmten Wissenschaftlers bekannt geworden war, waren sehr schnell öffentliche Stimmen laut geworden, die vehement forderten, dass die Schuldigen schwer bestraft werden sollten. Diese Stimmen waren umso besorgniserregender, als Berichte publik wurden, nach denen nicht nur die Rebellen verantwortlich waren, sondern auch der Orden zumindest teilweise in die Entführung und den nachfolgenden Mord an Ackmeyer verwickelt gewesen war.

Lucan war immer noch stinksauer auf den Onkel Ackmeyers, Charles Benson, den Vorsitzenden des Rates der Globalen Nationen. Benson hatte sich sofort an Polizei und Presse gewandt und dort berichtet, dass der Orden beauftragt worden war, den Zivilisten zu schützen. Bei einem simplen Begleitschutz zur Festveranstaltung des Friedenstreffens, so Benson, habe der Orden offensichtlich auf voller Linie versagt.

Die sowieso schon besorgte normalsterbliche Öffentlichkeit reagierte auf diese Nachricht mit paranoiden Verdächtigungen. Ein paar besonders hasserfüllte Untergangspropheten warnten, dass dieses Versagen des Ordens nur bestätigte, was sie schon die ganze Zeit predigten: Den Stammesvampiren, und insbesondere dem Orden, war nicht zu trauen, denn die Vampire scherten sich einen Dreck um das Leben der Menschen.

Die Schlimmsten unter ihnen verkündeten lauthals allen, die es hören wollten, dass ein Friede niemals möglich sei, solange die Menschheit mit solch unmenschlichen Monstern zusammenleben musste.

Daraufhin setzte eine Massenpanik ein, die sich schnell immer weiter ausbreitete. Die Aufstände in Boston griffen schon auf andere Städte über. Innerhalb weniger Stunden hatten sich Dutzende von neuen Demonstranten zu denen gesellt, die sich sowieso immer vor dem Hauptquartier des Ordens in Washington herumtrieben. Und als ob die Unruhen unter der Zivilbevölkerung nicht schon schlimm genug wären, nutzten weltweit militante Gruppen den Angriff auf Ackmeyers Labor durch vermeintliche Rebellen als Aufruf zu Zerstörung und Plünderungen. Auf der ganzen Welt wurden Regierungen angeklagt, sie hätten sich viel zu schnell der Macht und den Wünschen des Ordens und der übrigen Stammesvampire gebeugt.

Die Lage war, um es mit einem Wort zu sagen, chaotisch.

Und Lucan und der Orden standen direkt im Zentrum des Feuers.

»Wir sollten kurzen Prozess machen mit diesem Quatsch da draußen«, knurrte Lucan. Der beständige Lärm, den die

Demonstranten vor den Toren des Anwesens veranstalteten, machte ihn wütend. »Wir sollten alle zurück zu unseren lokalen Stützpunkten. Für den Fall, dass es nicht bei ärgerlichen Provokationen bleibt wegen der Nachricht heute Abend, sondern die totale Anarchie unter den Normalsterblichen ausbricht.«

»Vielleicht«, sagte Gideon, »ist es aber auch viel wichtiger, dass wir öffentlich hinter dem Rat der Globalen Nationen stehen. Wir müssen der menschlichen Öffentlichkeit beweisen, dass ihre Panik grundlos ist und dass der Orden auf ihrer Seite steht. Wir müssen der Welt zeigen, dass uns am Frieden zwischen den Arten gelegen ist und dass die Menschen sich auf uns als Verbündete verlassen können.«

Gabrielle und ein paar andere nickten und stimmten Gideon leise murmelnd zu. Lucan wusste, dass sie wahrscheinlich recht hatten, doch im Moment fiel es ihm nicht leicht, den Teil in sich zurückzuhalten, der aus der tiefen Vergangenheit kam und sich nie um die Meinungen von anderen gekümmert hatte. Über Jahrhunderte hinweg hatte er als Anführer des Stammes die Gesetze und Regeln selbst gemacht und sie, wenn nötig, mit absoluter Gewalt durchgesetzt.

Ihm war gerade überhaupt nicht danach, dass er auf dem Friedensgipfel öffentlich in einer Gruppe auftreten sollte, nur um die Solidarität des Ordens mit dem Rat der Globalen Nationen zu demonstrieren. Vor allem nicht angesichts der Tatsache, dass der GN den Orden offensichtlich nur allzu gerne zum Abschuss freigegeben hatte. Und Solidarität mit den Menschen wollte Lucan schon gar nicht demonstrieren. Die meisten von ihnen würden den Stamm nie als etwas anderes sehen als blutsaugende Kreaturen, die nur darauf warteten, dass sie ihnen die Kehlen herausreißen konnten.

Lucan war nie ein großer Diplomat gewesen, und an diesem Abend war er noch ungeduldiger als sonst. Doch er hielt die Aggression zurück, die in ihm wütete, und wandte sich an Gideon. »Hast du etwas über diesen Namen gefunden, den uns Nathan genannt hat – dieses Rebellenschwein, Bowman?«

»Bis jetzt nichts«, erwiderte Gideon. »Dieser Bowman hat seine Weste weiß gehalten, so viel steht fest. Ich habe alles nach dem Kerl durchwühlt – Vorstrafenregister, Festnahmeprotokolle ... aber es gibt nirgends Daten und Fakten über ihn. Er ist wie ein Geist.«

Renata hob den Kopf, und ihre jadegrünen Augen blitzten vor Wut. »Während ihr nach irgendwelchen Daten sucht, hat dieser Kerl mein Kind in seiner Gewalt. Wenn er Mira auch nur ein Härchen gekrümmt – wenn er sie ... angefasst hat ... Ich schneide ihm persönlich die Eier ab.«

»Nur wenn ich den Hurensohn nicht vor dir erwische, Kleines«, sagte Nico. Seine Stimme klang zärtlich, doch in seinen Augen brannte bernsteingelb die Wut.

Als Nächster sprach Rio. »Ich schlage vor, wir beide nehmen unsere Waffen und gehen nach Boston, mein Freund. Wir jagen diesen Bowman und seine Ratten, und wenn wir ihn haben, dann servieren wir ihnen eine Ladung Kugeln und Stahl.«

Auch Lucan spürte, wie sich in ihm kalte Wut sammelte und er am liebsten diesen Feind, der eine von ihnen, eine aus dem Orden entführt hatte, persönlich einen Kopf kürzer machen wollte. Dass dieser Bowman dazu noch Ackmeyers Entführung und Tod geplant, weltweite Aufstände ausgelöst und den Friedensgipfel gefährdet hatte – all das ließ Lucans Blut nur noch kälter durch seine Adern fließen.

Als er noch darüber nachdachte, welche Art von Rache er an dem unbekannten Rebellenführer nehmen würde, brummte das Kommunikationsgerät in seiner Hosentasche. Wer rief ihn jetzt an?, fragte er sich genervt, dann warf er einen Blick auf den Touchscreen und stieß einen Fluch aus.

»Verdammte Scheiße«, knurrte er. »Schlimm genug, dass ich mich schon den ganzen Abend mit Ratsmitgliedern, JUSTIS-Beamten und der Presse herumschlagen darf, jetzt habe ich auch noch diesen Angeber Reginald Crowe in der Leitung, der mir mit seinem Gequatsche das Ohr abkauen will.«

Wie ein Hund, der sein Revier markiert, hatte der arrogante Magnat bei jeder sich nur bietenden Gelegenheit seinen Anteil am Zustandekommen des Gipfels herausgestrichen. Anscheinend genügte es Crowe nicht, dass er als Gastgeber der exklusiven Festveranstaltung auftreten durfte. Vor Kurzem hatte er auch noch angekündigt, dass er anlässlich der Ersten Morgendämmerung und des Friedensgipfels eine Statue stiften wolle. Die Statue, ein Geschenk an den Rat der Globalen Nationen, sollte während der Versammlung im Hauptquartier enthüllt werden. Angesichts von Crowes überhöhtem Selbstwertgefühl würde es Lucan nicht weiter verwundern, wenn es sich bei dem Kunstwerk um eine lebensgroße Statue von Crowe selbst handelte.

Er ignorierte den Anruf, stellte das Gerät auf stumm und steckte es zurück in seine Hosentasche, einen weiteren deftigen Fluch ausstoßend.

Keinen Augenblick später erschien Darion in der offenen Flügeltür des Salons. Ein Blick in das ernste Gesicht des jungen Kriegers, und Lucan wusste, dass die schlechten Nachrichten der Nacht noch nicht vorbei waren.

»Was gibt's, Darion?«

»Es geht um den Vorsitzenden Benson.« Die kaum unterdrückte Empörung in der tiefen Stimme seines Sohnes war nicht zu überhören. »Er hat es gerade öffentlich bekannt gegeben, die Nachricht läuft schon auf allen Sendern. Crowe Enterprises hat dem Rat der Globalen Nationen für das Gipfeltreffen einen privaten Sicherheitsdienst angeboten, und der Rat hat das Angebot angenommen. Laut Benson verstärkt Crowes Team die Anstrengungen des Ordens und übernimmt die gesamte Sicherheit. Und zwar ab sofort.«

Einige Stammesgefährtinnen schnappten nach Luft, während die übrigen Krieger im Salon um einiges lautstärker auf die Nachricht reagierten.

Lucan brummte nur.»Das werden wir noch sehen.« Er nahm die vollkommen lächerliche Entwicklung der Dinge mit einem stoischen Gesichtsausdruck zur Kenntnis, doch innerlich kochte er. Seine ganze Verachtung konzentrierte sich auf das unbekannte Gesicht des Rebellenführers, der für dieses ganze Fiasko verantwortlich war.

Lucan griff nach seinem Kommunikationsgerät und drückte Nathans Nummer.»Komm sofort zum Stützpunkt zurück, und warte dort auf weitere Befehle. Dein Tötungsauftrag wird in eine groß angelegte Mission umgewandelt. Wir setzen so viele Teams ein, wie nötig sind, um diesen Bowman zu finden und Mira heimzubringen. Er und seine Rebellen müssen ausgeschaltet werden, möglichst vor den Augen der Öffentlichkeit. Und wenn ich ausgeschaltet sage, dann meine ich für immer.«

Kellan saß auf den kühlen, mondbeschienen Grassoden, die den Steinhügel des Bunkers an der Küste bedeckten. Er und Mira waren schon seit ein paar Stunden zurück im Rebellenlager, nachdem die Nachricht von Jeremy Ackmeyers Tod bekannt geworden war und die Reaktionen in der Stadt ziemlich rasch gewalttätig wurden. Er hatte Mira schnell weg von den aufgebrachten, explosiven Massen bringen wollen, aber Kellan war zudem mehr als nur ein bisschen besorgt wegen der Aussicht, dass eine Todesschwadron des Ordens, die es auf ihn abgesehen hatte, sekündlich näher kam.

Auch wenn er in all den Jahren sehr vorsichtig gewesen war, würde doch früher oder später jemand den Namen Bowman fallen lassen und den Weg in Richtung Basislager bei New Bedford weisen. Und wenn dieser Moment kam, dann wollte Kellan sich ihm alleine stellen. Mira und sein Team – seine Freunde – durften bei dieser Auseinandersetzung nicht als Kollateralschaden enden.

Dass Cassian aus dem *LaNotte* ihn von irgendwoher kannte, machte Kellan nur noch nervöser. Er war sich ziemlich sicher, dass der Mann ihnen gefährlich werden konnte, einmal ganz abgesehen von der Tatsache, dass der Clubbesitzer ihm nichts von sich preisgegeben hatte, trotz Kellans übersinnlicher Gabe. Oder vielleicht war er sogar noch gefährlicher, weil er so undurchschaubar war.

Kellan hatte noch nicht viel Zeit gehabt, um sich Gedanken darüber zu machen, was sein Treffen mit Cassian auf lange Sicht gesehen für Folgen haben könnte. Viel drängender war seine Sorge um Mira und die fünf Menschen, die sich darauf verließen, dass er sie beschützte. Dabei hatte er sich nie weniger in der Lage gefühlt, einen sicheren Kurs durch die immer schneller steigenden Fluten der Zerstörung zu finden.

Als er mit Mira ins Lager gekommen war, hatte er dem Team von der Explosion in dem Labor erzählt, bei der Vince und Ackmeyer ums Leben gekommen waren. Und er hatte ihnen von den öffentlichen Unruhen berichtet, die der Tod des Wissenschaftlers ausgelöst hatte. Dann hatte Kellan zusammen mit Doc und Nina den Toten begraben, während Mira draußen Candice bei der Vorbereitung für die Trauerfeier half. Chaz' Grab auf dem Gelände des alten Bunkers roch nach frisch umgegrabener Erde, vermischt mit dem feuchten Geruch von Salz und Meer, der aus der Bucht herüberwehte zu der Stelle, wo Kellan Nachtwache hielt.

Von seinem Posten auf der breiten Landzunge, auf der das aufgegebene Fort und die Geschützbatterien lagen, starrte

Kellan hinüber zu den Lichtern Bostons, die in weiter Ferne schimmerten. Der Bunker war während des Bürgerkriegs der Menschen als militärisches Bollwerk erbaut worden und hatte danach fast zwei Jahrhunderte überdauert. Doch nun kam er Kellan ausgeliefert und schutzlos vor. In der Dunkelheit konnte jeden Moment der Orden zuschlagen. Und während des Tages war das Lager ein leichtes Ziel für Überfälle von schießwütigen JUSTIS-Beamten.

Kellan wusste nicht, wie spät es war – sicher schon früher Morgen. Aber es war noch dunkel, und so wartete er. Und hielt Wache. Er bereitete sich vor auf das, was er tun musste, um Mira und sein Team in Sicherheit zu bringen.

»Hey.« Ihre weiche Stimme ließ ihn zusammenfahren, als sie leise den Hügel hochkletterte und sich neben ihn setzte. »Alle schlafen. Willst du überhaupt noch mal reinkommen?«

»Bald.« Er streckte den Arm aus, und sie kuschelte sich an ihn. Ihr Körper schmiegte sich wie von selbst an seine Seite, ihr blonder Kopf fiel leicht gegen seine Brust. Ihre Haare glänzten wie Seide und dufteten, weil sie gerade geduscht hatte. Er legte ihr den Arm um die Schultern und schloss die Augen. Wie gut es sich anfühlte, sie einfach nur unter dem Sternenhimmel in den Armen zu halten. Er drückte einen Kuss auf ihren Scheitel. »Du warst eine große Hilfe heute Abend, wie du Candices Wunde versorgt hast und bei der Begräbnisfeier für Chaz ... wenn man es als Feier bezeichnen kann.«

»Ich habe nur getan, was getan werden musste«, sagte sie mit leiser Stimme. »Und was das Begräbnis deines Freundes betrifft, ihr alle habt ihm einen wundervollen Abschied bereitet. Einfach, aber von Herzen. Du hast ihm Ehre getan, Kellan.«

Diese rituelle Redewendung wurde sonst nur in den feierlichsten Zeremonien des Stammes verwendet, und dass Mira sie jetzt aussprach, berührte ihn auf eine Weise, für die er keine

Worte fand. Stattdessen hob er ihr Kinn mit seiner Hand und küsste sie. Nicht gierig und wild, wie ihre Küsse waren, seit Mira vor ein paar Tagen zurück in sein Leben gekommen war, sondern zärtlich und fürsorglich. Es war ein Kuss, in dem seine Dankbarkeit lag und sein tiefer Respekt und … ja, und seine Liebe.

Er liebte diese Frau.

Seine Frau.

Er hatte sie immer geliebt, fast sein ganzes Leben lang. Das Gefühl hatte nie nachgelassen, auch nicht in all den Jahren, in denen sie getrennt voneinander waren. Und jetzt spürte er die Macht dieses Gefühls, dass Mira wieder bei ihm war, wieder Teil seiner Welt, seines Herzens war – und er wusste nicht, wie er jemals die Kraft aufbringen sollte, sie noch einmal zu verlassen.

Doch er musste es tun.

Schon bald, auch wenn er es nicht wahrhaben wollte.

Auch diesen Kuss wollte er nie enden lassen, doch Mira zog sanft ihren Mund weg. Der Blick in ihren violett gefärbten Augen war weich, doch es lag eine ruhige Entschlossenheit darin, die Kellan nicht entging, als sie den Kopf hob und ihn anschaute.

»Wir finden einen Weg, wie wir aus diesem Schlamassel wieder herauskommen«, erklärte sie. Ihre Stimme klang gefasst, ganz so, als würde sie in den Kampf gehen. »Was heute Abend mit Jeremy Ackmeyer geschehen ist – «

»Es ändert alles, Maus.« Er strich ihr über den entschlossen vorgeschobenen Unterkiefer, dann atmete er aus und schüttelte langsam den Kopf. »Nein, das stimmt nicht. Nichts ändert sich dadurch. Ein unschuldiger Mensch ist heute Abend gestorben. Er wurde ermordet, genau wie in deiner Vision.«

»Ja, aber nicht von dir, Kellan. Du hast Ackmeyer nicht getötet.«

Ihm entfuhr ein höhnisches Knurren, leise, aber scharf. »Nicht? Wäre er jetzt tot, wenn ich ihn nicht entführt hätte?

Mein Befehl, dass wir uns Ackmeyer schnappen, hat doch diese ganze Sache erst in Gang gesetzt. Ich bin verantwortlich für seinen Tod, und zwar nicht weniger als diejenigen, die das Labor mit ihm und Vince in die Luft gejagt haben.«

»Aber du hast es nicht getan.« Er hörte, wie ihre Entschlossenheit in Verzweiflung umkippte. »Du hast Ackmeyer nicht ermordet, Kellan, und das musst du dem Orden sagen. Sie müssen erfahren, was genau passiert ist. Und zwar bald, bevor alles noch viel gefährlicher wird.«

Eine Strähne ihres blonden Haars hatte sich im Nachtwind gelöst, und er strich sie glatt. »Du hast recht.«

»Hab ich das?« Sie schluckte und wurde mit einem Mal ganz still in seiner Umarmung. »Du meinst … du stimmst mir zu? Du kommst mit mir und erklärst Lucan alles?«

»Ich gehe zu ihm, Mira, ja.«

Mit einem leisen Freudenruf schlang sie die Arme um ihn und hielt ihn fest, während sie ihr Gesicht an seine Brust presste, genau an die Stelle, wo sein Herz vor Kummer laut zu klopfen begann. »Alles wird gut für uns werden, Kellan, das weiß ich. Und es ist der einzige Weg – «

»Maus«, sagte er leise und zog sie hoch, damit sie ihm ins Gesicht sehen konnte. Sie musste verstehen, welche Entscheidung er getroffen hatte. »Ich gehe zu Lucan und den anderen Ordensmitgliedern. Und ich berichte ihnen, was ich getan habe und warum ich vor acht Jahren ohne Erklärung verschwunden bin. Ich werde ihnen alles sagen. Aber ich werde es auf meine Art tun. Und ich gehe alleine.«

Ihr Lächeln verschwand, dann wurden ihre Züge hart. Sie sah verwirrt aus und ziemlich ärgerlich. »Ich muss bei dem Treffen dabei sein. Sie müssen auch meine Seite der Geschichte hören.«

»Wenn ich mich mit dem Orden treffe, dann erwarte ich nicht, dass mir das alles hier vergeben wird, Mira. Wäre ich an

Lucans Stelle, dann könnte ich auch keine Gnade walten lassen. Ich bin der Anführer einer Rebellengruppe. Ich habe gegen die Gesetze verstoßen, ich weiß nicht, wie oft. Ich war an einer Verschwörung gegen den Orden beteiligt. Und jetzt bin ich auch noch mitschuldig am Mord an einem Zivilisten. An einem normalsterblichen Zivilisten, Mira.« Er stieß einen leisen Fluch aus. »Was, glaubst du, wird passieren, wenn JUSTIS und der GN davon Wind bekommen? Wenn bekannt wird, dass ich – der Rebellenführer namens Bowman – ein Stammesvampir bin? Die Aufstände heute in Boston – gegen das, was dann losbricht, war das nur ein Witz, ein kleiner Dummejungenstreich. Der Orden kann meine Taten nicht entschuldigen. Sonst wird alles, was der Stamm unternommen hat, um in Frieden mit der Menschheit zu leben, auf einen Schlag zerstört.«

»Nein.« Sie schüttelte heftig den Kopf, dann sagte sie noch entschlossener: »Nein. Ich muss dabei sein, weil ich bezeugen kann, was du ihnen erzählst. Und wenn alles nichts hilft, dann kann ich mich ihnen immer noch vor die Füße werfen und sie um Verständnis anflehen und bitten und betteln, dass sie für dich eine Ausnahme machen. Für uns. Kellan, du musst mir versprechen, dass du mir zumindest diese eine Chance gibst –«

»Das kann ich dir nicht versprechen, Mira. Ich habe dir schon so viel Schmerzen zugefügt. Da kann ich dir doch nicht versprechen, dass ich dich in noch größere Schwierigkeiten bringe.« Er nahm ihr Gesicht in seine Hände und fuhr ihr sanft mit den Daumen über die Wangen und die zitternden Lippen. »Aber eines schwöre ich dir: Ich liebe dich. Gott, ich habe immer nur dich geliebt. Hast du das überhaupt gewusst? All die Monate und Jahre, die ich dich von mir stoßen wollte, als wir jung waren. Ich habe so sehr an dir gehangen, es hat mir Angst gemacht. Ich habe so viele Leute verloren, die ich geliebt habe. Dass ich dich lieben könnte und dann eines Tages auch verlieren – schon allein die Vorstellung war unerträglich für mich.«

»Du wirst mich nie verlieren, Kellan.« Ein leises, ersticktes Schluchzen kam aus ihrer Kehle, als sie ihre Hände um seinen Nacken legte. Ihre hellvioletten Augen glitzerten im Mondlicht, es standen Tränen in ihnen. »Es ist mir egal, was du in der Vision gesehen hast. Ich lasse dich nicht gehen. Ich gehöre dir. Das wird sich nie ändern.«

»Ach, Maus.« Er drückte die Stirn sanft gegen ihre und wünschte, er besäße ihren unerschütterlichen Mut. »Du tust mir Ehre an. Große Ehre.«

»Ich liebe dich«, flüsterte sie. »Ich werde nie aufhören, dich zu lieben.«

Sie klammerte sich an ihn, und er drückte sie so fest an sich, wie er nur konnte. Und trotzdem war es nicht fest genug. Es würde nie genug für ihn sein, wenn es um seine Gefühle für diese außergewöhnliche Frau ging.

Kellan wollte nicht sterben. Und nichts lag ihm ferner, als Mira schon wieder zu verlassen, vor allem nicht in dieser schlimmen Lage, wenn sie ganz allein sein würde mit ihrer Verzweiflung und ihrem Kummer. Alles würde er tun, wenn er nur irgendwie verhindern könnte, dass ihre Vision wahr wurde. Doch er wusste genau, wie mächtig Miras Gabe war. Er hatte gesehen, wie ihre Visionen die Zukunft mit unfehlbarer Genauigkeit vorhergesagt hatten. Er konnte dieses Wissen nicht verleugnen, auch wenn er noch so gerne glauben wollte, dass sie einen Ausweg finden könnten. Doch es war vom Schicksal vorherbestimmt, dass Lucan die Todesstrafe gegen ihn aussprechen würde.

Aber das Hier und Jetzt gehörte ihnen.

Diese Augenblicke gehörten ihnen allein.

Er erhob sich und zog sie mit sich hoch auf die Füße, oben auf dem Grashügel über dem Bunker. Weit im Osten war am

Horizont ein schmaler heller Streifen zu sehen, das erste Anzeichen der Morgendämmerung. Die Nacht war vorbei, und sie waren immer noch in Sicherheit, immer noch zusammen.

Vor ihnen lagen Stunden voller Tageslicht, in denen sie Entscheidungen diskutieren konnten, die sie beide nicht treffen wollten.

Bis dahin wollte Kellan nur Mira.

»Komm mit«, murmelte er in ihr seidiges Haar. »Lass mich dich noch eine Weile lieben.«

Sie legte ihre Hand in die seine, und zusammen gingen sie hinunter in das schlafende Fort.

Und fanden himmlische Zuflucht in seinem Bett.

18

Miras Träume waren so realistisch, sie zerrissen ihr fast das Herz. Sie waren voller Tränen und Qual und Verlust.

Unerträglich das Gefühl, dass sie ihn verloren haben sollte.

Kellan …

Sie schreckte aus dem Schlaf hoch und riss die Augen auf. Über der dunklen Stille des Raumes lag der Geruch von feuchtem Stein und dem salzigen Meerwasser in der Ferne … *und von ihm.*

Gott sei Dank, nur ein Albtraum.

Kellan war bei ihr, sie lagen beide nackt in seinem Bett. Sein Herz schlug ruhig unter ihrer Wange, seine Brust fühlte sich warm an unter ihrer Handfläche. Er war hier. Er war in Sicherheit.

Er regte sich unter ihr, und Mira hielt vollkommen still. Sie wollte ihn nicht aufwecken, nachdem er die ganze Nacht über Wache oben auf dem Bunker gehalten hatte.

Danach hatten sie sich stundenlang geliebt, ohne jede Eile, doch irgendwann musste es ihn ermüdet haben. Nicht, dass Mira etwas von Müdigkeit bemerkt hätte, als Kellan sie dreimal zu atemberaubenden Orgasmen brachte und jedes Mal kurz nach ihr gekommen war.

Bei dem Gedanken an seine Leidenschaft und an die letzten Stunden voller Lust und Zärtlichkeit beruhigte sich ihr panischer Herzschlag. Die Erinnerung an seine Worte gab ihr Mut – sein zärtliches Liebesversprechen, als sie sich im verblassenden Sternenlicht umarmt hatten, um nur wenige Minuten später gemeinsam in sein Bett zu fallen.

Kellan liebte sie. Er wollte sie nicht verlassen, das wusste sie.

Aber er würde gehen. Das hatte er ihr heute Nacht schonend beibringen wollen: Wenn er sich dem Orden ergab, dann nur alleine. Er wollte nicht, dass sie mit ihm kam.

Wenn sie daran dachte, dass er sich allein dem Urteil stellen musste – dem Todesurteil, das ihre Vision prophezeit hatte, dann ballte sich ein eisiger Knoten in ihrem Magen zusammen.

Sie musste ihre Furcht in den Griff bekommen. Mit festem Willen verbannte sie die Albträume von eben aus ihren Gedanken, und auch die unerträgliche Vision der Zukunft, die Kellan in ihren Augen gesehen hatte, schob sie weg. Wie er so ruhig schlief, packte Mira eine verzweifelte Sehnsucht, und am liebsten hätte sie sich an ihn geklammert und ihn nie mehr losgelassen. Doch sie war zu unruhig, um im Bett zu bleiben. In ihrem Kopf summte es, und ihre Arme und Beine zuckten nervös. Wie kleine lästige Fliegen ließen die Sorgen sie nicht zur Ruhe kommen.

Vorsichtig löste sie sich von Kellan und glitt an den Bettrand. Er seufzte und drehte sich um, dann wurden seine Atemzüge noch tiefer. Mira erhob sich. Sie wusste nicht, was sie tun oder wohin sie gehen könnte, um das beklemmende Gefühl abzuschütteln. Sie brauchte keinen Schlaf und keine Ablenkung, sondern Antworten auf ihre Fragen.

Sie wollte wissen, wie ihre Zukunft mit Kellan aussehen würde. Mehr als alles andere brauchte sie jetzt etwas, das ihr zumindest ein klein wenig Hoffnung gab. Irgendetwas, das ihr sagte, dass sie irgendwie die Schwierigkeiten überwinden und einen Weg finden würden, um zusammen zu sein.

Sie warf einen Blick über ihre Schulter, zum Ende des Bettes. Dort auf dem Boden stand Kellans Kleidertruhe. In der sich der Spiegel von Kellans Großmutter befand.

Nein. Es war zu gefährlich. So etwas sollte sie nicht einmal in Erwägung ziehen.

Sie wusste nicht einmal, ob es funktionieren würde.

Und doch griff sie nach dem leeren Behälter für die Kontaktlinsen, der auf dem Nachttisch neben dem Bett lag. Dann trugen ihre Füße sie geräuschlos zu dem hölzernen Reisekoffer. Sie ging davor in die Hocke und hob leise den Deckel an.

Der silberne Handspiegel lag umgedreht ganz oben auf einem Stapel von Kellans Hemden. Mira nahm ihn heraus. Mit den Fingerspitzen fuhr sie über das eingeritzte Wappen der Familie Archer, Pfeil und Bogen.

Sie musste es versuchen.

Sie musste Gewissheit haben, auch wenn ihr vor Angst heiß und kalt wurde, auch wenn sie es noch nie vorher versucht hatte. Schlimmer war es, die Zukunft nicht zu kennen und immer in der Angst zu leben, dass das, was Kellan gesehen hatte, wirklich sein Schicksal sein sollte.

Wenn auch nur die geringste Chance bestand, dass ein Blick in ihre ungeschützten Augen ihr zumindest einen kleinen Hoffnungsschimmer auf eine Zukunft mit Kellan geben könnte, dann wollte sie es riskieren. Jeden Preis würde sie zahlen, wenn sie nur Gewissheit bekam, dass es sein Schicksal war zu leben … oder zu sterben.

Mira drehte sich rasch um und lehnte sich mit dem Rücken gegen die Truhe, als sie kniend die Kontaktlinsen aus den Augen nahm und in dem Behälter verstaute. Den Spiegel in der erhobenen Hand schloss sie die Augen und holte tief Luft.

Sie konnte das tun.

Sie *musste* das tun.

Sie brachte den Spiegel ganz nah vor ihr Gesicht, doch verhüllten ihre Augenlider immer noch ihre seherische Gabe. Das Herz hüpfte und klopfte nervös und unregelmäßig in Miras Brust, und ihr Herzschlag kam ihr so laut vor, dass sie fast fürchtete, Kellan würde von dem Lärm aufwachen. Ihre Hände waren feucht und ihr Mund trocken wie Staub.

Sie musste es versuchen.

Sie musste Gewissheit haben.

Sie öffnete die Augen und erstarrte. Aus dem ovalen Spiegelglas schaute ihr eigenes Gesicht ihr entgegen. Sie sah so anders aus, wenn keine violetten Kontaktlinsen die kristalline Intensität ihres Blickes abmilderten. Kaum erkannte Mira sich selbst wieder – es war natürlich ihr Gesicht, aber es war erleuchtet von einem eisigen Feuer, das alterslos schien und nicht von dieser Welt.

Außergewöhnlich, hatte Kellan gesagt.

Erschreckend, dachte sie. Beunruhigend. So fremdartig, dass sie …

Der Gedanke verflog, als die klaren Kreise ihrer Pupillen sich im Spiegel zu kräuseln schienen. Die Oberfläche erzitterte, als hätte jemand einen kleinen Stein in einen spiegelglatten See geworfen.

Mira war wie gelähmt und vollkommen erstaunt, doch sie konnte nicht wegschauen.

Und dann formte sich ein Bild mitten in den unergründlichen farblosen Tiefen ihrer Augen. Es waren mehrere Bilder, schattenhafte Gestalten, eine Gruppe von ihnen, die vorne in einem großen, hohen Raum saßen. Eine hohe Richterbank erhob sich vor ihnen und trennte die Gruppe von einer kleineren Gestalt, die auf Antwort zu warten schien.

Die Umrisse der Gestalten waren immer noch verschwommen, doch Mira konnte schon die Silhouette der Person erkennen, die vor dem Gericht stand. Sie konnte ihre Nervosität spüren, die Angst und Unsicherheit, die der Gestalt tief in den Knochen saß.

Sie spürte das alles, weil sie selbst diese Gestalt war.

In der Vision unterdrückte sie ein Zittern, als sie Lucan und den anderen Mitgliedern des Rates der Globalen Nationen gegenübertrat, die zur Urteilsverkündung auf der Richterbank saßen. Sie hatten die Macht, Mira zu retten oder sie mit ihrer

Entscheidung zu zerstören. In ihren Gesichtern war keine Regung zu erkennen, keine Gnade.

Mira schaute voll qualvoller Hoffnung zu, wie sie selbst in der Vision um Milde bat und als Antwort nur stoische Gesichter bekam. In der Vision begann sie zu weinen, und sie vergrub das Gesicht in ihren Händen, während ihr ganzer Körper von Schluchzern geschüttelt wurde.

Der Schmerz bohrte sich in Miras Herz, und ihre Lippen bebten wie ein Echo auf ihre eigene Reaktion in der Vision. Jetzt wollte sie wirklich wegschauen, bevor sie noch mehr sah. Doch da wandten sich alle Köpfe auf den Rängen nach hinten, wo der Beschuldigte den Gerichtssaal betrat, um sein Urteil zu hören.

Kellan.

Oh Gott, es war alles genauso, wie er gesagt hatte.

Er schritt nach vorn, die breiten Schultern straff und den Kopf erhoben, aber sie sah den resignierten Ausdruck in seinem attraktiven Gesicht, als er sie anschaute. Mira konnte fast körperlich spüren, wie er sein Schicksal ergeben akzeptierte, als sie den Fortgang der Szene in ihrem gespiegelten Blick betrachtete.

In der Vision wirbelte ihr Selbst herum und wandte sich wieder an diejenigen, die Kellans Schicksal in ihren Händen hielten. Sie flehte sie an. Sie versuchte, einen Teil der Schuld auf sich zu nehmen. Doch es war alles umsonst. Sie verkündeten ihr Urteil, genau wie Kellan es ihr gesagt hatte. Für seine schweren Verbrechen wurde er des Mordes angeklagt.

Als die Vision weiterging, konnte Mira sich nicht vorstellen, dass es noch schlimmer kommen könnte.

Aber sie täuschte sich.

Denn auf die furchtbare Vision der Urteilsverkündung hatte Kellan sie vorbereitet, nicht aber auf das, was sie sah, als die Vision in einer diesigen Schwärze verklang. In ihrem gespiegelten Blick nahm ein anderes Bild Form an. Es war etwas Furchterregendes. Etwas, das viel, viel schlimmer war als die Aussicht auf Kellans Hinrichtung.

Sein lebloser Körper lag bleich und reglos vor ihr aufgebahrt.

Nein …

Nein! Etwas in ihr schrie vor Schmerz. Oder vielleicht brüllte sie das Entsetzen auch lauthals hinaus. Sie spürte nichts als überwältigende Fassungslosigkeit und tiefsten Kummer, als ihr Selbst in der Vision neben Kellans totem Körper zusammenbrach und um ihn klagte.

Es konnte nicht sein.

Es war unmöglich, dass ihre Liebe so enden sollte.

Dieses Ausmaß an Schmerz konnte sie nicht ertragen.

Lieber würde sie an seiner Seite sterben …

Der Spiegel wurde ihr aus den Händen gerissen und knallte gegen die nächste Wand, wo er in tausend Glasscherben zersplitterte.

Entsetzt schreckte sie hoch, als sie so abrupt aus dem Bann der Zukunftsvision ins Jetzt zurückkatapultiert wurde.

Kellan stand über ihr. Er bebte vor Wut, sein Körper gab Hitze ab, die in Wellen von ihm abstrahlte. Seine Augen blitzten, seine Lippen waren zurückgezogen, sodass die Fänge hervortraten.

»Was zum Teufel tust du da?« Seine Stimme dröhnte wie reiner Donner, so wütend hatte sie ihn noch nie erlebt. »Mira, verdammt noch mal. Du hast doch nicht – ah, Gott.«

Er wandte sich von ihr ab, drehte rasch den Kopf weg von ihren ungeschützten Augen. Mira erhob sich zitternd. Sie war noch völlig geschockt von den furchtbaren Dingen, die sie gerade in der Vision gesehen hatte. Hastig setzte sie ihre Kontaktlinsen wieder ein. Als ihre Augen endlich wieder geschützt waren, kniete Kellan zusammengesunken auf dem Boden vor ihr.

»Maus, verdammte Scheiße. Warum hast du … Was in Gottes Namen hast du dir dabei denn gedacht?« Er packte sie fest an beiden Oberarmen, und sie spürte, wie er am ganzen Körper zitterte. »Schau mich an, Kleines. Lass mich dein Gesicht sehen. Ich muss wissen, dass du okay bist.«

Sie hob das Gesicht und schaute in seine feurigen Augen. Seine Züge verschwammen, als ihr die Tränen kamen. »Ich bin … oh Gott, Kellan! Du hattest recht. Die Vision. Das Urteil. Alles stimmt.«

»Du hast es gesehen«, flüsterte er, und mit einem Mal erlahmte sein Griff um ihre Oberarme. »Du hast deine eigene Vision gesehen. Mira … warum hast du das getan?«

»Ich musste es selbst sehen, damit ich Gewissheit habe. Ich wollte es nicht glauben. Ich wollte es einfach nicht wahrhaben … bis jetzt.« Ihr versagte die Stimme, und sie musste schlucken, damit sie weitersprechen konnte. »Ich habe alles gesehen, genau wie du es beschrieben hast. Und da war noch mehr. Oh Gott, Kellan, sie hatten dich zu Tode verurteilt, und dann habe ich dich gesehen. Du warst …« Sie brachte das Wort nicht über die Lippen. Schluchzend und völlig erschöpft fiel sie ihm in die Arme. Das Herz tat ihr weh. »Ich kann es nicht ertragen, wenn ich dich verliere. Nicht noch einmal. Nicht so.«

Er legte seine starken Arme um sie und drückte sie fest an sich. »Ich kann es auch nicht wirklich fassen. Wenn ich dich festhalten könnte, damit wir für immer zusammenbleiben, dann würde ich dich nie wieder loslassen.«

Sie nickte und presste sich eng an seine warme Brust. Nichts wünschte sie sich sehnlicher, als dass er sie auf ewig so halten würde. Ohne seinen Herzschlag, seinen Atem, ohne die Kraft und Wärme seines Körpers konnte sie einfach nicht weiterleben. Sie musste ihn bei sich spüren können, gesund und munter. Und lebendig.

Als sie sich an ihn klammerte, fiel ihr Blick auf den zerstörten Spiegel und die glitzernden Scherben überall auf dem Boden.

Ein neuer Schmerz durchzuckte sie. »Der Spiegel deiner Groß-mutter … Kellan, es tut mir so leid. Er ist zerbrochen und das nur meinetwegen.«

»Das Ding ist mir scheißegal«, flüsterte er in ihre Haare. »Du bist das Einzige, das mir wirklich wichtig ist im Leben. Und du weißt nicht einmal genau, was du dir eben selbst angetan hast, Maus. Ist dir das überhaupt klar?«

»Ich musste es wissen«, sagte sie. Mit der Hand strich sie über eine der silbrig glänzenden Glasscherben. Sie hob sie auf und hielt sie zwischen den Fingern. Es tat ihr leid, dass die einzige Erinnerung an Kellans Vergangenheit nun zerstört worden war, weil er sie beschützen wollte. »Ich wollte dir beweisen, dass du nicht recht hast mit dem, was du gesehen hast. Ein wenig Hoffnung wollte ich – zumindest ein bisschen –, dass wir doch zusammenbleiben könnten. Aber die Vision war schlimmer, als ich es mir vorgestellt hatte. Sie war so schlimm, dass ich es immer noch kaum glauben kann.«

Instinktiv schloss sie die Faust um die messerscharfe Scherbe, doch sie bemerkte es erst, als sich die gezackten Kanten in ihre Handflächen bohrten.

Doch Kellan bemerkte es sofort.

Er wurde ganz ruhig, und seine Muskeln spannten sich sofort an, sein Körper straffte sich unwillkürlich. Er wich etwas zurück von ihr, sodass sie sehen konnte, wie sich seine Nasenlöcher weiteten, als er den nächsten Atemzug nahm. Noch vor einer Sekunde hatte das Feuer in seinen Augen wütende Funken geschlagen, doch jetzt waren sie rot wie glühende Kohlen, und durch ihr Zentrum liefen die schmaler werdenden, vertikalen Schlitze, die seine Pupillen waren. Er knurrte, ein dunkler, polternder Laut, der tief aus seiner Brust kam und ihr in den Knochen vibrierte. »Mira …«

Er nahm ihre Faust in die Hand und öffnete sie mit Gewalt.

Die Glassscherbe fiel klirrend zu Boden. Ihre Handfläche war mit Blut bedeckt, und kleine Rinnsale liefen über ihr bleiches Handgelenk. Er starrte auf die dunkelroten Linien und stieß durch seine Fänge einen heiseren Fluch aus. Doch jetzt war er alles andere als wütend.

Er veränderte sich immer mehr, seine Gesichtszüge wurden schärfer, wilder. Außerirdisch. Sie hatte ihn schon früher in seiner wahren Gestalt gesehen, aber noch nie so wie jetzt. Dies war Kellan Archer, ganz der Stammesvampir in seiner ursprünglichen Form, ein hungriges, Furcht einflößendes, maskulines Raubtier, das sie voll im Visier hatte.

Er wollte, was sie ihm jetzt geben würde.

Was er sich schon immer hätte nehmen können.

»Ich gehöre dir, Kellan. Für mich wird es keinen anderen geben. Auch nicht, wenn wir getrennt werden. Auch nicht, wenn du tot bist.« Sie blickte hinunter auf ihre blutende Hand, die er immer noch festhielt. Die Wunde war nicht tief, doch es brauchte nicht viel Blut, um die Verbindung zu aktivieren. Nur einen Schluck, mehr musste er nicht von ihr trinken, und dann war er für immer mit ihr verbunden. »Ich möchte zu dir gehören. Auf jede mögliche Art und Weise. Es ist mir egal, was meine Vision prophezeit. Das kann uns heute nicht zurückhalten. Das kann uns nicht stoppen.«

Er gab einen tiefen, kehligen Laut von sich und hob den Kopf. Sein fiebriger Blick suchte ihre Augen. Dabei löste er seine Finger nicht, die sich immer noch wie eine Schraubzwinge um ihr Handgelenk klammerten. Seine Fänge wurden noch länger, und die scharfen Spitzen ragten aus seinem Mund, als er stöhnend die Lippen weit öffnete. Seine *Glyphen* pulsierten, und überall auf seiner glatten Vampirhaut wirbelten und kreisten Durst und Verlangen in dunklen Tönen.

Mira strich ihm mit ihrer freien Hand über das Gesicht. »Ich biete dir freiwillig mein Blut, Kellan. Du kannst es dir jetzt nehmen.«

Sein bernsteingelb glühender Blick glitt zurück zu ihrer blutverschmierten Handfläche. Zwischen seinen Zähnen und den Fängen kam keuchend sein Atem. Er sagte ihren Namen, ein gequälter Fluch, halb Obszönität, halb Gebet, dann brachte er ihre Hand zu seinem Mund und folgte mit der Zunge der Blutspur, die ihren Arm hinunter zum Ellbogen rann.

Seine Zunge wanderte zurück zu ihrem Handgelenk, und Mira stöhnte auf, denn die Berührung war weich wie Samt auf ihrer Haut. Er ließ sich Zeit und leckte alles Blut weg, das aus der Wunde geperlt war. Dann presste er sein Gesicht mitten in ihre Hand. Sein kurz geschnittenes Bärtchen kitzelte ein wenig, seine Lippen waren heiß und feucht, und sein Atem glitt wie warmer Dampf über ihren verletzlichen Handballen. Er legte den Mund auf die Wunde und trank den ersten vollen Schluck ihres Blutes.

Sie spürte, wie sein Körper zusammenzuckte und ihn ein heftiger Schauer durchlief, als die Verbindung zwischen ihnen hergestellt wurde. Keuchend presste er den Mund wieder in ihre Hand und trank noch einmal von ihr. Seine Lippen bebten, seine Zunge war feucht und warm, und seine Fänge glitten leicht über ihre Handfläche – noch nie hatte Mira etwas Erotischeres empfunden. Eine Welle von Lust durchflutete ihren Körper wie flüssiges Feuer.

Wildes Verlangen strömte von tief in ihr hinaus in alle Nervenenden, als Kellan an ihrer Hand saugte. Mit jeder Sekunde regte sich mehr neues Leben in ihrem Blut, das unter seinem Kuss erwachte. Sie spürte, wie es durch ihre Adern brauste, es drängte sie, ihm alles hinzugeben. Heiß und schnell loderte die Lust in ihr auf, feuchtes Verlangen tropfte zwischen ihren Schenkeln. Zwei gleißende Sonnen strahlten wie elektrisches

Licht in ihr auf, die eine tief in ihrem Innersten, die andere an der Stelle, wo Kellans Mund von ihr trank.

»Gott, Mira … du schmeckst so verdammt gut«, murmelte er. »Dein Blut ist so süß, so voller Kraft. Himmel, ich kann dich in meinen Muskeln und Knochen spüren, mit allen meinen Sinnen … so verdammt gut.«

Sie streichelte ihn, während er sie weiter rühmte. Zwischen ihren Körpern ragte steif und heiß sein Schwanz empor. Sie dagegen zerschmolz fast vor Lust. Sie wollte, nein, sie musste ihn in sich spüren.

»Ja«, sagte er, und seine Stimme klang heiser und hungrig, »ich kann deine Lust fühlen durch die Blutsverbindung und deinen Pulsschlag, als wäre es mein eigener.« Seine Zunge kreiste ein letztes Mal zärtlich über ihre Handfläche, als er die Wunde schloss. »Ich hätte nie gedacht, dass es so überwältigend sein würde … und sich so richtig und gut anfühlen würde. Aber jetzt muss ich in dir sein.«

Ohne ein weiteres Wort hob er sie hoch und legte sie wieder auf das Bett. Er kniete über ihr, die starken Arme seitlich von ihr abgestützt, und sein kraftvoller großer Körper war in der Dunkelheit über sie gebeugt. Das Glühen in seinen Augen tauchte sie in einen bernsteingelben Schimmer, und wie gebannt erwiderte sie seinen außerirdischen Blick, in dem nackte Lust loderte.

Noch nie hatte sie ihn so kraftvoll, so sagenhaft stark erlebt. Kellan war unglaublich in diesem Zustand, wenn er ganz zum Vampir geworden war und die neue Blutsverbindung ihn nährte, die ihn nun bis zum Tode mit Mira verband. Sein Haut war dunkel und fieberheiß, und er war extrem erregt. All sein hitziges Verlangen war nur auf sie gerichtet, und Mira zitterte bei dem Gefühl.

Als er in sie eindrang, war sie bereit für ihn, mehr als bereit. Er stieß tief in sie, und als er sich in ihrem Körper bewegte, fühlte er sich riesig an und härter und heißer als je zuvor. Sein Mund fand den ihren, und er bedeckte ihre Lippen mit einem Kuss, der fordernd war, fiebrig und … hungrig.

Mira klammerte sich an ihn und legte ihre Beine um seine Hüften, damit er noch tiefer in sie eindringen konnte. Sie wollte eins mit ihm werden, und sie konnte ihm nicht nah genug sein.

Als Kellan sich von ihren Lippen löste, schrie sie auf, dann stöhnte sie lustvoll, als sein Mund weiter nach unten glitt und sie unterhalb ihres Ohres küsste. »Nimm mich«, flüsterte sie, als er sanft mit den Lippen an ihrem Hals nippte. »Nimm dir alles, Kellan. Nimm mich.«

Von ihm kam ein heiseres, animalisches Knurren, als er sich an ihrer Kehle festbiss. Die Spitzen seiner Fänge drückten gegen ihre Halsschlagader, und heißes Verlangen durchfuhr Miras Körper. Sie fasste mit der Hand in sein Haar und vergrub die Finger in den dichten Locken. Mit der Faust packte sie seinen Schopf und drückte seinen Kopf fester an ihren Hals. »Nimm mich«, krächzte sie. »Ich gehöre dir ganz, schon immer.«

»Ja.« Seine Stimme war rau und wild und wollüstig. Tief in seiner Kehle machte er ein Geräusch, voll dunkler Begierde. »Du gehörst mir«, sagte er.

Dann bohrte er sich in sie.

Seine Fänge drangen tief in ihren Hals, und Mira stöhnte laut auf im Hochgefühl reiner Lust. Mit scharfen Stößen trieb er seine Hüften tief zwischen ihre weit gespreizten Schenkel.

Bald würde er sterben. Ob schon in ein paar Stunden, ob erst in ein paar Tagen oder ob ihm noch Wochen blieben – Kellan wusste es nicht. Doch er hatte sich noch nie so lebendig gefühlt.

Miras lustvoller Schrei erfüllte ihn mit Stolz, als er seine Fänge in ihr zartes Fleisch schlug und die Ader durchbohrte, die wundervoll stark und süß auf seiner Zunge pulsierte. Mira gehörte ganz und für immer ihm. Das Gefühl überwältigte ihn wie eine Flutwelle, die durch seinen Körper brandete. Sie klammerte sich an ihn, und er steckte tief in ihrer glatten, feuchten Scheide, die sich zusammenzog und seinen Schwanz noch enger und fester umfasste, als die ersten lustvollen Krämpfe ihren Körper durchzuckten.

Ihr nahender Orgasmus hallte durch sein Bewusstsein, er spürte ihre Lust mit allen Sinnen. Es war eine machtvolle Folge der Blutsverbindung, die ihn nun mit ihr vereinigte. Er sollte sich hassen dafür, dass er diesen Schritt mit ihr gegangen war, obwohl er wusste, dass es keine Zukunft für sie beide gab. Doch sie fühlte sich so gut an, und der Geschmack ihres Blutes war wie ein Trank aus dem süßesten Paradies. Und er hatte sich viel zu lange schon gewünscht, dass sie beide auf diese engste und nie wieder auflösbare Weise miteinander verbunden wären.

Er wollte alles, was sie ihm geben konnte. Seine Stammesnatur forderte, dass er ihren Körper und ihr Blut ganz für sich beanspruchte. Sie gehörte ihm. Ihre geflüsterten Worte der Hingabe trieben ihn an, und er stieß noch heftiger in sie. Mit animalischer Leidenschaft biss er zu und trank ihr Blut in vollen Zügen.

Sie gehörte ihm.

In diesem Augenblick war sie auf immer sein.

Der Gedanke schien so einfach, so natürlich. So verführerisch die Hoffnung, dass er diesen Augenblick in eine Ewigkeit mit ihr ausdehnen könnte. Dass ihm Mira als seine Gefährtin zur Seite stehen würde, so lange, wie sie beide lebten.

Und fast konnte er dem Drang nicht widerstehen, der sich nun machtvoll in ihm regte. Alles in ihm drängte, die Blutsverbindung zu vollenden und diesen Bund zu besiegeln. Er brauchte nur seine eigene Ader zu öffnen und Mira auch von seinem Blut trinken zu lassen.

Er wünschte es sich mit einer stürmischen Heftigkeit, die ihn völlig überwältigte.

Sie wollte es auch. Er spürte es an ihrem nackten, brennenden Verlangen nach ihm. Er hörte es in ihrem atemlosen Keuchen, wenn sie nach ihm griff und sich unter ihm aufbäumte. Ihr Kopf lag weit zur Seite gedreht auf dem Kissen, damit nichts ihn davon abhielt, von ihrer Halsschlagader zu trinken.

Sie wollte mehr von ihm. Mehr als er ihr geben wollte. Er konnte sie nicht von seinem Blut trinken lassen. Er musste ja bald sterben, sie würden für immer getrennt werden. Und wenn Mira dann mit ihm ebenso eng verbunden war wie er mit ihr, würde ihr Schmerz über seinen Tod so viel größer und schlimmer für sie sein.

»Bitte«, keuchte sie. »Oh Gott … Kellan …«

Herr im Himmel! Mira war kurz vor ihrem Höhepunkt, und fast hätte er ihrem Bitten nachgegeben. Ihre Nägel fuhren scharf über seine Schultern, und sie schrie heiser seinen Namen hinaus, als ihre Lust dem Gipfel zustrebte und fast explodierte. Er wollte sein Blut geben für sie.

Doch mehr als alles andere wollte er sie in diesem Moment an sich binden und mit ihr diese tiefe Leidenschaft teilen, die sie ihm schenkte. Aber er hielt den Impuls zurück, auch wenn er fast schwach wurde und er selbst daran zweifelte, ob es wirklich ehrenvoll war, was er hier tat. Er drückte seinen Mund an Miras offene Ader, schloss die Bisswunden mit seiner Zunge und wartete, bis die Flutwelle ihres Orgasmus ihn mit sich riss. Jede noch so kleine Gefühlsregung brannte sich tief in seine Sinne ein. Sie kam mit ungezügelter Wucht, genauso wie sie fast alles andere in ihrem Leben tat. Die Schockwellen ihrer Lust schossen durch seine Adern, als wäre er selbst gekommen; er war nur verwundert, wie heftig und lustvoll ihr Orgasmus war.

Er konnte den Sturm, der sich nun in ihm zusammenbraute,

nicht mehr zurückhalten. Miras Orgasmus war noch nicht in ihm verklungen, als Kellan selbst kam. Ein wilder Schrei drang ihm aus der Kehle, als sein Samen brennend heiß und ungestüm aus ihm herausschoss.

Und Miras süßer, einladender Körper nahm alles in sich auf, was er zu geben hatte.

Er hätte nicht sagen können, wie lange es dauerte, bis die Lustwellen, die durch seinen Körper brandeten, sich allmählich beruhigten. Vielleicht waren es nur wenige Augenblicke, vielleicht Stunden.

Miras leise Stimme brachte ihn zurück ins Hier und Jetzt.

Zurück in die Wirklichkeit, in der er sich Lucan und seinem Urteil stellen musste.

»Ich möchte nicht, dass du zum Orden gehst.« In dem dumpfen Schlag ihres Pulses konnte er spüren, wie besorgt sie war, und durch ihre neue Verbindung kroch auch der scharfe Geruch ihrer Angst in ihn. »Ich habe meine Meinung geändert, Kellan. Ich will nicht mehr, dass du dich vor Lucan verteidigst und versuchst, den Orden und den Rat davon zu überzeugen, dass sie dich begnadigen sollen. Ich will nicht, dass du auch nur in die Nähe von Washington gehst. Wir können beide nicht dorthin zurück.«

»Ach, Maus.« Er küsste ihre nackte Schulter, dann stützte er sich auf den Ellbogen, damit er in ihr besorgtes Gesicht sehen konnte. »Das sagst du jetzt nur so. Wegrennen und dich verstecken war noch nie deine Stärke. Das war immer mehr mein Spezialgebiet, nicht? Und jetzt siehst du auch, wohin es uns gebracht hat.«

»Es ist mir egal, wohin es uns gebracht hat«, sagte sie leise, aber mit einem trotzigen Unterton in der Stimme. »Lass uns einfach hierbleiben, genauso wie jetzt. Ich weiß, irgendwann finden sie uns, aber wir bleiben einfach zusammen, solange wir hier ausharren können. Lass es uns versuchen, egal, was es uns kostet.«

Er küsste sie wieder, und dieses Mal ließ er sich Zeit dabei und küsste sie zärtlich auf den Mund. »Ich möchte auch nicht, dass es hier endet. Nicht jetzt und überhaupt nie. Aber wenn es bedeutet, dass du gezwungen bist, dein Leben lang immer geduckt im Schatten zu schleichen, voller Angst, was hinter der nächsten Ecke lauert, dann will ich das nicht. Ich kann das nicht von dir verlangen, Mira. Und wir können auch nicht hierbleiben. Für niemanden von uns ist es mehr sicher hier. Wir müssen alle den Bunker verlassen und uns ein anderes Versteck suchen. Irgendwo außerhalb der Schusslinie.«

»Wo?«

»An einem sicheren Ort.«

Die Gefahr, dass der Orden schon näher rückte und sie bald einschließen würde, war immer noch real und machte ihm Angst. Jeden Moment konnte eine geheime Todesschwadron auftauchen, oder der Orden startete nach den Ereignissen gestern Abend einen Großangriff. Sie konnten nicht hierbleiben, das Risiko war zu groß. Bei dem Gedanken, dass Candice, Doc und Nina im Chaos einer Durchsuchung unter schweren Waffenbeschuss geraten könnten, wurde ihm das Herz schwer vor Schuldgefühlen. Seine Stammesgefährtin dagegen kannte Kellan gut genug: Er wusste, dass Mira bis zum Tod kämpfen würde, wenn sie dachte, sie könnte ihn retten.

So wie er für sie kämpfen würde.

Und er würde für sie kämpfen müssen, in nur wenigen Stunden.

Er war seiner kleinen Gruppe von Rebellen kein besonders guter Anführer gewesen, allerdings hatte er auch nie vorgehabt, ein Rebellenführer zu sein. Doch auch für Mira war er kaum ein ebenbürtiger Gefährte gewesen, und das wünschte er sich von ganzem Herzen.

Aber ihm blieb noch Zeit, um jetzt das Richtige zu tun. Er konnte noch Maßnahmen ergreifen, damit das Risiko für seine

Gefährtin und seine Freunde so gering wie möglich war und sie nicht ernsthaft der Gefahr von Verletzungen und Blutvergießen ausgesetzt werden würden. Erst dann konnte er guten Gewissens das tun, was er tun musste – sich dem Schicksal stellen, das unausweichlich am Ende des Pfads auf ihn wartete.

Kaum hatte er sich dazu durchgerungen, nahm ein Plan in seinem Kopf klare Gestalt an. Er ergriff Miras Arm und streichelte ihr über die vollständig verheilte Wunde in ihrer Handfläche. »Wir gehen noch heute Morgen. So früh wie möglich.«

Sie runzelte die Stirn und schaute zu ihm hoch. »Bei Tageslicht?«

»So früh, wie wir können«, sagte er noch einmal. Endlich wusste er, was er tun musste, und nun wollte er den Plan so schnell wie möglich in die Tat umsetzen. »Nina hat Freunde, die uns ein Fahrzeug beschaffen können, ohne viele Fragen zu stellen. Ich setze mich hinten auf die Rückbank, wo mich keine Sonnenstrahlen treffen. Und jemand von meinem Team kann sich ans Steuer setzen. Nur ein paar Stunden, dann sind wir da.«

Mira starrte ihn an. Eine Frage lag in ihrem verschleierten Blick. »Du nimmst mich mit?«

»Ich will, dass du in Sicherheit bist.« Er hob ihr Kinn und küsste sie. »Du gehörst jetzt mir, vergiss das nicht.«

»Ja, ich bin die Deine.« Es brach Kellan fast das Herz, wie sie ihn so offen und voller Vertrauen anlächelte. Sie schmiegte sich eng an ihn, und ihre Kurven und Rundungen passten sich perfekt seinem muskulösen Körper an. »Verlass mich nicht, Kellan. Versprich mir, dass du mich nicht verlassen wirst.«

»Ich verlasse dich nicht, Maus.« Er legte die Arme um sie und küsste sie auf die Stirn, während sie sich noch fester an ihn kuschelte. Ihr Atem wurde ruhig und tief, sie lag zufrieden in seinen Armen.

In diesem Moment war Kellan froh, dass sie seine Gefühle nicht spüren konnte.

Denn wäre sie auch mit ihm blutsverbunden, dann würde sie unweigerlich spüren können, dass er nicht die Wahrheit sagte. Zu gerne hätte er sein Versprechen gehalten und sie nie mehr verlassen. Doch morgen, wenn das nächste Mal die Sonne aufging, würde Mira begreifen, dass sein Versprechen nur eine gut gemeinte Lüge gewesen war.

19

Mit dem Anbruch der Nacht trafen nicht weniger als zwölf Mitglieder des Ordens in Boston ein.

Nathan führte die Einheit an, die aus seinem Team mit drei Stammesvampiren und aus Miras Truppe bestand. Bal, Torin und Webb waren aus Montreal gekommen, um sie bei der Suche nach ihr zu unterstützen. Nathan und sein Team durchforsteten das alte North End nach Hinweisen auf die Rebellen, die sie entführt hatten. Die andere Seite der Stadt wurde von Nikolai durchsucht, zusammen mit Tegan, Hunter und Rio, die vom Hauptquartier in Washington, D. C., abgezogen worden waren. Zu ihnen gesellte sich noch Sterling Chase, der die Kommandozentrale in Boston leitete.

Alle ohne Ausnahme hatten sie geschworen, dass sie Mira spätestens bis zur nächsten Morgendämmerung zurück zu ihrer Familie und dem Orden bringen würden.

Dieser Schwur kroch Nathan wie Eis durch die Adern. Er und Rafe hatten sich von Eli und Jax und den drei Mitgliedern von Miras Team getrennt. Sie durchsuchten inzwischen Etablissements, die dafür bekannt waren, dass sie den Rebellen und ihresgleichen freundlich gesinnt waren. Der Club *LaNotte* stand ganz oben auf ihrer Liste. Rooster war immerhin Stammgast in der illegalen Kampfarena im Keller des Gebäudes, das früher einmal eine Kirche gewesen war.

Nathan und Rafe betraten den Club gemeinsam, und die beiden Krieger ließen ihre Blicke über die Menge gleiten. Über hundert Leute feierten im Innern eine Party, die meisten waren in schwarzes Leder gekleidet und stark mit Kajal geschminkt. Alle tanzten mit zuckenden Bewegungen zum wummernden Rhythmus einer Industrial Rockband, die auf der Bühne einen Song über Schmerz und Verrat brüllte. Grufti-Mädchen und Punks, die meisten Normalsterbliche. Alle harmlose Clubbesucher. Nirgendwo war ein Zeichen der Kriminellen zu sehen, hinter denen Nathan her war.

Er und Rafe bahnten sich einen Weg durch die wogenden Massen, als Nathan bemerkte, dass sie der Besitzer des *LaNotte* nicht gerade mit Begeisterung beobachtete. Cassian löste sich von zwei extrem gut aussehenden Frauen, die gut und gerne zehn Jahre zu jung für ihn waren, und kam auf Nathan zu. Er war von Kopf bis Fuß in schwarzes Leder gekleidet wie die meisten der Besucher in seinem Club, und er trug schwere Stiefel mit dicken Gummisohlen. Seine weißblonden Haare hatte er an diesem Abend zu einer Krone aus abstehenden Stacheln hochgegelt, die dunklen Brauen mit den winzigen gepiercten Silberringen betonten seine leuchtend grünen Augen. In seiner Zungenspitze steckte ein Piercing aus schwarzem Metall.

»Mir war nicht klar, dass mein Club so in ist beim Orden«, sagte er leicht spöttisch. »Soll ich mich geschmeichelt fühlen? Oder ist euer neues Interesse doch eher als Beleidigung für meinen Club aufzufassen?«

Nathan hörte kaum, was Cassian sagte. »Sieh dich unten in der Arena um«, befahl er Rafe.

Der Krieger wandte sich ab, um den Befehl auszuführen, während Nathan sich weiter oben im Club umsah.

Cassian hielt sich dicht an seiner Seite. »Die Kämpfe gehen erst in ein paar Stunden los, Krieger«, sagte er.

»Wir sind nicht hier wegen deiner Blutspiele.«

»Nein«, meinte Cassian, »so wie du aussiehst, würde ich annehmen, dass ihr selbst ein kleines Blutspiel ausrichten wollt.

Das hat nicht zufällig etwas mit diesem hitzköpfigen Weibsbild aus deinem Team zu tun? Oder doch?«

Nathan hatte die Kehle des anderen Mannes zwischen seinen Fingern, bevor Cassian auch nur Piep sagen konnte. »Was weißt du über sie?«

Ein paar der Handlanger des Clubbesitzers tauchten aus dem Nichts auf und kamen rasch näher, darunter der Käfigkämpfer namens Syn und ein paar andere Stammesvampire. Nathan hatte Cassian immer noch fest im Griff, doch der schickte seine Leibwächter mit einem Blick und einem knappen Kopfnicken weg.

»Er wird mich nicht umbringen«, sagte er zu ihnen. »Wenn er es darauf anlegen würde, dann wäre ich schon tot.«

Nathan hätte am liebsten wirklich zugedrückt, doch die Informationen über Mira waren wichtiger. »Was weißt du über Mira?«

Inzwischen war Rafe wieder aus dem Keller hochgekommen. Aus dem Augenwinkel sah Nathan seinen Waffenbruder. Rafe war ein erfahrener, ein tödlicher Kämpfer. Jetzt hielt er einen Dolch in der einen Hand, die andere lag schussbereit auf der Neunmillimeter-Halbautomatik, die in seinem Waffengurt steckte.

Nathan drückte die Kehle des Menschen unter seinen Händen noch ein bisschen fester zu. »Ich habe dich was gefragt. Wenn du weißt, wo Mira ist, dann wäre es jetzt wirklich an der Zeit, es mir zu verraten.«

Cassian grinste ihn ohne jede Furcht an. Er schien fast amüsiert zu sein. »Die hat ja in letzter Zeit für ganz schön viele Überraschungen gesorgt.«

»Du weißt also etwas«, hakte Nathan nach. Er war sich sicher, dass er die Spur gefunden hatte, nach der sie suchten. »Weißt du, wo Bowman sie gefangen hält?«

»Gefangen hält?« Cassian grinste noch breiter. »Ich vermute mal, er hält sie ziemlich nah bei sich. Hautnah sozusagen.«

Nathan drückte zu, und das erstickte Röcheln dieses Mannes erfüllte ihn – eher untypisch für ihn – mit sadistischer Befriedigung. Die Leibwächter und Kämpfer kamen wieder ein paar Schritte näher, als Cassian spuckte und hustete. Rafe bewegte sich mit leichtfüßiger Geschwindigkeit und stellte sich zwischen Nathan und Cassian und die Männer.

»Sag mir, wo ich Bowman finde«, forderte Nathan in eisigem Ton, »oder ich bringe dich um. Mach jetzt keinen Fehler. Dein Leben ist im Moment nur so viel wert wie die Information, die du für mich hast. Wo hält Bowman sie versteckt?«

Der Clubbesitzer holte würgend Luft. »Ich kann euch nichts sagen über diesen Rebellenführer oder eure vermisste Kameradin. Wirklich zu blöd, dass ihr nicht gestern Nacht hier aufgetaucht seid. Da hättet ihr sie selbst fragen können.«

Das Blut gefror Nathan in den Adern. »Was quatscht du da?«

»Sie waren hier«, sagte Cassian. »Die beiden. Sie haben unten mit Rune in seiner Garderobe gesprochen.«

Verdammter Scheißkerl.

Nathan tauschte einen erstaunten Blick mit Rafe aus, worauf dieser sofort zur Treppe hinunter in den Keller ging. Nathan starrte angewidert auf den Mann, dessen Kehle er immer noch fest umschlossen hielt. Er lockerte den Griff ein wenig, damit Cassian freier sprechen konnte. »War sie in Ordnung? Hat es so ausgesehen, als ob er sie irgendwie verletzt hätte?«

»Immer noch das gleiche lockere Mundwerk, und an ihrem eingebildeten Auftreten hat sich auch nichts geändert, wenn du das meinst.«

»Du hast mit ihr geredet?« Nathan war verwirrt, ein Gefühl, das sein Innerstes in Aufruhr versetzte. Es gefiel ihm gar nicht. Er war kühle Logik gewöhnt, ruhige Schlussfolgerungen. Mit nichts von dem, was Cassian berichtete, hatte er gerechnet, und obwohl er klug war und für gewöhnlich schnell umschalten konnte, fiel es ihm schwer zu begreifen, was er hier zu hören bekam. »Was hat sie zu dir gesagt? Hast du auch mit Bowman gesprochen?«

Rafe kam wieder aus dem Keller hoch und schüttelte den Kopf. »Keine Spur von Rune da unten.«

»Nein«, sagte Cassian fast beiläufig. Er klang wenig beeindruckt. »Rune hat sich den Abend freigenommen.«

»Wo steckt er?«, fragte Nathan.

Cassian lachte leise, und das schwarze Piercing in seiner Zungenspitze schimmerte, als er weiterredete. »Such die Tagwandler. Ich nehme mal an, da findest du Rune.«

Nathan war völlig perplex, doch Rafe fasste sich als Erster. »Verdammt, was soll das heißen?«, fragte er. »Meinst du Aric Chase?«

»Nein«, erwiderte Cassian. »Die andere. Das Mädchen. Die scharfe Braut, die sich seit ein paar Wochen in meinem Club unters gemeine Volk mischt. Wenn du sie findest, dann kann ich dir garantieren, dass Rune auch in der Nähe ist.«

Am Nachmittag hatten sie die lange Fahrt zum alten Dunklen Hafen seines Großvaters im Norden des Bundesstaats Maine zurückgelegt.

Auf halber Strecke hatte Mira schlimme Kopfschmerzen bekommen. Sie hatte Kellan versichert, dass sie in Ordnung sei, doch durch ihre Verbindung hatte er die dröhnenden Schmerzen in ihrem Kopf spüren können. Er spürte sie noch immer, obwohl Mira sich inzwischen im großen Schlafzimmer des Dunklen Hafens schlafen gelegt hatte. Im Schlaf waren ihre Beschwerden weniger stark, aber dass sie überhaupt Schmerzen hatte, beunruhigte Kellan mehr, als er sich eingestehen wollte. Er wusste nicht, wie lange Mira keine Vision mehr gehabt hatte, bevor sie sich heute selbst in die Augen geblickt hatte, aber er vermutete, dass es einen Zusammenhang gab.

Wenigstens hatte sie seit ihrer Ankunft in Maine ein bisschen Ruhe finden können. Sie war schon vor mehr als zwei Stunden vor Erschöpfung eingeschlafen, und als Kellan vor ein paar Minuten nach ihr geschaut hatte, hatte sie sich nicht einmal geregt, als er sich auf das Bett neben sie gesetzt hatte.

Sein Team hatte sich schnell in der neuen Umgebung eingewöhnt. Als Candice gut untergebracht und ihre Wunde versorgt war, hatten Doc und Nina damit angefangen, das gesamte Haus auf Vordermann zu bringen. Sie staubten die alten Möbel und Haushaltsgeräte ab, die seit Jahren niemand mehr benutzt hatte, und sie verstauten die Vorräte und die Waffen, die sie aus dem geheimen Versteck im Bunker bei New Bedford mitgebracht hatten.

Der Dunkle Hafen war nicht zu vergleichen mit der eher primitiven Ausstattung ihres vorherigen Lagers. Hier gab es eine Küche mit hochmodernen, voll funktionierenden Elektrogeräten wie Kühlschrank und Herd, es gab etliche Zimmer mit komfortablen Möbeln und insgesamt fast tausend Quadratmeter Wohnraum. Doch sie konnten nur vorübergehend hierbleiben. Der Zufluchtsort war nur für eine kurze Zeit sicher für sie, bis Kellan sich dem Sturm würde stellen können, der sich von allen Seiten um ihn herum zusammenzog.

Was das Versteck betraf, konnte er nur hoffen, dass ihn sein Instinkt nicht trog.

Er betete, dass sie hier eine Weile sicher waren. Wenn nicht, dann riskierte er mit dem, was er heute noch tun musste, ihrer aller Leben.

Von den Glastüren aus konnte man in die dichten Wälder sehen, die das große Haus umgaben. Kellan was so in den Anblick versunken, dass er Nina erst hörte, als sie sich direkt hinter ihm leise räusperte. Er drehte sich um und blickte irritiert auf das kleine weiße Fläschchen, das sie ihm entgegenhielt.

»Gegen Migräne«, sagte sie und schüttelte den Behälter. »Ich habe nur noch ein paar Tabletten übrig, aber wenn du denkst, sie könnten helfen, dann kannst du sie gerne haben für … deine Freundin.«

Er nickte, nahm ihr das Fläschchen aus der Hand und steckte es in seine Hosentasche. »Danke.«

Nina, Candice und Doc hatten sich alle in dem großen Wohnraum mit ihm versammelt. Eine Weile hatten sie zugeschaut, wie er auf und ab ging. Erst jetzt merkte er, dass eine unangenehme Stille auf der Gruppe lastete. Zum Teil hatte ihr Schweigen mit den Ereignissen zu tun, die in den vergangenen vierundzwanzig Stunden geschehen waren – die Explosion in Ackmeyers Labor, die weltweit Schlagzeilen gemacht hatte, und die öffentlichen Unruhen, die daraufhin überall ausgebrochen waren; das feierliche letzte Geleit, das sie Chaz gegeben hatten; und nun die plötzliche Flucht zu einem Ort, von dem sie bis jetzt nicht einmal gewusst hatten, dass er existierte.

Und dann hatte die Unruhe seines Teams mit der Ordenskriegerin zu tun, die für ihn ganz offensichtlich nicht nur eine gewöhnliche Gefangene war, die er gegen ihren Willen festhielt.

Kellan schaute vom einen zum anderen. Sie waren durcheinander und argwöhnisch, weil sie sich unsicher waren, wer er wirklich war und was Mira ihm bedeutete.

Die sorgenvollen Blicke, die sie ihm zuwarfen, ließen ihm keine Ruhe.

Sie kannten ihn nicht, obwohl sie acht Jahre lang mit ihm zusammengelebt hatten. Sie hatten sein Geheimnis, dass er ein Stammesvampir war, nie verraten, aber er hatte ihnen dafür nichts zurückgegeben. Sie hatten ihm ihr Vertrauen und ihre Freundschaft angeboten, aber er hatte sie nicht an sich herangelassen.

Schluss damit, entschied er.

Diese drei Normalsterblichen – diese Menschen, Himmel noch mal – waren seine Freunde geworden. Sie waren seine Familie, und es brachte ihn fast um, dass er es erst jetzt wirklich verstand, wo er gezwungen war, sie bald für immer zu verlassen.

»Ich war nicht fair zu euch«, sagte er und schüttelte voller Bedauern den Kopf. »Ich habe euch die ganze Zeit über angelogen. Ihr wisst nicht einmal meinen echten Namen. Ich heiße nicht Bowman, sondern Kellan. Mein Name ist Kellan Archer.«

Doc verzog das Gesicht, und er runzelte argwöhnisch die schwarzen Brauen über seinen braunen Augen. Nina legte fragend ihren indigoblauen Schopf schief, wobei ihr beunruhigter Blick noch ernster wurde. Nur Candice erwiderte Kellans Blick ohne Misstrauen oder Überraschung. Die kluge, einfühlsame junge Frau hatte sich wahrscheinlich den Großteil seines Geständnisses schon selbst zusammengereimt, an dem Tag, als sie und Mira miteinander geredet hatten. Die beiden Frauen hatten sich auf Anhieb gut verstanden – und vielleicht wären sie Freundinnen geworden, wenn es die Umstände erlaubt hätten.

Sie nickte ihm sanft zu, und er räusperte sich, bevor er weiterredete. »Ihr wusstet von Anfang an, dass ich ein Stammesvampir bin. Das war etwas, das ich nicht vor euch verheimlichen konnte. Candice und Doc, ihr habt es sofort gewusst, als ihr mich aus dem Mystic geholt und mir das Leben gerettet habt. Und du, Nina, du hast es seit Monaten gewusst. Ihr alle wart in mein Geheimnis eingeweiht, und ihr habt mich nie verraten.«

»Wir sind deine Freunde. Freunde verraten sich nicht, Bow– « Doc brach abrupt ab und schüttelte heftig den Kopf, dann seufzte er schwer. »Freunde halten sich gegenseitig den Rücken frei. Das hast du auch für uns getan … Kellan?«

Er nickte, als Doc ihn mit seinem wirklichen Namen ansprach. »Ich halte dir immer noch den Rücken frei, Javier. Solange ich am Leben bin, werde ich aufpassen, dass niemand euch in den

Rücken fällt. Und ich will euch heute Nacht alles erzählen, keine Geheimnisse mehr. Keine Lügen mehr. Ich will euch die Wahrheit erzählen – die ganze Wahrheit. Und ein Teil von meiner Wahrheit schläft in dem Zimmer am anderen Ende des Gangs.«

»Du liebst sie.« Der sorgenvolle Blick war aus Ninas Zügen gewichen, und sie schaute Kellan voller Verständnis an. Ihre Stimme klang leise und wehmütig, denn zweifellos dachte sie an ihre eigene Liebe, die sie erst vor so kurzer Zeit verloren hatte. Der Geliebte, der ihr von dem Unbekannten genommen worden war, der sich mit Jeremy Ackmeyers UV-Technologie aus dem Staub gemacht hatte. »Du liebst diese Frau schon ziemlich lange, nicht?«

Kellan nickte. »Schon mein ganzes Leben lang. So kommt es mir wenigstens vor. Ich habe sie schon geliebt, als wir noch Kinder waren … als Mira und ich zusammen vom Orden aufgezogen wurden.«

Niemand sagte etwas. Jetzt schaute ihn sogar Candice erwartungsvoll an. »Du bist ein Mitglied des Ordens?«, fragte sie schließlich.

»Ich war einmal ein Mitglied«, korrigierte er sie. »Das ist lange her.«

Er erzählte ihnen von der Zerstörung des Dunklen Hafens seiner Familie, als er dreizehn gewesen war, und wie er und sein Großvater, Lazaro Archer, der Besitzer des Hauses, in dem sie nun Zuflucht gefunden hatten, sich unter den Schutz des Ordens begeben hatten. Er erzählte ihnen, wie er dort ein achtjähriges, weißhaariges, störrisches kleines Gör kennengelernt hatte, das nicht zuließ, dass er verdrossen allem nachtrauerte, was er verloren hatte, das ihn nicht aufgeben ließ und das ihn gezwungen hatte, es als seine Freundin zu akzeptieren. Er erzählte ihnen, wie das kleine Gör zu einer atemberaubenden Frau und beeindruckenden Kriegerin heranwuchs, wie er und Mira zusammen im Orden ausgebildet wurden und schließlich Mitglieder im gleichen Einsatzteam waren.

Und dann erzählte er ihnen, wie er sich letztendlich selbst eingestehen musste, dass er sich in Mira verliebt hatte, und wie sie beide schließlich dem Verlangen nachgaben, das sie füreinander empfanden. Wie er dabei seine Zukunft in ihren außergewöhnlichen Augen gesehen hatte und wie seine Welt in diesem kurzen Moment völlig aus den Fugen geraten war.

Er erzählte ihnen von der Explosion in dem Lagerhaus, die ihn eigentlich das Leben hätte kosten sollen, doch er hatte überlebt. Und was für ein Feigling er danach gewesen war, als er die, wie er damals dachte, einfachste Lösung beim Schopf packte und so schnell und weit wie möglich vor der furchtbaren Vision davonrannte. Dass er Mira und alle anderen, an denen ihm zu der Zeit etwas gelegen war, in dem Glauben ließ, er sei wirklich tot.

»Ich dachte, ich hätte hundertprozentig dafür gesorgt, dass sich unsere Wege nie wieder kreuzen.« Er stieß einen leisen Fluch aus. »Und dann kam der Anruf von dem Einsatz, nachdem die Entführung von Ackmeyer nicht wie geplant gelaufen war. Als ich hörte, dass wir ein Mitglied des Ordens geschnappt hatten … eine Kriegerin … da hätte ich euch die Wahrheit sagen sollen. Aber ich glaube, ich machte mir immer noch vor, dass ich dem Schicksal entkommen könnte. Dass ich dem, was unausweichlich kommen wird, irgendwie entgehen könnte.«

»Klingt, als hättest du schon aufgegeben, Boss.« Doc betrachtete ihn mit dem scharfen Blick eines Militärarztes, der mit einer tödlichen Verletzung konfrontiert ist. »Für mich hört sich das an, als ob du uns hierhergebracht hast, um dich zu verabschieden.«

»Ich musste tun, was ich konnte, damit ihr drei zumindest die Chance habt, unbeschadet aus dieser Sache rauszukommen«, sagte Kellan. Er war noch nicht bereit, über Abschiede zu reden. »Ich möchte, dass ihr alle euch überlegt, wie es mit eurem Leben weitergehen soll, wenn das alles hier vorbei ist.«

»Was wird aus dir und Mira?«, fragte Candice mit sanfter Stimme.

Er schüttelte nachdenklich den Kopf. »Ich muss wissen, dass auch sie in Sicherheit ist. Sie gehört zum Orden, das ist ihre Familie. Sie werden sich um sie kümmern. Sie werden ihr beistehen.«

Candice betrachtete ihn. Der weise Blick in ihren blaugrünen Augen durchschaute ihn. »Und du, Kellan? Was wird bei alldem aus dir?«

Er stöhnte und hob halb ironisch, halb resigniert die Schultern. »Ich bin wieder da, wo ich angefangen habe.«

Wenigstens hatte er jetzt diesen drei Menschen die Wahrheit sagen können. Wenigstens hatte er ein paar kostbare Tage und Nächte mit Mira gehabt, und sie waren ein Geschenk, das jeden Preis wert war, den er noch zahlen musste.

Er hatte ihre Liebe.

Sein Herz würde auf immer ihr gehören.

Kellan hörte einen dumpfen Schlag aus dem Schlafzimmer am Ende des Gangs, und durch die Blutsverbindung mit Mira durchfuhr ihn ein plötzlicher, scharfer Schmerz.

Nina sagte noch, »Sie ist endlich aufgewacht, glaube ich«, da war er schon aufgesprungen und auf dem Weg zu ihr.

Mit langen Schritten eilte er den Gang hinunter. Er öffnete die Tür; das Bett war leer, die Decke zurückgeschlagen. »Mira?«

Eine Moment später sah er sie auf dem Boden am Fuße des Bettes sitzen. Sie hielt mit beiden Händen ihr Schienbein. Kaum hatte Kellan die Tür ganz aufgerissen, da stieg ihm der überwältigende Lilienduft ihres Blutes in seine sich instinktiv weitenden Nasenlöcher. »Herr im Himmel. Was ist passiert?«

»N-nichts«, stotterte sie. Jetzt sah Kellan, dass sie am Bein aus einer Wunde blutete. »Ich hab noch halb geschlafen, als ich aufstehen wollte. Dabei hab ich mir das Schienbein an der Bettkante aufgeschlagen.«

»Ich hol dir was, das du auf die Wunde drücken kannst.« Er stürzte ins Bad, befeuchtete einen Waschlappen und brachte ihr die improvisierte kalte Kompresse. »Hier, halt das fest drauf.«

Ihre Finger zitterten, als sie ihm den Lappen aus der Hand nahm und auf die Wunde legte. Es war keine schlimme Verletzung, sie war nur gestolpert. Aber Mira war eine Frau, die immer fest mit beiden Beinen auf dem Boden stand. Und sie war eine kampferprobte Kriegerin. Ein eisiger Knoten formte sich in Kellans Magen. »Wie geht es dir?«

»Gut«, erwiderte sie sofort. Die Antwort kam eine Spur zu schnell. Und durch die Blutsverbindung fühlte er etwas ganz anderes. Neben dem Brennen von der Verletzung am Bein und dem dumpfen Pochen der Kopfschmerzen, die immer noch da waren, konnte Kellan Angst und Verwirrung spüren. »Mach dir keine Sorgen um mich, Kellan. Es ist nur ein Kratzer.«

Er schaute ihr ins Gesicht, direkt in ihre Augen, die an ihm vorbeischauten, obwohl er mit ihr Blickkontakt aufnehmen wollte. Oh nein, Himmel, nein. Er wollte den Verdacht nicht wahrhaben, der sich ungebeten in seine Gedanken schlich. Nicht einmal in Betracht ziehen wollte er diese furchtbare Möglichkeit.

»Mira …« Er berührte ihr Gesicht in der Nähe ihrer Augen.

Ihr Blick zuckte ein wenig, doch noch immer schaute sie ihn nicht direkt an, wie er gehofft hatte.

»Was … was tust du da, Kellan?« Ihre Stimme klang so unsicher. So voller Angst, dass es ihm das Herz brach.

Sie hatte keine Ahnung, was er vorhatte. Das spürte er genau.

Aber er musste es wissen, er musste die Wahrheit mit eigenen Augen sehen.

»Halt still«, befahl er ihr leise. »Ich tu dir nicht weh.«

Vorsichtig nahm er eine ihrer Kontaktlinsen heraus.

»Kellan, nicht …« Sie atmete scharf ein und versuchte, das Gesicht von ihm abzuwenden. Doch er drehte es sanft wieder zu sich und entfernte auch die zweite Kontaktlinse. »Kellan … Ich wollte nicht, dass du es weißt. Ich dachte, vielleicht wird es besser, wenn ich mich eine Weile ausruhe …«

»Oh Maus.« Er konnte kaum sprechen. Die Worte lagen ihm wie Staub auf der Zunge. »Oh Gott, meine Kleine … Nein.«

Ihre Augen waren nicht mehr hell und klar wie Spiegel.

Sie waren milchig weiß und undurchsichtig.

Ihre Pupillen waren winzig wie Nadelköpfe, die mitten aus ihren blinden Augen ins Leere starrten.

20

Nathan hatte Aric Chase schon am Apparat, als er und Rafe das *LaNotte* verließen. »Weißt du zufällig, wo sich deine Schwester heute Nacht herumtreibt?«

»Carys? Ja, sie ist bei Jordana Gates in ihrem Apartment in Back Bay.«

Nathan blickte zu Rafe, der mit einem Nicken zu verstehen gab, dass er den Ort kannte. »Ich weiß, wo das ist. An der Commonwealth Avenue, eine Straße vom Public Garden entfernt.«

»Was hat sie jetzt wieder ausgefressen?«, fragte Aric und schlug dann einen ernsteren Ton an. »Sie ist doch nicht in Schwierigkeiten, oder?«

»Das werden wir bald herausfinden«, erwiderte Nathan. Wahrscheinlich hätte er dem Zwillingsbruder der jungen Frau eine weniger alarmierende Antwort geben sollen, aber was Diplomatie betraf, hatte er keine große Erfahrung. »Ich gebe dir Bescheid, wenn wir mit ihr gesprochen haben.«

Er brach die Verbindung ohne weitere Diskussion ab und steckte das Kommunikationsgerät zurück in die Tasche seines schwarzen Kampfanzugs. Dann bogen er und Rafe um die nächste Häuserecke und beschleunigten ihre Schritte, als sie in Richtung Back Bay eilten. Sie hatten ihr Fahrzeug ein paar Straßen weiter geparkt, aber es zu holen, wäre sinnlos gewesen. Dank ihrer Stammesgene konnten sie die Stadt zu Fuß viel schneller durchqueren. Und falls Rune sich wirklich mit Carys Chase eingelassen hatte, dann wollte Nathan sich seiner Sache ganz sicher sein, bevor er den Käfigkämpfer mit bloßen Händen in Stücke riss.

In wenigen Minuten gelangten er und Rafe zu der Adresse, die Aric ihnen genannt hatte, eine viktorianische Villa aus weißen Kalksteinquadern. Sie rasten die Marmortreppe hoch, durch die schwarz glänzende Eingangstür und stürmten ins Foyer des Hauses. In der eleganten Stille der Villa dröhnten die Schritte ihrer Kampfstiefel wie der Marschtritt einer heranrückenden Armee.

Als die beiden Stammeskrieger durch die Eingangshalle schritten, erhob sich hinter einer langen Rezeption aus dunklem Mahagoniholz ein ergrauter Mann mittleren Alters. Er trug die Uniform eines privaten Sicherheitsdienstes. Der beleibte Wachmann wollte schon stotternd protestieren, doch Nathan brachte ihn mit einem dunklen Blick und einem kurzen Aufblitzen seiner Fänge zum Schweigen. Der Mensch war nicht auf den Kopf gefallen, sondern setzte seinen Arsch sofort wieder auf den Stuhl und widmete sich ganz dem Studium seiner Fingernägel.

Nathan gab dem Aufzug in der Lobby einen mentalen Befehl, und die Kabine setzte sich in Bewegung und kam nach unten. »Du bleibst hier«, befahl er Rafe, als sich die Aufzugtüren öffneten. »Wenn Carys oder Rune abhauen wollen, während ich oben bin, dann hältst du sie fest. Ruf mich.«

Rafe senkte den blonden Kopf und nickte. In den Augen des jungen Kriegers stand eine grimmige Entschlossenheit. Nathan trat in den Aufzug und sprengte mit seinen mentalen Kräften die Sperrung am Knopf zum Penthouse.

Wenige Sekunden später öffnete sich die Tür des Aufzugs wieder, und Nathan starrte durch ein schmiedeeisernes Gitter. Durch die kunstvolle Absperrung blickte er in das prachtvoll ausgestattete Apartment von Jordana Gates. Der Raum war mindestens vier Meter hoch, der Boden aus weiß schimmerndem Marmor, und alles war in ein weiches goldenes Licht getaucht, das warm und einladend auf die Wände schien, die in feinen Schattierungen von Beige, Weiß und zartem Hellblau gestrichen waren.

Während er noch hinter dem schwarzen Eisengitter stand, hörte er eine helle weibliche Stimme, die vermutlich Carys' Freundin gehörte. »Seamus, das darf nicht wahr sein. Habe ich schon wieder meinen Schirm in der Lobby vergessen?«

Eine ätherische Blondine kam um eine breite Säule herum in den Vorraum gelaufen. Sie war groß und schlank und trug einen eng anliegenden elfenbeinfarbenen Rock, der ihr bis zu den Knien ging, dazu eine Bluse aus Seide in einem Farbton, der Nathan an poliertes Zinn erinnerte. Die Bluse war verführerisch weit aufgeknöpft bis zu einer Stelle tief zwischen ihren Brüsten, die er mit mehr Interesse beäugte, als ihm lieb war. Als sie ihn sah, blieb sie abrupt in ihren zierlichen, hochhackigen Sandalen stehen. Die platinblonden Haare fielen ihr in dichten Locken über den Po bis zu den Schenkeln und legten sich weich auf ihre Schultern, als sie aus der Bewegung heraus stillstand und ihn anstarrte. Sie war einfach … atemberaubend.

»Oh«, sagte sie. Offenbar wurde ihr jetzt erst klar, dass sie nicht mit dem Wachmann von unten redete. Der Funken sprühende Blauton ihrer großen, ausdrucksvollen Augen war fast unwirklich intensiv, als sie seinen ernsten Blick durch das verschnörkelte Gitter hindurch erwiderte.

»Carys Chase«, sagte Nathan mit fester Stimme.

»Wie bitte?« Sie runzelte die Stirn und räusperte sich, bevor sie weitersprach. »Nein, ich bin Jor–«

»Ich weiß, wer Sie sind. Ich suche Carys Chase. Ich möchte gerne mit ihr sprechen. Und zwar sofort.«

Die markanten Gesichtszüge von Jordana Gates nahmen einen ängstlichen Ausdruck an. »Ist … ist etwas passiert? Warum denken Sie, dass Carys hier –«

Mit seinen mentalen Kräften öffnete Nathan das verschlossene Eisengitter. »Ich weiß, dass sie hier ist.«

Jordana machte einen Schritt zurück, als er uneingeladen

das Apartment betrat. Sie warf einen besorgten Blick über ihre Schulter und sprach dann so laut, dass ihre Stimme sicher überall in der weitläufigen Wohnung zu hören war. »Sie ist nicht hier. Und ich schätze es gar nicht, wenn der Orden unangekündigt in meine Wohnung platzt.«

Nathan spürte, wie seine Mundwinkel zuckten. Er war weniger amüsiert als genervt, dass dieses in einem Dunklen Hafen aufgewachsene Mädchen der feinen Gesellschaft sich einbildete, sie könne ihn von seiner Mission abhalten. Er trat noch einen Schritt weiter in den Vorraum. Doch dieses Mal wich die Stammesgefährtin nicht zurück, sondern stellte sich ihm in den Weg.

»Nein«, sagte sie und platzierte ihre spitzen Absätze direkt vor ihm. »Nein. Sie können nicht einfach durch meine privaten Räume marschieren, als wäre das hier Ihre Wohnung.«

Er neigte den Kopf. Es verwunderte und verärgerte ihn zugleich, dass sie so gar keine Angst zeigte und sich ihm immer noch entgegenstellte. »Carys Chase!«, brüllte er, und seine Stimme dröhnte laut im hohen Kuppeldach des Vorraums.

Jordana trat noch näher zu ihm. »Wie ich schon sagte, Sie sind hier nicht willkommen. Ich möchte, dass Sie sofort verschwinden. Das ist mein Ernst.«

Sein Ärger verwandelte sich in blankes Erstaunen. Er konnte nicht glauben, dass sie sich ihm direkt widersetzte und sich überhaupt nicht einschüchtern ließ. »Ich lasse nicht zu, dass Sie auch noch einen Schritt weiter in mein Apartment kommen, Krieger.«

Nathan konnte ein leises Lachen nicht unterdrücken. »Und wie, Mädchen, willst du mich daran hindern? Hast du vielleicht eine Armee von Leibwächtern, die in deinem Salon kampieren?«

Er hob den Fuß, um entschlossen einen Schritt vorwärtszugehen, und sie tat das Gleiche. Doch sie schob ihn nicht weg oder schrie um Hilfe. Nein, Jordana Gates tat etwas viel Erstaunlicheres.

Sie küsste ihn.

Ohne jede Vorwarnung waren ihre Lippen auf seinem Mund, sie packte seine Schultern mit beiden Händen und drückte ihre Brüste fest gegen seinen Körper.

Für einen langen Moment war Nathan wie erstarrt und völlig perplex. Ihr warmer Mund, ihr weicher Körper, ihre Lippen, die sich an die seinen schmiegten ... alles zusammen löste einen Sturm der Gefühle in ihm aus, dem er selbst unter besseren Umständen nichts hätte entgegensetzen können. Ein Kampf Mann gegen Mann, heimliche Tötungsaufträge, damit hatte er kein Problem. Doch diese Situation traf ihn völlig unvorbereitet, auf diesem Gebiet besaß er weder Geschick noch Erfahrung.

Er war keine Jungfrau mehr – schon lange nicht mehr. Aber bei dem unpersönlichen Sex, den er bevorzugte, gab es keine Berührungen, keine Umarmung und keine Küsse.

Hätte Jordana Gates in diesem Moment die Neunmillimeter aus dem Holster an seinem Gurt gezogen und ihm direkt ins Herz geschossen – der Schock wäre für Nathan nicht größer gewesen.

Er bekam nicht einmal mit, dass sie nicht mehr alleine in dem Vorraum waren, bis er hörte, wie sich ein Mann hinter ihm räusperte.

Abrupt löste sich Nathan aus Jordanas Umarmung, trat rasch zurück und brachte einen größeren Abstand zwischen sie und ihn. Ihre meerblauen Augen waren weit aufgerissen, die Pupillen groß und dunkel. Ihr Blick, der vor dem Kuss noch in einem karibischen Azurblau geleuchtet hatte, loderte jetzt in einem stürmischen Türkis. Sie schlug sich mit der Hand auf den Mund und lief davon, zur sicheren Seite des Vorraums, wo ihre Freunde an der Tür zum angrenzenden Wohnzimmer warteten.

Die schöne, elegante Carys Chase stand neben dem dunkelhäutigen, gefährlichen Rune. Sie hielten sich an den Händen. »Bist du in Ordnung, Jordana?«, flüsterte sie. Dann wandte sie sich an Nathan, und jede Freundlichkeit war aus ihrer Stimme verschwunden. »Was suchst du hier? Warum zum Teufel hast du gerade Jordana angefallen? Sag mir sofort, was hier los ist!«

Die andere Stammesgefährtin schüttelte stumm ihre weiß-blonden Locken. Sogar Nathan versagte für einen Moment fast die Stimme. Er maß Rune mit einem kühlen Blick. »Deswegen bin ich hier: Was zum Teufel ist hier los?«

Rune hielt seinem Blick stand, er blinzelte nicht einmal mit seinen dunklen Augen. »Ich besuche nur meine Freunde an einem meiner wenigen freien Abende. Ich nehme doch an, damit verstoße ich gegen kein Gesetz.«

»Sag jetzt nur nichts Falsches. Wir zwei unterhalten uns später darüber, wie du eigentlich dazu kommst, mit diesem Mädchen anzubändeln«, erwiderte Nathan. Er warf Carys einen finsteren Blick zu. »Und wir beide sind auch noch nicht fertig miteinander.« Worauf sie ihr Kinn eine Spur höher reckte, unverfroren und ohne jedes Schuldbewusstsein. »Aber im Moment bin ich hier wegen einer Freundin, mit der du dich gestern Nacht im Club unterhalten hast«, sagte Nathan, wieder an Rune gewandt.

Im Gesicht des Stammeskämpfers blitzte ein seltsamer Ausdruck auf, aber kaum einen Augenblick später hatte er sich wieder unter Kontrolle und setzte eine unbeteiligte Maske auf. »Ich hab keine Ahnung, wen du meinst.«

»Da hat mir Cassian aber etwas anderes erzählt, als ich vor ein paar Minuten bei ihm war«, entgegnete Nathan. »Er sagt, du hättest Besuch gehabt von diesem beschissenen Rebellenarsch namens Bowman.«

Rune lachte leise. »Da hat man dir was Falsches auf die Nase gebunden, Mann. Ich will gar nicht wissen, was für ein Spiel Cass mit dir treibt, aber ich habe nichts mit den Rebellen zu tun. Und ich kenne niemanden, der Bowman heißt.« Er klang ehrlich, soweit Nathan es beurteilen konnte.

»Wirklich?«, fragte er dennoch weiter. »Cassian hat mir erzählt, Bowman sei gestern Nacht mit Mira im *LaNotte* aufgetaucht.« Runes Züge schienen etwas härter zu werden, als Miras Name fiel. »Cassian sagt, du hättest dich mit den beiden eine ganze Weile lang in deiner Garderobe unterhalten.«

»Das ist eine Lüge«, mischte sich Carys ein. Ihre hellbraunen Haare fielen nach vorn, als sie heftig den Kopf schüttelte. »Niemand war gestern Abend bei Rune in der Garderobe … außer mir.«

Nathan entfuhr ein Fluch zwischen den zusammengepressten Lippen. Er war bestürzt über diese Neuigkeit und konnte sich nur zu gut vorstellen, wie Carys' Eltern oder ihr Zwillingsbruder darauf reagieren würden. »Offenbar lügt mich hier jemand an«, sagte er. »Und ich warne euch: Ich habe keine Zeit für diesen Quatsch.«

Rune starrte ihn abschätzend an, fast so, als würde er etwas vermuten. »Klingt für mich, als wäre der Orden in Schwierigkeiten.«

»Hast du Bowman gestern Nacht mit Mira gesehen oder nicht?«, fragte Nathan den Kämpfer. »Wenn du irgendetwas darüber weißt, was er mit ihr vorhat, dann muss ich es erfahren. Ihr Leben hängt vielleicht davon ab.«

Er bemerkte, dass Carys Runes Hand noch etwas fester drückte. Doch Runes Gesichts verriet nichts. »Tut mir leid. Ich kann dir da nicht weiterhelfen.«

»Leid tut's dir?«, fauchte Nathan. »Ich sorge dafür, dass es dir *wirklich* leidtut.«

Vielleicht konnte er den Scheißkerl mit Gewalt zum Sprechen bringen. Nathan trat einen Schritt vor, doch es entging ihm nicht, dass Rune sich nicht von der Stelle rührte. Und dann war es egal, denn im nächsten Moment hatten sich die beiden Frauen zwischen die zwei Stammesvampire gestellt.

»Hört sofort damit auf«, schrie Carys. Sie fuhr zu Rune herum. »Beide. Hört auf damit!«

Nathan starrte wie gebannt auf Jordana, doch aus dem Augenwinkel sah er, dass Rune sanft Carys' Wange streichelte.

Wahrscheinlich musste er ihr schon in den nächsten Minuten wehtun, und Nathan hasste sich dafür. Doch es sah ganz danach aus, als ob er und Carys' vollkommen unpassender Lover ihr Streitgespräch mit mehr körperlichem Einsatz zu Ende bringen mussten.

Während er noch das Für und Wider eines Kampfes abwägte, fing sein Kommunikationsgerät in der Hosentasche an zu brummen. Er nahm es heraus. Es war Eli, ein Mitglied seines Teams hier in Boston. Bevor Nathan fragen konnte, was los war, platzte Eli auch schon mit den Neuigkeiten heraus, für die Nathan heute Nacht jemanden hätte töten können.

»Wir haben einen Hinweis auf den Aufenthaltsort von Bowman.«

»Wo?«, fragte Nathan. Seine festgefahrene Unterhaltung mit Rune war mit einem Mal unwichtig, angesichts dieser Neuigkeiten.

»Wir haben einen Tipp bekommen über ein Rebellenlager, das sich den Gerüchten zufolge unten in New Bedford befinden soll. Von diesem Drecksack von Waffenschmuggler, der Vince letzten Winter ein Dutzend halbautomatischer Pistolen verkauft hat. Er sagt, er hätte nur mit Vince verhandelt und weder Bowman noch sonst jemanden gesehen. Aber an dem Gerücht über das Rebellenlager scheint was dran zu sein. Nicht gerade viel, aber immerhin eine Spur, oder?«

»Es ist eine Spur«, sagte Nathan. »Wo bist du gerade?« Eli gab rasch die Koordinaten durch, wo in der Stadt sich das Team befand. »In Ordnung. Rafe und ich sind in knapp fünf Minuten bei euch. Gib den anderen allen Bescheid, die heute Nacht unterwegs sind. Sag ihnen, dass wir uns darum kümmern. Wir gehen sofort nach New Bedford, ohne weitere Verzögerung.«

»Verstanden, Captain.«

Sie beendeten das Gespräch, und Nathan warf einen letzten Blick auf den Käfigkämpfer, als er das Kommunikationsgerät zurück in die Hosentasche schob. »Wenn Mira irgendetwas passiert, weil du das Maul nicht aufgemacht hast, wird dir das noch leidtun. Und das gilt doppelt, wenn diesem Mädchen hier etwas zustößt.«

Bei den drohenden Worten kniff Rune seine dunklen Augen zusammen. »Ich würde mein Leben geben, um Carys zu schützen.«

Nathan grunzte verächtlich. Er war gut informiert über die zweifelhafte Herkunft des Stammesvampirs, der für seinen losen Lebenswandel berüchtigt war. »Sie ist zehnmal so viel wert wie du, und das weißt du auch.«

»Aye«, stimmte Rune ihm zu und fiel zum ersten Mal in seinen ursprünglichen Dialekt, der normalerweise kaum zu hören war. Sein Blick war ernst, aber ohne jede Spur von Reue. »Das weiß ich wohl, Krieger.«

Jordana Gates starrte Nathan an, als stünde der Teufel persönlich mitten in ihrem Apartment, und Carys klammerte sich an Runes große, narbenübersäte Hand. Nathan drehte sich um und verließ das Penthouse.

Auf der Fahrt hinunter in die Lobby musste er sich ganz auf sein Training konzentrieren, damit er alle seine Sinne wieder kalt und entschlossen auf ihre Mission richten konnte.

Er verließ den Aufzug im Erdgeschoss und gab seinem Kameraden mit einer kurzen Handbewegung zu verstehen, dass er ihm folgen sollte. Auf dem Weg durch die Lobby informierte er Rafe über die neue Spur, dann traten die beiden Krieger hinaus aus der Villa ins Freie. Sie waren bereit, Bowman und seinen

Rebellen große Schmerzen zuzufügen, bevor sie sie schließlich töten würden.

Doch die ganze Zeit brannte in Nathan der unerwartete, der verstörend unvergessliche Kuss von Jordana Gates auf den Lippen.

Um sie herum herrschte nichts als tintenschwarze Dunkelheit.

Eine stumme, kalte Leere tat sich neben ihr auf, als Kellan sich von ihr und der Blindheit entfernte. Sie konnte nicht wissen, was er jetzt in ihren Augen sah, sie wusste nur, dass er sich von der Hässlichkeit ihres blinden Blicks abgewandt und sie mit einem grausamen Fluch losgelassen hatte.

»Kellan, ich wollte nicht, dass du es weißt«, flüsterte sie. Sie war verzweifelt, weil er nicht mehr bei ihr war. »Ich wollte nicht, dass du mich so siehst …«

»Kannst du überhaupt nichts mehr sehen?« Seine Stimme klang hölzern, doch eine wilde Wut schwang darin mit, die sie bestimmt auch in seinen schönen Gesichtszügen sehen würde, wenn ihre Augen ihn im Dunkeln noch erkennen könnten. Als sie langsam den Kopf schüttelte, stöhnte er laut auf.

Kellan stand noch immer hinter ihr, da fiel die Tür mit einem lauten Knall ins Schloss. Mira zuckte vor Schreck zusammen. In ihren Ohren klang es wie ein Pistolenschuss. All ihre anderen Sinne waren aufs Äußerste geschärft, seit sie nicht mehr sehen konnte.

»Verdammt, Mira.« Kellans Stimme klang gepresst, ein angespanntes leises Flüstern. »Verdammt, wir beide haben alles total in die Scheiße geritten.«

»Kellan, es tut mir leid, es –«

»Nicht.« Er schnitt ihr das Wort ab, doch dann waren seine Hände auf ihren Oberarmen, und seine Finger zitterten, als er sie zärtlich festhielt. Mit einer quälenden Zärtlichkeit. »Gott, du musst dich nicht entschuldigen, für nichts. Nicht mir gegenüber. Ich verdiene deine Entschuldigung nicht. Nicht, nachdem ich dir das angetan habe.«

Sie wollte so gerne sein Gesicht sehen. Sie musste wissen, ob das Gefühl, das sie in seiner Stimme hörte, Traurigkeit war oder Mitleid. Es klang nach Mitleid. Sie schluckte, weil sie solche Angst hatte, ihn zu verlieren. Nicht weil irgendein Schicksal ihn ihr nehmen wollte, sondern weil sie jetzt in seinen Augen nicht mehr ganz war. Sie war zerbrochen, und schuld daran war nur sie selbst.

»Ich kann dich so nicht weiterleben lassen«, flüsterte er und brach ihr damit das Herz noch mehr. »Ich muss dich heilen, wenn ich kann. Du brauchst Blut, Mira. Unsere Verbindung kann deine Augen vielleicht heilen.«

Wie lange hatte sie darauf gewartet, dass er ihr aus freien Stücken sein Blut anbieten würde? Wie viele lange Jahre hatte sie sich ausgemalt, dass sie zusammen wären, ein blutsverbundenes Ehepaar? Jetzt fühlte sich sein Angebot wie ein Schlag ins Gesicht an. Es verletzte sie. Es tat so weh, dass sie in betäubtem Schock zurückfuhr, als hätte sie wirklich jemand geschlagen.

»Ich ertrag es nicht, wenn ich dir nur leidtue«, brachte sie heiser heraus. »Wag es nicht, mir dein Blut nur aus Mitleid zu geben, Kellan.«

»Mitleid«, murmelte er mit belegter Stimme. Er strich ihr sanft mit der Hand über die Wange. »Gott, nein. Ich tue das nicht aus Mitleid, sondern weil ich so vieles gerne anders gemacht hätte. Weil ich Angst um dich habe. Und weil ich dich liebe, Mira. Ich liebe dich so sehr.« Er atmete schwer aus. »Ich hätte mir nie vorstellen können, dass es für uns so schieflaufen könnte. Ich wollte dich so oft fragen, ob du mich zum Gefährten willst. Ich hätte dich fragen sollen, aber ich hatte solche Angst davor, dich dann wieder zu verlieren.«

»Du bist von *mir* weggegangen«, erinnerte sie ihn. »Ich bin geblieben. Ich wäre immer bei dir geblieben, auch wenn ich gewusst hätte, wie alles enden wird.«

»Ich weiß«, sagte er, und seine tiefe Stimme klang reuevoll. »Und ich hätte dir diese Wahl lassen sollen. Das habe ich jetzt eingesehen.« Er fluchte leise. »Mir sind eine ganze Menge Dinge klar geworden, aber jetzt kann ich nichts mehr daran ändern. Aber deine Augen«, sagte er und fuhr mit dem Daumen leicht über ihre geschlossenen Augenlider, während er immer noch ihr Gesicht streichelte. »Ich kann vielleicht deine Augen heilen. Und jetzt bitte ich dich, Mira, dass du mir diese Wahl lässt.«

Es waren zärtliche, wunderschöne Worte. Sie spürte seine Zuneigung im leisen Stocken seiner Stimme und in seinen vorsichtigen Berührungen, als er ihre Haut streichelte. Sie bedeutete ihm viel. Er liebte sie, daran hatte sie keine Zweifel.

Aber er gab sich ihr nicht als ihr Gefährte hin. Er wollte ihr eine Chance geben, damit sie durch sein Blut ihr Augenlicht wiedererlangte. Er wollte sie wieder ganz machen. Aber würde er ihr sein Blut auch anbieten, wenn sie ihm jetzt in diesem Moment in die Augen blicken könnte? Wenn sie den Mann sehen könnte, den sie liebte, den Mann, an dem ihr Herz hing, egal ob sein Blut diese Liebe besiegelte oder nicht?

Ihr eigenes Blut musste ihm ihre Zweifel verraten haben, denn kaum hatte sie den Gedanken zu Ende gedacht, als Kellans Finger unter ihr Kinn glitten und er ihren Kopf hob, um ihr in die blinden Augen zu blicken. »Wenn ich mir vorgestellt habe, dass ich diesen Teil von mir mit dir teile, Mira, dann war es immer eine heilige Sache für mich. Etwas, das wir in Leidenschaft tun, beim Sex und mit einer gemeinsamen Zukunft, die sich bis in die Ewigkeit erstreckt. Ich habe es mir nie so wie jetzt vorgestellt«, sagte er, und seine Stimme war leise und heiser. »Es war nie etwas für mich, das ich für dich tun wollte, wenn du leidest und Angst hast und wenn ich hilflos und verzweifelt bin und verdammt dazu, dich schon bald zu verlieren. Und mit einem Gefährten wie mir ist dir im Moment wohl am wenigsten gedient.«

»Ich will niemanden außer dir, Kellan. Da war nie ein anderer.« Sie streckte die Hand nach ihm aus, doch sie konnte ihn nicht finden und griff in Luft und Dunkelheit. Tief aus ihrer Kehle entschlüpfte ein leiser, gebrochener Laut der Enttäuschung.

Dann fand Kellans Hand die ihre, und er umschloss sie mit festem Griff. »Hier bin ich«, sagte er und küsste sie mitten auf ihre Hand. »Ich habe dich, Maus.«

»Ja, das hast du«, erwiderte sie, und sie war so von Liebe für ihn erfüllt, dass sie dachte, ihr würde das Herz davon zerspringen. »Du wirst mich nicht verlassen, oder, Kellan? Das hast du mir versprochen. Du verlässt mich nicht.«

Sein Fluch war ein geflüsterter Schwur. Dann war sein Mund auf ihrem, und sein Kuss war überwältigend, besitzergreifend und doch voll süßer Zärtlichkeit. Seine Lippen lösten sich von ihr, und sie spürte, wie er seinen Arm bewegte. Sie hörte ein leises, feuchtes Geräusch, dann roch sie den würzig-dunklen Geruch seines Blutes.

»Öffne deinen Mund für mich, Kleines«, flüsterte er und legte sein Handgelenk an ihre Lippen.

Mira trank von seinem Blut. Der erste Schluck war, als würden heiße Flammen über ihre Zunge rinnen. Sie schluckte das Blut hinunter, dann trank sie noch einen Schluck. Und noch einen.

Nie hatte sie es sich so vorgestellt.

Nichts hätte sie darauf vorbereiten können, wie sich die Hitze und Stärke anfühlten, die durch die Verbindung zu Kellan nun in ihr tosten.

Mira trank von ihm in fiebrigen, gierigen Schlucken. Als sie vollständig miteinander blutsverbunden waren, konnte sie sich nur noch an ihm festhalten und sich ganz dem Ansturm von

Licht und Kraft hingeben und von noch etwas Intensiverem, das sie nicht mit Worten beschreiben konnte und das doch jeden Muskel, jeden Knochen, jede Zelle ihres Körpers anfüllte.

Er war ihr blutsverbundener Gefährte.

Mit jeder Faser seines Körpers gehörte Kellan nun zu ihr, und wenn das Schicksal ihn ihr nehmen wollte, dann hatte Mira nicht vor ihn einfach herzugeben. Die grausame Göttin konnte sich auf einen verdammt harten Kampf gefasst machen.

21

Leer.

Keine Spur von Mira, Bowman oder sonst jemandem im alten Militärfort in der Nähe von New Bedford. Der Bunker mit seinen vielen unterirdischen Kasematten, der sich in einem verwilderten Park auf einer felsigen, auf drei Seiten vom Atlantik umschlossenen Landzunge versteckte, schien erst kürzlich verlassen worden zu sein. Die Rebellenschweine waren entkommen.

Das war nicht die Art von Bericht, die Nathan Lucan durchgeben wollte. Scheiße, es war schon schlimm genug gewesen, es vor ein paar Minuten Nikolai zu melden. Er hatte es nicht gut aufgenommen, mit einem mörderischen Wutanfall reagiert. Miras Vater, mit einer kleinen Truppe seiner Ordensbrüder in Boston, war entschlossen gewesen Mira noch vor Sonnenaufgang heil nach Hause zu bringen. Jetzt wurde diese Aussicht immer unwahrscheinlicher.

Zusammen mit Miras drei Teammitgliedern hatte Nathans Team gerade die ganze angebliche Rebellenbasis durchsucht und nichts gefunden. Nur zurückgelassene Möbel, Tische und Stühle, Pritschen und Betten, offensichtlich alles immer noch so, wie es gewesen war, als die Bewohner des Rebellenstützpunktes die Sachen zuletzt benutzt hatten. Aber Mira *war* dort gewesen; Nathan konnte ihre Präsenz fast in seinen Knochen spüren.

»Verdammt!«, explodierte er, er konnte sich nicht zurückhalten. Ihm entging nicht, dass die anderen sich nach ihm umsahen. Die ernsten Blicke seines und Miras Teams trafen ihn durch die Dunkelheit, als die Krieger sich draußen auf der dichten, unkrautüberwucherten Wiese vor dem Bunkereingang versammelten. Auch Niko und seine Einheit waren gerade zu ihnen unterwegs, um sich das Fort selbst anzusehen und um mit Nathan und den anderen Männern eine Strategie für den Rest ihrer nächtlichen Patrouille zu entwickeln.

»Sind anscheinend schnell abgezogen«, bemerkte Balthazar, heute Nacht ganz ohne seinen typischen Humor. »Haben ihr Nest verlassen wie die Ratten das sinkende Schiff.«

Rafe nickte grimmig. »Vielleicht hat jemand sie vorgewarnt, dass wir kommen.«

»Wenn dem so wäre«, warf Eli ein, »dann würde das bedeuten, dass sie hier raus sind innerhalb von fünf Minuten, nachdem unser Tipp reinkam.«

»Aber es war kein überstürzter Aufbruch«, sagte Torin. Er legte den Kopf zurück, die langen Zöpfe an seinen Schläfen schwangen gegen seine markanten Wangenknochen, als er das Energiefeld in der Luft analysierte. »Sie hatten genug Zeit, um alles mitzunehmen, was sie brauchten. Als sie abzogen – dem verblassten Energiefeld nach muss es irgendwann am späten Vormittag gewesen sein –, haben sie es zu ihren eigenen Bedingungen getan.«

Jax ließ einen seiner Shuriken durch die flinken Finger gleiten, das Metall blitzte mit tödlicher Präzision im Mondlicht. »Ist nicht wichtig, warum oder wann sie weggegangen sind. Nur wohin.«

»Womit wir wieder am Anfang wären«, sagte Webb, der Krieger, dem Lucan nach dem Zwischenfall mit Rooster vor einer knappen Woche das Kommando über Miras Team übertragen hatte. Seiner ernsten Miene nach hatte er die Beförderung nur aus Pflichtbewusstsein akzeptiert, nicht aus persönlichem Ehrgeiz. »Mir will einfach nicht in den Kopf, dass sie mit diesen Rebellen nicht längst allein fertiggeworden ist. Ich hätte gedacht, sie kommt einfach zu uns zurückspaziert, als wäre das Ganze ein

Klacks gewesen. Scheiße, so wie Mira sich sonst in die Schlacht stürzt?« Webb schüttelte nachdenklich den Kopf. »Mann, sie ist doch eine verdammte Walküre, obwohl sie gar keine Stammes-vampirin ist. Um sie zu überwältigen und festzuhalten, braucht man doch eine ganze Armee von Menschen. Und ich weigere mich einfach zu glauben, dass sie nicht mehr am Leben ist.«

Nicht zum ersten Mal gingen Nathan ähnliche Gedanken durch den Kopf. Was hatten sie mit Mira gemacht, um sie ta-gelang gefangen zu halten? Hatte sie sich gewehrt? Und wie war das mit Bowman? Wie hatte er sie gestern Abend mit ins *LaNotte* bringen können, einen öffentlichen Ort, ohne dass sie sich von ihm befreien und entkommen konnte?

Ein beunruhigendes Szenario begann, in Nathan Gestalt an-zunehmen.

Die Sache gefiel ihm nicht. Er wollte sich gar nicht vorstellen, dass die Rebellen Mira irgendwie gegen ihren Willen in ihre kriminellen Aktionen hineingezogen hatten. Oder noch schlim-mer … war sie womöglich Bowmans Charme verfallen?

Der Gedanke war so lächerlich wie absurd. Für Mira hatte es immer nur einen einzigen Mann gegeben, und der war seit acht Jahren tot. Nur ein paar Tage bei menschlichen Rebellen – Leu-te, die sie zutiefst verachtete – würden sie nicht urplötzlich dazu bringen, dem Orden und ihrer Familie den Rücken zu kehren.

Und doch …

Es war das letzte beunruhigende Szenario – das unlogischste von allen –, das für Nathan am schwersten zu ignorieren war.

Da war etwas, was er nicht sah. Etwas war ihm bisher entgan-gen. Etwas, was er in der hektischen Durchsuchung des Bunkers vielleicht als unwichtig abgetan hatte.

»Alles klar, Captain?«

Er winkte ab, ohne überhaupt zu registrieren, wer gefragt hatte. Seine Stiefel setzten sich wie von selbst in Bewegung.

Mit langen, zielstrebigen Schritten stapfte er in den feuchten, dunklen Rebellenschlupfwinkel zurück.

Ein weiteres Mal überprüfte er jeden Raum und jeden Korridor, dieses Mal gründlicher, und ließ seinen Blick über jeden rustikalen Tisch, Stuhl und jede Pritsche, in jede Ecke und jeden Winkel des Bunkers gleiten. Und fand nichts.

Erst als er in den letzten, am Ende des Betonkorridors gelegenen Raum trat.

Etwas knirschte unter seinem Stiefelabsatz. Eine Glasscherbe.

Er blieb stehen und hob sie auf. Mit der kleinen Spiegelscherbe zwischen Daumen und Zeigefinger hob Nathan den Blick und scannte jeden Zentimeter des dunklen Raums, seine Stammesaugen scharf im Dunkeln.

Er legte den Kopf schief und zoomte auf einen Gegenstand ein, der oben auf der zerwühlten Bettdecke lag. Sogar jetzt war er versucht, ihn als unwichtig abzutun. Nur ein zerbrochener Spiegel, hastig auf das ungemachte Bett geworfen, als die Rebellen die Festung räumten.

Nur dass sie nicht überstürzt abgezogen waren.

So viel hatte Nathan schon früher vermutet, als klar wurde, dass sie genug Zeit gehabt hatten, Waffen und Ausrüstung, Kleider und Lebensmittel mitzunehmen. Dann hatte Torin es ihnen durch seine Energiefeldanalyse des Bunkers bestätigt.

Bowman und seine Rebellen waren mit Mira zu ihren eigenen Bedingungen verschwunden, nicht in Panik. Sie hatten genug Zeit gehabt, alles verschwinden zu lassen – bis auf einen winzigen Glassplitter auf dem Boden. Der Spiegel war auf dem Boden zerbrochen, jemand hatte die Scherben bis auf eine aufgekehrt, und doch hatten sie sich nicht die Mühe gemacht, auch den zerbrochenen Spiegel mitzunehmen.

Und jetzt prickelten Nathans Jäger-Instinkte angesichts einer kalten Erkenntnis.

Der Spiegel war nicht aufs Bett geworfen und vergessen, sondern absichtlich dort zurückgelassen worden.

Er ging hinüber und hob ihn auf. Starrte auf die kunstvoll gearbeiteten Intarsien auf seiner Rückseite aus poliertem Silber. Das Wappen war ihm sofort vertraut, obwohl er es schon sehr lange nicht mehr gesehen hatte – nicht seit die Familie, der das Emblem mit Pfeil und Bogen gehörte, fast völlig ausgelöscht worden war.

»Archer«, murmelte Nathan leise. Dann einen Fluch, in dem sich Ungläubigkeit und Entrüstung mischten. »Bowman.«

Wie war das nur möglich?

Er kannte nur einen Einzigen, der dieses Erinnerungsstück in seinem Besitz haben konnte. Einen, der fähig wäre, sich vom Orden völlig unbemerkt zu bewegen, direkt vor ihrer Nase.

Aber dieser Mann war tot.

Nathan hatte die Explosion, die den Krieger getötet hatte, der wie ein Bruder für ihn gewesen war, selbst mit angesehen. Er hatte die Flammen in den Nachthimmel lodern sehen, nur Augenblicke nachdem Kellan Archer hineingegangen war – nur Sekunden, bevor Nathan und Mira ihm in die Lagerhalle gefolgt und mit ihm zugrunde gegangen wären.

Aber was Nathan nie gesehen hatte, erkannte er jetzt: Das, wonach niemand in der Asche und den Trümmern gesucht hatte, waren Kellans Überreste.

Der Scheißkerl.

Nathans Finger schlossen sich fester um den zierlichen Spiegel mit dem Familienwappen der Archers. Ihm gefiel das Gefühl der Verwirrung nicht, das jetzt an ihm nagte, als er versuchte, dieses beunruhigende Rätsel logisch zu lösen. Konnte Kellan Archer noch am Leben sein? Konnte er all diese Zeit alle getäuscht haben, die er kannte, und hier in Boston leben wie ein Geist? Wenn dem so war, wie war er ausgerechnet hier gelandet, mit neuem Namen und als Anführer einer menschlichen Rebellentruppe?

Verrat war etwas, wofür Nathans tödliche Kriegerlogik nicht ausgebildet war. Ihm war nie etwas wichtig genug gewesen, um ein Gefühl der Ungerechtigkeit zu empfinden, wenn ihm dieses Wichtige genommen wurde; jetzt aber war sein Magen von diesem unvertrauten Gefühl in Aufruhr, er brannte bitter wie Säure.

Und was war mit Mira?

So sehr er Kellans Verrat leugnen wollte – die Aussicht, dass Mira in die Sache hineingezogen worden war, verwandelte die brennende Säure in eisige Kälte, und der Killer in ihm wurde ruhig und berechnend, bereitete sich darauf vor, alle emotionalen Bindungen zu durchtrennen, um seine Mission auszuführen.

Nachdenklich sah Nathan den zerbrochenen Spiegel in seiner Faust an. Entweder Kellan oder Mira hatten ihn hier zurückgelassen, in dem Wissen – oder vielleicht in der Hoffnung –, dass jemand ihn entdecken und erkennen würde. Jemand vom Orden. Vielleicht sogar Nathan selbst.

Wenn es Mira war, konnte es ein Hilferuf sein, ein Hinweis, um ihm bei ihrer Rettung den Weg zu weisen. Nur kannte Nathan die Kriegerin zu gut, um das zu glauben. Ihre Liebe zu Kellan Archer hatte acht Jahre seiner Abwesenheit überdauert. Wenn sie jetzt wieder mit ihm vereint war, nachdem sie all diese Zeit um ihn getrauert hatte, konnte keine Macht der Welt sie mehr von seiner Seite reißen.

Was Kellan anging, kannte Nathan auch ihn gut – oder dachte das zumindest. Trotzdem war Nathan sicher, dass das Erinnerungsstück gefunden werden sollte und dass es nicht als dreiste Verhöhnung gemeint war, um den ganzen Zorn des Ordens zu provozieren.

Nein, verstand Nathan jetzt. Der zurückgelassene Spiegel war als Einladung gedacht.

Als Hinweis, der die richtige Person direkt dorthin führen sollte, wo Kellan jetzt war.

Er war ein Zeichen der Kapitulation.

Es war weniger ein Geräusch, das Kellan weckte, sondern ein plötzliches, stilles Gefühl der Erwartung. Er spürte es um sich in der Luft, in der mondhellen Nacht und dem dichten, dunklen Wald draußen vor der Glastür des Schlafzimmers. Geräuschlos, heimlich, tödlich.

Man hatte sie so schnell gefunden.

Er war nicht überrascht.

Nein, er war auf diesen Augenblick vorbereitet gewesen, schon seit sie die Basis in New Bedford verlassen hatten. Oder noch länger, vom Augenblick an, als er Mira beim Betrachten ihres Spiegelbildes gesehen hatte und ihm auf so entsetzliche Weise klar geworden war, welchen Preis sie dafür zahlen musste, dass er das Unvermeidliche hinauszögerte.

Wie viel es sie bereits gekostet hatte.

Er wollte, dass das alles jetzt aufhörte. Um ihretwillen.

Wenn es nicht schon zu spät war.

Vorsichtig löste er sich aus Miras Armen, die nackt neben ihm schlief, und schlüpfte aus dem Bett. Er zog seine weite Jeans über, ging barfuß zur Glastür, öffnete sie geräuschlos und trat in die kühle Sommernacht des Nordens mit ihrem würzigen Tannenduft hinaus.

Aus der tintigen Schwärze des Waldes löste sich ein Schatten.

Nathan.

In schwarzer Kampfmontur und mit einem Waffengürtel voller Dolche und Pistolen hätte der ehemalige Killer Kellan inzwischen auf ein Dutzend unterschiedliche Arten töten können. Aber er machte keine Anstalten anzugreifen, als er sich aus dem Schutz des Waldes näherte. Schweigend sah er Kellan zum ersten Mal nach acht Jahren ins Gesicht.

Kellan warf einen schnellen Seitenblick in die Richtung des umgebenden Waldes.

»Ich bin alleine gekommen.« Nathans tiefe Stimme war leise, fast nur ein Flüstern in der Stille, die sie umgab, und keinerlei Emotion schwang in ihr mit. Ruhig und ausdruckslos, genau wie auch der Blick seiner unverwandten Augen. »Niemand weiß, wo ich bin. So wolltest du es doch.«

Kellan nickte vage. »Ich hatte es gehofft, ja.«

»Ist sie hier bei dir?«

»Ja.«

»Sie war die ganze Zeit über in Sicherheit?«

Das konnte Kellan ihm kaum bestätigen, schon gar nicht jetzt, wo er nicht sicher war, ob sie jemals wieder gesund werden würde. Er hatte sie vor über einer Stunde mit seinem Blut genährt, in der Hoffnung, dass die vollendete Blutsverbindung ihr Sehvermögen wiederbringen würde. Sie war in seinen Armen eingeschlafen, hatte ihm vertraut, dass er sie gesund machen würde, aber für ihn hatte es sich angefühlt wie ein weiteres Versprechen, das er vielleicht nicht einhalten konnte.

»Mira ist im Haus«, sagte er zu Nathan, wollte seinen alten Freund nicht anlügen und war doch noch nicht ganz bereit, zu akzeptieren, dass Mira nicht geheilt werden konnte. »Sie schläft, zusammen mit den drei restlichen Mitgliedern meines Teams, die mir geholfen haben, sie hierherzubringen.«

Nathan stieß ein Knurren aus. »Und du. Bist doch nicht tot.«

»Ich hätte tot sein sollen«, antwortete Kellan. »Jemand hat mir damals nach der Explosion geholfen, mich gepflegt, bis ich wieder auf dem Damm war. Ich hatte nie vor, so zu verschwinden – «

Nathan fiel ihm ins Wort, seine Stimme war kühl, seine Worte emotionslos und knapp. »Erklärungen sind nicht nötig. Zumindest was mich angeht. Ich bin nicht dein Richter und nicht deine Jury, nur der Jäger, der gekommen ist, um einen Verräter zurückzuholen.«

Kellan hob das Kinn, die Antwort traf ihn wie ein brutaler Faustschlag in den Magen. »Ich schätze, das habe ich verdient, wo wir doch Freunde sind.«

»Mein Freund ist vor acht Jahren gestorben. Bowman kenne ich nicht.«

»Und doch bist du allein gekommen, nachdem du meinen Hinweis gefunden hast, der zu meiner Verhaftung führen würde.«

Nathan trat einen kleinen Schritt vor, sein Gesicht war grimmig. »Sieh es so, dass ich das für das Andenken meines toten Freundes getan habe. Und für die Frau, die nie aufgehört hat, ihn zu lieben. Eine Frau, die etwas Besseres verdient als das hier und der schon bald wieder das Herz brechen wird.«

»Mira ist der Grund, warum ich dich hergeführt habe. Sie und meine Freunde hier in diesem Dunklen Hafen. Ich musste wissen, dass ihnen nichts passiert, wenn es so weit ist. Es auf diese Art zu machen, war das Einzige, was mir einfiel.«

Nathan machte unter seinen dicken schwarzen Brauen die Augen schmal. »Wie kannst du dir da so sicher sein?«

»Weil du allein gekommen bist«, antwortete er. »Und weil ich weiß, dass du trotz deiner Ausbildung keine Unschuldigen tötest. Ich bin derjenige, den du und der Orden wollt. Ich werde ohne Gegenwehr mitkommen. Alles, was ich will, ist, dass mein Team freies Geleit bekommt und Mira sicher nach Hause kann und dass niemand sie dafür verantwortlich macht, was mit Jeremy Ackmeyer geschehen ist, oder für die Zeit, die sie mit mir verbracht hat.«

Nathans kühler Blick durchbohrte ihn noch tiefer. »Sie weiß nicht, dass du dich ergibst.« Das war keine Frage, er stellte nur nüchtern eine Tatsache fest, kalt und akkurat. »Warum tust du ihr das an?«

»Ich habe sie schon genug verletzt. Ich will, dass das alles endlich vorbei ist.«

Nathan senkte finster die Brauen. »Du liebst sie, das ist sogar mir klar. Und ich weiß, dass du ihr etwas bedeutest. Warum flieht ihr nicht zusammen? Du hast so lange eine Lüge gelebt, warum sich jetzt ans Messer liefern?«

Kellan stieß ein sarkastisches Schnauben aus. »Weil ich keine verdammte Wahl habe.«

Nathan musterte ihn mit schief gelegtem Kopf. »Was ist das – ein Anfall von schlechtem Gewissen in letzter Minute? Dafür ist es zu spät. Wenn du denkst, dass du nach so langer Abwesenheit deine Ehre wiederherstellen kannst, liegst du falsch. Diese Sache ist schon zu weit gediehen und zu öffentlich geworden. Für dich – für Bowman – wird es keine Gnade geben. Das ist unmöglich.«

Kellan nickte. »Ich weiß. Diese Sache kann für mich nur auf eine Weise enden. Das habe ich mit eigenen Augen gesehen.«

»Du hast es *gesehen*.« Jetzt flackerte etwas Kaltes und Argwöhnisches in Nathans unverwandtem Blick auf, und seine bisher so ruhige und beherrschte Stimme hob sich etwas. »Du meinst, Mira hat dir etwas gezeigt. Eine Vision?« Sein alter Freund stieß einen heftigen Fluch aus. »Du hast ihre Gabe benutzt? Obwohl du weißt, was du ihr damit antust?«

»Du lieber Gott, nein. Das hätte ich nie getan«, sagte Kellan. »Nicht absichtlich –«

»Scheiß auf dich und deine Absichten«, knurrte Nathan jetzt. Er stapfte auf ihn zu, gefährlich in seiner Empörung. »Hast du sie benutzt? Hast du egoistisch ihre Gabe missbraucht?«

»Kellan …?«

Himmel.

Hinter ihm drang Miras besorgte Stimme aus dem dunklen Schlafzimmer zu ihm herüber. Er wollte sie noch nicht bei seinem Gespräch mit Nathan haben. Er wollte noch nicht, dass sie erfuhr, dass er Nathan zu ihnen geführt hatte, um sich ohne Blutvergießen und Todesopfer ergeben zu können. Alles passierte zu schnell, so unaufhaltsam wie ein Schneeball, der einen Berghang hinabrollte und zu einer unaufhaltsamen Lawine anwuchs.

»Ist schon okay«, beruhigte er sie über die Schulter, als er sie aufstehen hörte. »Mira, bleib drin. Ich bin gleich bei dir, und dann können wir reden.«

Doch sie stand auf. Stoff raschelte, als sie eine Decke vom Bett zog und sich darin einhüllte. Ihre nackten Füße tapsten leise und vorsichtig auf dem Holzboden, als sie sich langsam zur offenen Glastür hinübertastete. »Mit wem redest du da draußen? Kellan, was ist los?«

Und dann hörte er sie stolpern, eine stockende Bewegung, die Kellan das Herz in die Hosen rutschen ließ.

Er wirbelte herum, raste mit übernatürlicher Geschwindigkeit zu ihr und fing sie auf, bevor sie fallen konnte. Ihr leiser bestürzter Aufschrei durchbohrte ihn so scharf und gnadenlos wie ein Pfeil. »Ist schon gut«, tröstete er sie. »Schon gut, ich hab dich, Mira. Ist schon in Ordnung.«

Hinter ihm ertönte ein tiefes Knurren, und ihm stellten sich alarmiert die Nackenhaare auf. »Um Gottes willen. Das ist noch schlimmer, als ich dachte.«

»Nathan?«, fragte Mira, ihre trüben, milchigen Augen suchten ihn in der Dunkelheit. »Kellan … was macht Nathan hier? Sag mir, was hier los ist. Kellan …?«

»Du verdammter Bastard.« Die Stimme des Jägers war voll mörderischer Wut, alles auf Kellan gerichtet. »Du gottverdammter Bastard hast sie geblendet.«

22

»Nathan, nicht!« Obwohl Mira Nathan nicht sehen konnte, spürte sie den Aufprall seines Körpers, als der Stammeskrieger sich auf Kellan stürzte. Durch ihre Blutsverbindung spürte sie jeden gnadenlosen Faustschlag, als Nathan auf Kellans Kopf und Rumpf eindrosch.

Aber der physische Schmerz war nichts im Vergleich zu der Qual zu wissen, dass die beiden Männer, die ihr so viel bedeuteten – ihre beiden besten Freunde, die sich einst so nahe gestanden hatten wie Brüder –, jetzt ihretwegen brutal miteinander kämpften.

Und *Kampf* war nicht der richtige Begriff für das, was sich da vor ihr abspielte. Obwohl sie nichts sehen konnte als Schwärze und Schatten, registrierte sie, dass Kellan nicht einmal versuchte zurückzuschlagen. Er wehrte Nathans Fäuste ab und wich ihnen aus, wenn er konnte, schlug aber nicht selbst zu. Er wollte nicht gegen seinen Freund kämpfen. Dafür besaß Kellan zu viel Ehrgefühl, was immer Nathan jetzt auch von ihm denken musste.

»Nathan, hör auf!« Behindert von ihrer Blindheit und der um ihren nackten Körper geschlungenen Decke tastete Mira frustriert umher und schaffte es schließlich, ihre Hand auf die massige Gestalt zu legen, die über dem auf dem Boden liegenden Kellan kauerte. Sie packte sein hautenges T-Shirt, riss daran und versuchte, ihn wegzuziehen. »Nathan, Kellan hat mich nicht geblendet. Das bin ich selbst gewesen. Hör mir zu, verdammt. Du musst jetzt damit aufhören!«

Die Faustschläge prasselten langsamer, dann hörten sie auf, als Nathans riesiger Körper sich unter ihr bewegte. Sie spürte die Hitze seiner Augen auf ihrem Gesicht und wusste, dass sie vor Wut völlig transformiert sein mussten und bernsteingelb glühten. Er atmete schwer. Erst jetzt, als sie das ganze Ausmaß seiner tödlichen Wut erkannte, wurde Mira klar, dass Nathan Kellan schon längst getötet hätte, wenn er es wirklich gewollt hätte. Er hätte es schon draußen vor ein paar Minuten tun können, bevor sie überhaupt wusste, dass er gekommen war.

»Lass ihn aufstehen, Nathan. Kellan wird dich nicht um Gnade bitten, aber ich tue es.« Mit der freien Hand suchte sie Nathans Gesicht, eine unbeholfene Bewegung, die er mit einem gezischten Fluch quittierte.

»Ach verdammt, Mira. Schau doch, was er dir angetan hat.«

»Nein«, sagte sie und schüttelte den Kopf. »Nein, Kellan hat gar nichts getan. Er hat versucht, mir zu helfen. Er hat mir sein Blut gegeben –«

»Herr im Himmel«, schnaubte Nathan verächtlich. Seine Stimme wandte sich von ihr ab und sie wusste, dass er Kellan ansah. »Du wartest die ganze Zeit, wieder in ihr Leben zu treten, nur um es ihr zu ruinieren, indem du sie mit einer Blutsverbindung an dich fesselst?«

»Ich liebe sie«, sagte Kellan. Mira hörte, wie er vom Boden aufstand, und spürte seine Wärme, als er sich ihr näherte. Er legte ihr sanft die Hände auf die Schultern, tröstlich und stark. »Ich werde sie immer lieben, egal was das Schicksal dazu sagt.« Er drückte ihr den Mund an die Schläfe, zärtlich und liebevoll. »Ich liebe dich, Mira. Mehr als alles andere in dieser oder der nächsten Welt.«

Das wusste sie. Tief in ihrer Seele wusste sie, dass ihm jedes Wort ernst war. Aber mit dem, was er heute getan hatte, brach er ihr das Herz.

Er ließ sie los.

»Du hast es mir versprochen«, murmelte sie und schloss vor Schmerz die Augen. »Du hast gesagt, du würdest mich nicht loslassen.«

»Ach Maus.« Wieder ein Kuss, dieser landete sanft auf ihrem Augenlid. Seine Stimme war ein heiseres Flüstern, leise und vertraulich, voller Emotion. »Dich loszulassen, ist das Letzte, was ich will. Wenn es in meiner Macht stände, das Schicksal abzuwenden, dann würde ich es tun, glaub mir.«

Als Kellan sie mit diesen zärtlichen Worten des Abschieds beruhigte, ertönten plötzlich in einem anderen Teil des Dunklen Hafens erstickte Kampfgeräusche. Jemand war in das Anwesen eingedrungen. Tiefe, vertraute Stimmen befahlen Kellans Team, sich der Verhaftung nicht zu widersetzen. In diesem Falle würde niemand verletzt.

Schwere Stiefel donnerten die Halle hinunter und auf das Schlafzimmer zu.

»Du hast mich angelogen«, sagte Kellan zu Nathan. »Du hast gesagt, du bist allein gekommen.«

Nathan stieß ein Knurren aus. »Ich wollte eben nichts dem Zufall überlassen. Wie du mir draußen gesagt hast, ging es dir bei diesem Treffen, das du heute Nacht arrangiert hast, um Miras Sicherheit. Wir mussten ebenfalls sichergehen, dass sie heil hier rauskommt.«

»Mira.«

Jemand öffnete die Schlafzimmertür, und Nikolais tiefes Knurren drang zu ihr herüber. »Daddy?«

Er trat in den Raum, und sie konnte nicht anders, als ihm in die Arme zu sinken, als er sie in eine feste Umarmung zog. Sie spürte genau den Augenblick, als er ihr ins Gesicht sah – ihre trüben, milchigen Augen. Sein Fauchen war wild und animalisch, ein tödliches Raubtier, das sich auf den Eindringling stürzen wollte, der eines seiner Jungen verletzt hatte. »Gottverdammter Bastard! Scheiß auf die Verhaftung, ich bring ihn um –«

Bevor Mira etwas sagen konnte, stoppte Nathan Nikolai allein mit Worten. »Sie ist seine Stammesgefährtin. Verletze Kellan, und du verletzt auch sie.«

»Ist das wahr?«, fragte Niko sie streng. »Hast du von ihm getrunken?«

»Wir haben eine Blutsverbindung geschlossen«, antwortete sie und zog unter Nikos kalter Wut die Decke enger um sich. »Ich habe von ihm getrunken und er von mir.«

Der Krieger stieß einen wilden Fluch aus, der von den Wänden widerhallte. »Schafft ihn mir aus den Augen, bevor ich ihn mit bloßen Händen töte.«

Kellan leistete keinen Widerstand, als der Orden ihn in Gewahrsam nahm und abführte. Mira wünschte sich so, sein Gesicht zu sehen. Sie musste ihn sehen. Konnte den Gedanken nicht ertragen, dass sie ihn vielleicht nie wiedersehen würde.

»Komm, Kleines«, sagte Nikolai und legte beschützend den Arm um sie. »Suchen wir dir was zum Anziehen, und dann machen wir, dass wir hier rauskommen. Jetzt ist es vorbei. Ich bring dich nach Hause.«

Aber es war nicht vorbei.

Benommen ging Mira neben ihm her und hielt sich an ihm fest, um nicht zu stolpern, als er sie langsam aus dem Raum führte.

Für sie war gar nichts vorbei. Sie ging schweigend, hatte keine Kraft, ihrem Vater zu sagen, dass ihr nach ihrer Ankunft in D. C. der schlimmste Teil ihres Martyriums noch bevorstand.

Kurz vor der Morgendämmerung kamen die Patrouillenteams des Ordens in Washington, D. C., an und brachten aus dem alten Dunklen Hafen in Maine Mira, Kellan Archer und die drei menschlichen Rebellen mit, deren Anführer er in den letzten Jahren gewesen war.

Lucan hatte vor etwa zehn Stunden ein Update über die Lage bekommen, als Nathan ihm telefonisch den erfolgreichen Abschluss der Mission durchgegeben hatte. Außer der Tatsache, dass die Rebellen jetzt im Gewahrsam des Ordens und Mira erfolgreich geborgen und auf dem Weg nach Hause war, hatte es nicht viele guten Neuigkeiten gegeben. Lucan dröhnte immer noch der Schädel von dem Gehörten, und dabei konnte ihn mit seinen über neunhundert Jahren sonst nur wenig erschüttern.

Doch die volle Bedeutung all der Fakten, die er bekommen hatte, erfasste er erst, als er im Foyer des Anwesens stand und zusah, wie Niko Mira hineinführte. Er musste die Stammesgefährtin praktisch tragen, deren offene Augen blicklos waren, als sie langsam neben ihrem Vater herschlurfte und sich auf dem glatten weißen Marmorboden an seinem Arm festklammern musste.

Die Gefährtinnen der Krieger – alle Frauen des Ordens – umringten Mira, sobald sie das Haus betrat. Lucan registrierte die Woge weiblicher Besorgnis und Zuneigung, die sich über die jüngere Stammesgefährtin ergoss. Die Frauen führten sie schnell weg, alle waren völlig auf Miras Wohlergehen konzentriert, und Lucan ließ sie gehen. Er würde später Gelegenheit haben, Mira zu sprechen. Wenn sein Kopf etwas abgekühlt war und sein Blut nicht mehr von dem Bedürfnis kochte, den Bastard höchstpersönlich zusammenzuschlagen, der ihre Entführung vor ein paar Tagen und ihren jetzigen körperlichen Zustand zu verantworten hatte.

Jetzt betrat das Objekt seiner Wut das Foyer, unsanft hineingestoßen von Tegan und Rio. Nathan und Rafe stapften mit den beiden anderen Mitgliedern ihres Teams herein, gefolgt von Miras dreiköpfiger Einheit.

»Chase und Hunter haben die Rebellen draußen«, meldete Nathan. »Eine von ihnen hat eine Beinverletzung. Sie wurde medizinisch versorgt, ist aber tief. Die Frau kann nicht gehen.«

Lucan stieß ein Knurren aus. »Rafe«, sagte er und sah zu Dantes und Tess' Sohn hinüber. »Hilf der Frau rein, und sieh sie dir an.«

Der blonde Krieger, der die übersinnliche Heilergabe seiner Mutter geerbt hatte, nickte und ging im Laufschritt davon, um den Befehl auszuführen.

Was Kellan Archer anging, stand er ganz im Fokus von über einem Dutzend tödlicher, wutentbrannter Stammeskrieger, die ihn mit kaum gezügelter Feindseligkeit musterten, als sie in der Mitte des Foyers mit ihm stehen blieben. Verdammt, es war ein Schock, ihn wiederzusehen, nachdem man ihn fast ein Jahrzehnt tot geglaubt hatte. Lucan hatte den Jungen immer gern gehabt, aber beim Anblick dieses Gesetzlosen vor ihm widerstand Lucan nur knapp dem Drang, seinen zahlreichen Prellungen und Quetschungen noch weitere hinzuzufügen.

Und mit seiner Entrüstung über Kellans Vergehen war er nicht allein. Die Wut von Lucans Brüdern stand förmlich mit Händen greifbar im Raum, umwehte die versammelten Vampire wie ein schwarzer Wind.

»Hier lang«, sagte Lucan, bevor noch jemand in Versuchung kam seinen Instinkten nachzugeben. Mit seinem strengen Blick befahl er Kellan ihm in sein Arbeitszimmer zu folgen, und dem Rest des Ordens zurückzubleiben.

Kellan ging in den Raum und blieb dort stehen, während Lucan die Tür hinter ihnen schloss und dann zu ihm hinüberstapfte, um dem abtrünnigen Krieger unter vier Augen gegenüberzutreten. Lucan konnte immer noch den mutigen, direkten Soldaten in Kellans ruhigen grün-braunen Augen, in der aufrechten Haltung seines Rückens und seiner Schultern sehen, als er grimmig vor Lucan strammstand, bereit, sich seinem Zorn zu stellen.

Bereit der Wahrheit ins Gesicht zu sehen, dass der Weg, den er für sich gewählt hatte, in einer tödlichen Sackgasse enden würde.

»Du bringst uns hier einen Super-GAU an Problemen ins Haus«, bemerkte Lucan, sparte sich unnötiges Vorgeplänkel und kam direkt zum Kern dieses unerwarteten Wiedersehens. »Nathan hat mich gebrieft über alles, was in den letzten Tagen passiert ist. Bowman ist ein verdammt viel beschäftigter Kerl. Entführung, Behinderung der Justiz, Verschwörung, Unterstützung einer Rebellion und generelle Missachtung der Gesetze. Nicht zu vergessen Verrat und Wucher. Anscheinend deine Stärken, angesichts der Verfassung, in die du Mira gebracht hast. Wenn du für deine Taten zu leiden verdienst, dann vor allem dafür, was du diesem Mädchen angetan hast, zumindest was mich betrifft, verdammt. Und um alldem noch die Krone aufzusetzen, hast du sie auch noch an dich gebunden.«

Kellans stoische Fassade bekam Risse, sobald Miras Name fiel. Seine tiefe Stimme war von einem Schmerz erfüllt, den Lucan nicht leugnen konnte. »Ich hätte ihr mein Blut nicht gegeben, wenn ich nicht gedacht hätte, dass die Verbindung ihre Augen heilt.« Mit finster gerunzelter Stirn schüttelte er den Kopf. »Aber es hat nicht funktioniert. Ich muss es noch mal versuchen, Lucan. Ich muss ihr noch mehr geben. Sehen, ob es dadurch etwas besser wird.«

Lucan stieß ein verächtliches Knurren aus. »Du hast schon genug angerichtet, oder nicht?«

»Dann können vielleicht Rafe oder Tess – «

»Mira ist jetzt in besten Händen«, sagte Lucan, bewusst kurz angebunden. Er hatte keinerlei Mitgefühl für Kellans offensichtliche Sorge um die Gefährtin, die er sich genommen hatte, ohne das Recht dazu zu haben. »Der Orden wird dafür sorgen, dass Mira alle Hilfe bekommt, die sie braucht. Sie ist jetzt zu Hause. Du hast deine eigenen Probleme.«

Kellan hielt seinem Blick stand. »Solange Mira nur in Sicherheit ist, sind meine Probleme nebensächlich.«

»Willst du sterben, Junge?«

Kellan antwortete prompt. »Nein.« Dann wieder, heftiger: »Hölle, nein. Ich will leben – mit Mira an meiner Seite. Mir war nicht klar, wie sehr ich das will, bis ich sie wieder in meinen Armen hielt.« Er stieß einen deftigen Fluch aus. »Aber was ich will, ist nicht von Belang.«

»Wegen der Vision«, sagte Lucan. »Nathan hat mir auch davon erzählt. Du und ich wissen beide, dass Miras Gabe mächtig ist, unfehlbar. Aber drohende Prophezeiung hin oder her: Dass du dich mit Rebellen verbündet hast – sogar ihr Anführer gewesen bist, verdammt noch mal –, hat mir hier absolut die Hände gebunden. Für Ackmeyers Tod werden Rebellen verantwortlich gemacht, Rebellen unter dem Kommando eines Gesetzlosen namens Bowman. Das hat der Öffentlichkeit einen Grund für Proteste geliefert, und die Proteste sind laut. Die Leute wollen Blut sehen – und zwar deines. Und was, wenn sich herumspricht, dass du nicht nur ein Stammesvampir bist, sondern auch noch ein ehemaliger Ordenskrieger? Die Menschen werden erst Ruhe geben, wenn sie deinen Kopf haben, Junge. Mir bleibt keine Wahl, als ihn ihnen zu geben, oder ich gefährde alle Fortschritte, die wir beim Frieden mit der Menschheit gemacht haben.«

Kellans ruhiger Blick sagte, dass er Lucans undankbare Position verstand. »Wenn es so weit kommt, werde ich jede Strafe auf mich nehmen, die mir auferlegt wird.«

Lucan fuhr sich mit der Hand durch sein dunkles Haar. »Scheiße, Kellan. So hatte ich mir deine Zukunft weiß Gott nicht vorgestellt, als du vor zwanzig Jahren im Bostoner Hauptquartier aufgetaucht bist oder als du mit fliegenden Fahnen deine Ausbildung bei uns gemacht hast. Es wird mir nicht leichtfallen, JUSTIS anzurufen, damit sie kommen und dich abholen.«

»Das weiß ich zu schätzen«, antwortete Kellan ernst. »Aber bevor du anrufst, Lucan, kann ich dich noch um etwas für mein Team bitten? Ihre Freiheit, wenn du es für angebracht hältst. Liefere sie nicht auch an JUSTIS aus. Ich übernehme die volle Verantwortung, für meine Taten und die der Menschen unter meinem Kommando.«

Lucan quittierte die Bitte mit einem Nicken, er musste Respekt für den Anführer empfinden, der die vollen Konsequenzen auch für diejenigen übernehmen wollte, die ihm in die Schlacht gefolgt waren.

»Ich will, dass du weißt«, sagte Kellan, »dass ich in diesen letzten acht Jahren eine Menge Dinge getan habe, auf die ich nicht stolz bin. Das Schlimmste war Mira wehzutun und dich und den Orden – meine Familie – über meinen Tod zu täuschen. Ich habe viel Schuld auf mich geladen, Lucan, aber Mord gehört nicht dazu. In der Nacht, als das Labor zerstört wurde, waren Mira und ich in der Stadt, auf der Suche nach Ackmeyer. Wir hatten gehofft, eine Spur zu finden, die uns zu ihm führen würde oder zu dem Mitglied meines Teams, das an diesem Morgen mit Ackmeyer abgehauen ist und Lösegeld für ihn fordern wollte.«

Lucan runzelte finster die Stirn. »Alles keine Entschuldigung für die Tatsache, dass du einen prominenten Zivilisten entführt hast – Ackmeyer war praktisch ein Nationalheiligtum, verdammt. Und dann auch noch ein Mitglied des Ordens entführen – was zum Teufel hast du dir bloß dabei gedacht?«

»Miras Entführung war nie Teil des Plans. Ich wusste nicht, dass sie dort sein würde. Wir hatten in letzter Minute die Information bekommen, dass Ackmeyer an diesem Tag wegfahren wollte, daher mussten wir sofort aktiv werden. Wir entführten ihn, und dabei geriet uns Mira unabsichtlich ins Netz. Sie hatte nichts damit zu tun, und mein Fehler war, sie nicht sofort zum Orden zurückgeschickt zu haben. Aber verlange nicht von mir meine letzten Tage mit ihr zu bereuen, denn das kann ich nicht.«

Lucan stieß einen Seufzer aus und musterte den jungen Mann. Dass er Mira liebte, war nur zu offensichtlich. Und Lucan konnte nicht umhin, an seine eigenen Fehler und Versäumnisse vor nicht allzu langer Zeit zurückzudenken, von denen ihn jeder einzelne fast die Frau gekostet hätte, die er aus ganzem Herzen liebte, seine Stammesgefährtin Gabrielle. Sie hatten Glück gehabt. Das Glück, ihr Leben gemeinsam zu verbringen und einen Sohn zu haben, den sie vergötterten und auf den sie stolz waren. Dinge, wie Kellan und Mira sie wohl nie miteinander erleben würden.

Mit schwererem Herzen, als er zugeben wollte, räusperte Lucan sich und konzentrierte sich auf die Fragen, die nach wie vor geklärt werden mussten. »Warum Ackmeyer? Was hat er getan, um dich oder deine Rebellen zu seinen Feinden zu machen?«

»Vor drei Monaten wurde ein ziviler Stammesvampir in Boston erschossen. Eine der Frauen meines Teams, Nina, war Zeugin der Tat. Der Stammesvampir war ihr Freund. Er hatte damals gerade ihre Wohnung verlassen und ging die Seitenstraße hinauf, als ein Regierungsfahrzeug neben ihm anhielt. Zwei Menschen stiegen aus und töteten ihn ohne jeden Grund.« Kellan starrte Lucan an, seine Augen brannten intensiv von einer Wut, die nur mühsam bezwungen unter seiner äußerlichen Ruhe köchelte. »Ihre Waffen waren mit UV-Munition geladen. Flüssiges Sonnenlicht, fein säuberlich in Kugeln abgepackt, um Vampire zu töten. Das Opfer hatte keine Chance. Es wurde auf der Stelle eingeäschert.«

»Scheiße. Das gibt's doch nicht.« Lucan reckte die Schultern, eher grimmig als überrascht. Die Menschheit hatte immer Erfindergeist besessen, und manchmal war er teuflisch, aber eine neue, für Kampf- und Feuerwaffen entwickelte UV-Technologie konnte sich absolut verheerend auswirken. Mit etwas mehr Zeit und Fantasie konnten die Menschen seine ganze Spezies ausradieren. »Und diese Technologie konntet ihr zu Ackmeyer zurückverfolgen?«

»Es hat eine Weile gedauert und war nicht einfach, aber wir haben es geschafft. Ackmeyer erwähnte letztes Jahr in einem Interview mit einer wissenschaftlichen Fachzeitschrift, dass er gerade an einem Projekt mit UV-Licht arbeitete, das ihm besonders am Herzen lag. Damals sagte er, es wäre ideal für die Landwirtschaft.«

»Bis wohl jemand kam und ihm mit einem fetten Scheck vor der Nase herumwedelte.« Lucan fuhr sich mit der Hand über den Kopf und zischte einen Fluch. »Ist es das, was passiert ist? Ackmeyer hat seine Technologie an jemanden verkauft, der sie als Waffe gegen den Stamm einsetzen will?«

»Das ist es, was ich herausfinden wollte«, antwortete Kellan. »Ich wollte Antworten, und wenn Ackmeyer sich nicht kooperativ gezeigt hätte, hätte ich versucht ihn dazu zu bringen, die Technologie zu zerstören – mit allen nötigen Mitteln. Das Problem war, Ackmeyer wusste gar nichts davon, dass Informationen über seine Arbeit aus seinem Privatlabor gelangt waren. Als ich ihn verhörte, sagte er, sein Projekt – er nannte es Morningstar – sei immer noch im Teststadium und für niemand anderen zugänglich. Er hat mir hoch und heilig geschworen, dass er nie zulassen würde, dass seine Arbeit zum Töten missbraucht wird. Ich habe die Wahrheit in ihm gelesen, Lucan. Er war unschuldig. Aber als mir das klar wurde, nahm das Verhängnis schon seinen Lauf.«

Lucan stieß ein Knurren aus. »Du hättest das nicht auf eigene Faust machen, sondern damit zum Orden kommen sollen.«

»Ich, zu dir, als Bowman?«, fragte Kellan; in seiner Miene lag grimmige Belustigung. »Oder als der Feigling, der seine Brüder und seine Familie verlassen hat?«

Lucan wusste, dass er recht hatte. So oder so, seine Lage war unhaltbar gewesen. Sie war es immer noch. »Unglücklicherweise dürfte es jetzt zu spät sein, um dein Verfahren einzustellen.«

Kellan nickte. »Es gibt so viel, was ich gerne anders gemacht hätte, angefangen damit, wie ich vor acht Jahren verschwunden bin.« Er sah zu Boden, stieß einen kurzen Seufzer aus und schüttelte den Kopf. »Jeremy Ackmeyer ist meinetwegen gestorben, Lucan. Weil letztendlich ich den Befehl zu seiner Entführung gab. Diese Schuld akzeptiere ich. Aber ich sage dir hier und jetzt, ich habe nicht den Befehl gegeben, sein Labor niederzubrennen oder ihn zu ermorden.«

»Dürfte nicht einfach sein, das der Öffentlichkeit zu erklären.«

»Was die denkt, ist mir scheißegal«, sagte Kellan, und in seinen Augen blitzten bernsteinfarbene Funken auf. »Ich muss wissen, dass *du* mir glaubst. Dass ich dein Vertrauen nicht verloren habe.«

Lucan hörte dem jungen Vampir zu – dem einst so behüteten, mürrischen Teenager aus den Dunklen Häfen, der unter Lucans Führung zu einem fabelhaften, tapferen Krieger herangewachsen war, nur um spurlos zu verschwinden, bevor er sein volles Potenzial entfaltet hatte.

Dieser Krieger in Kellan Archer war immer noch lebendig. Er war immer noch bereit für den guten Kampf, seine Ehre immer noch intakt, auch wenn er eine Weile seinen Weg verloren hatte. Welche Verschwendung wäre es, ihn erneut zu verlieren.

Lucan fluchte leise. »Von alldem, was hier in letzter Zeit schiefgelaufen ist – und Himmelherrgott, das ist jede Menge –, weiß ich nicht, was mir am meisten zu schaffen macht: Die Tatsache, dass du und Mira unter denkbar schlimmsten Umständen eine Blutsverbindung miteinander eingegangen seid oder dass ich derjenige sein muss, der euch auseinanderreißt.«

23

Mira saß auf einer Bettkante in einem Raum, der nach Rosen und Zitronenpolitur duftete, umgeben von der Liebe und Unterstützung der Frauen des Ordens. Sie war zu Hause. Wieder bei ihren Eltern, ihrer Familie, ihren Teamkameraden und Freunden – all den Leuten, die ihr wichtig waren. Und doch hatte sie sich noch nie so allein und verlassen gefühlt.

Weil der, den sie jetzt am meisten brauchte, absolut außerhalb ihrer Reichweite war.

Und das durch seine eigene Entscheidung.

Kellan hatte ihr versprochen, sie nie wieder zu verlassen, aber er hatte es trotzdem getan. Sie hätten noch wochenlang in dem alten Dunklen Hafen in den Wäldern von Maine bleiben können – wenn sie Glück hatten, sogar einige kostbare Monate lang. Stattdessen hatte er ihre gemeinsame Zeit aus freien Stücken beendet.

Sie wäre so lange wie möglich bei ihm geblieben.

Stattdessen hatte er sie gehen lassen.

Die Kriegerin in ihr weigerte sich, diese Niederlage zu akzeptieren. Blind oder nicht, sie wäre am liebsten aufgesprungen und hätte sich zu dem Ort durchgekämpft, wo Kellan gefangen gehalten wurde. Sie wollte fordern, dass er sich zu ihr bekannte und sich gemeinsam mit ihr seinen Problemen stellte. Gemeinsam konnten sie es notfalls mit der ganzen verdammten Welt aufnehmen.

Aber es waren nicht der Orden oder die Menschen, die zwischen ihnen standen.

Es war das Schicksal.

Das Schicksal hatte vor acht Jahren seinen Anspruch auf Kellan angemeldet, und jetzt war die Zeit gekommen, wo es sich erfüllen würde. Tief in ihrem Herzen wusste Mira, dass gegen diesen mächtigen Feind kein Kampf und keine Flucht der Welt etwas ausrichten konnten.

Aber das ließ sie die Aussicht auf das, was ihnen bevorstand, nicht leichter akzeptieren.

Obwohl sie nur die schattenhaften Schemen der Stammesgefährtinnen sehen konnte, die mit ihr im Raum versammelt waren, hörte Mira ihre Stimmen nahe bei ihr. Hörte, wie mehrere Frauen leise schniefend mit den Tränen kämpften, nachdem sie ihnen alles berichtet hatte, was bei ihrem viel zu kurzen Wiedersehen mit Kellan geschehen war.

»Ich bin froh, dass es weg ist«, murmelte sie in den stillen Raum. »Mein Sehvermögen. Wenn das die einzige Möglichkeit ist, meine Visionen zu dämpfen, dann war es mir das wert.«

»Sag das nicht, Maus. Das ist nicht dein Ernst.« Renata saß neben ihr auf dem Bett und hielt tröstlich und beschützend Miras Hand. Die Stammesgefährtin, die sie als kleines Waisenmädchen gerettet und wie ein eigenes Kind unter ihre Fittiche genommen hatte, war ebenfalls eine erfahrene Kriegerin – die erste Frau, die dem Orden beigetreten war. Die knallharte, tödliche Renata, die sonst nichts erschüttern konnte, hatte kaum ein Wort gesagt, seit Mira mit Kellan und den anderen bei ihnen angekommen war.

Sie hatte Angst. Mira spürte es im Schweigen der schwangeren Stammesgefährtin und am leisen Zittern ihrer Finger, als sie Miras Hand hielt.

Während Nikolai seine Sorge um Mira und seine Verachtung für Kellans Rolle beim Geschehen wütend und offen gezeigt hatte, war Renatas stille, tief betrübte Angst noch schwerer zu ertragen.

»Schau doch, wie viel Schmerz ich verursacht habe«, sagte Mira. »Meine Sehergabe ist an allem schuld, Rennie. Sie war ein Fluch, der nie etwas Gutes gebracht hat.«

»Nein«, antwortete Renata. »Das stimmt nicht.« Sanfte Finger auf Miras Kinn drehten ihr Gesicht zu ihrer Mutter herum. »Du hast Niko gezeigt, dass er und ich ein Paar sein würden, weißt du nicht mehr? Und davor hat deine Gabe Hunter einen Hoffnungsschimmer gegeben und damit nicht nur dein Leben gerettet, sondern auch seines. Es war auch viel Gutes zusammen mit dem Schlimmen. Wünsch dir das nicht auch weg.«

Mira wehrte sich nicht gegen die sanften, liebevollen Arme, die sich um sie schlossen. Sie legte die Hand leicht auf Renatas schwangeren Bauch und lächelte zögerlich, als sie den heftigen Kick eines winzigen Fußes an ihrer Handfläche spürte. Ihr zukünftiger kleiner Bruder war schon eifersüchtig über die elterliche Zuwendung, die er mit ihr teilen musste.

Sie wollte das Kind eines Tages sehen. Sie wollte Rennie und Niko sehen, wie sie ihren neugeborenen Sohn hielten, der zweifellos genauso kühn und draufgängerisch wie seine Eltern sein würde.

Und sie wollte Kellan wiedersehen.

Er war nicht mehr hier im Anwesen; Renata hatte ihr gesagt, dass JUSTIS Kellan vor kurzer Zeit verhaftet hatte, aber Miras Blutsverbindung hatte ihr schon intuitiv gesagt, dass er nicht mehr mit ihr unter einem Dach war. Jetzt von ihm getrennt zu sein war quälend genug, aber wenn ihr Sehvermögen nie wieder zurückkehrte – wenn sie nicht wenigstens eine letzte Chance bekam, mit ihm zusammen zu sein, sein gut aussehendes Gesicht zu sehen …

Sie merkte nicht, dass sie weinte, bis ihr ein leises Schluchzen aus der Kehle drang.

»Mira«, sagte eine sanfte, tröstliche Stimme irgendwo über

ihr. Nicht Renata, sondern eine der anderen Frauen des Ordens. Dantes Stammesgefährtin, Tess. »Ich möchte dir gerne helfen, darf ich?«

Mira kannte Tess schon fast ihr ganzes Leben, hatte ihre Heilergabe mehr als einmal aus erster Hand erlebt, damals, als der Orden sein Hauptquartier noch in Boston hatte. Ursprünglich ausgebildete Tierärztin, bevor sie Dante kennenlernte und ihren Sohn Rafe bekam, war Tess nach wie vor auch sehr erfahren in traditioneller Medizin. Aber es war ihre andere Heilergabe, die Tess jetzt an ihr anwenden wollte: ihre übersinnliche Gabe, andere durch Berührung zu heilen – selbst die schlimmsten Verletzungen und schrecklichsten Krankheiten.

»Mach bitte die Augen zu«, instruierte Tess sie, als Mira sich aufsetzte.

Sie tat wie geheißen und spürte, wie die Daumen von Tess leicht auf ihren geschlossenen Augenlidern zu liegen kamen – Tess machte eine übersinnliche Anamnese. Sie hatte ihr Gesicht in die Hände genommen, die Fingerspitzen an ihren Schläfen gespreizt, und auf ihrem Kopf begannen sich schmale Wärmestreifen auszubreiten. Die Hitze ihrer Berührung strahlte weiter aus und wurde stärker, winzige Energieströme flossen über Miras Kopfhaut.

Und in ihren geschlossenen Augen, wo Tess' Daumen ruhten, breitete sich eine stärkere Hitze aus. Zwei sanfte, winzige Lichtpunkte glommen auf und entzündeten sich langsam zu einem durchdringenden, blutroten Schein. Mira zuckte zusammen, als die Helligkeit hinter ihren Lidern so intensiv wurde, dass sie dachte, ihre Hornhäute würden verbrennen.

»Tu ich dir weh?«, fragte Tess leise. Sie zog die Hände weg, und schlagartig war das Licht fort. »Wenn es zu unangenehm ist, höre ich lieber auf. Wir können das auch ein andermal probieren –«

»Nein«, sagte Mira und schüttelte heftig den Kopf. »Bitte, mach weiter. Da ist eben was passiert.«

Tess machte sich wieder an die Arbeit und Mira ertrug die irritierende Hitze und das Licht, das ihr Gesichtsfeld und ihren ganzen Schädel erfüllte. Mit der einen Hand klammerte sie sich an Renatas Hand wie an eine Rettungsleine, mit der anderen krallte sie sich in die seidene Bettdecke.

Tess' magische Kraft flammte hell wie ein Blitz in ihren Adern, in ihren Knochen und Zellen auf und explodierte hinter ihren Augen. Als sie schon dachte, sie könnte es keine Sekunde länger aushalten, verdoppelte sich die Intensität. Dann noch einmal.

Und dann war es einfach … fort.

Eine kühle, weiße Ruhe legte sich über sie, als wäre ein heftiger nächtlicher Sturm einem freundlichen, heiteren Sonnenaufgang gewichen.

Mira sackte nach vorne, keuchend vor Erschöpfung. Sie fühlte die Blicke der anderen Stammesgefährtinnen auf sich ruhen, als sie um ihren Atem kämpfte und versuchte, ihr rasendes Herz zu beruhigen.

Tess hob sanft ihr Kinn an. »Mach die Augen auf.«

Ihre Augenlider fühlten sich wie zugeklebt an, aber als sie sie vorsichtig öffnete, sickerte der gelbe Lichtschein einer Nachttischlampe in ihr Blickfeld. Schatten nahmen klarere Konturen an und verschwanden dann ganz. Verblüfft blinzelte sie zu Tess auf. Sie konnte wieder sehen!

Überwältigt von Staunen und Dankbarkeit starrte sie sie an, nahm den Anblick der ultramarinblauen Augen und der langen honigblonden Locken der hübschen Stammesgefährtin in sich auf. Tess nickte und sah sie weiter an, während Mira zu begreifen versuchte, dass sie nicht mehr blind war.

»Oh mein Gott.« Miras Stimme war kaum mehr als ein Flüstern, ihr fehlten die Worte. Sie sprang auf und zog die Heilerin in eine enge Umarmung. »Tess, danke.«

Dantes Gefährtin nickte. Ihr mildes Lächeln hatte etwas Wehmütiges, als sie zurücktrat, um Mira Platz zum Atmen zu geben.

Und den brauchte sie auch. Denn sofort fand sie sich im Mittelpunkt der freudigen, erleichterten Stammesgefährtinnen im Raum. Renata war die Erste, die sie umarmte, ihre jadegrünen Augen waren tränennass, als sie Mira wild an sich drückte. Nacheinander folgten die übrigen Frauen, überschütteten Mira mit so viel Liebe, dass ihr fast das Herz zersprang.

Sie war so überwältigt, dass sie erst einen Augenblick später realisierte, dass ihre Augen ungeschützt waren. Sie riskierte nicht nur, Tess Arbeit zunichtezumachen, sondern ihre schreckliche Gabe gefährdete auch alle Anwesenden im Raum. »Meine Linsen«, stieß sie hervor. Panik stieg in ihr auf, und sofort blickte sie zu Boden, um Blickkontakte zu vermeiden. »Hat jemand meine Linsen?«

»Hier sind sie«, antwortete Tess. Sie legte den Behälter in Miras Hand, ihre Stimme war ruhig. »Aber ich glaube, du brauchst sie nicht mehr. Jedenfalls nicht, um dein Augenlicht zu schützen.«

»Was meinst du?« Mira setzte trotzdem die Kontaktlinsen ein, bevor sie in Tess sanften Blick aufsah. »Willst du mir damit sagen, dass du mich für immer geheilt hast?«

»Ich habe dein Augenlicht wiederhergestellt, aber was deine Gabe stärkt, ist die Blutsverbindung. So war es bei uns allen«, erklärte Tess. »Kellans Blut konnte den Schaden nicht rückgängig machen, aber deine Blutsverbindung ist stark und verstärkt deine übersinnlichen Kräfte.« Tess lächelte warm. »Das spürst du doch, nicht?«

Das tat sie wirklich.

Es war ganz leicht für sie, das stetige Summen in ihren Adern zu erkennen, das ihr sagte, dass Kellan am Leben war, ihre

Sinne speiste, mit ihr eins war durch ihre mächtige Verbindung zueinander. Sie spürte, wie seine Kraft in ihr lebte, und hoffte, dass er auch ihre spüren konnte.

Tess drückte Mira leicht die Hand und machte Anstalten, sich abzuwenden.

»Woher weißt du das?«, murmelte Mira und erkannte erst jetzt, was die Stammesgefährtin ihr eben gesagt hatte. »Tess, warum bist du so sicher, dass ich mein Augenlicht nicht mehr verliere, wenn ich meine Gabe benutze?«

Und da wusste sie es.

All die Euphorie, die Mira eben noch erfüllt hatte, verpuffte schlagartig, und vor Reue wurde ihr das Herz bleischwer. »Oh Gott. Tess … du hast mir eben in die Augen gesehen.«

Besorgnis überflutete sie und die anderen Frauen, die sich jetzt alle der Heilerin zuwandten. Tess war seltsam still und nachdenklich geworden, seit Mira wieder sehen konnte. Jetzt verstand Mira auch warum.

»Tess, es tut mir so leid.« Sie wäre untröstlich, wenn ihre Sehergabe wieder erwacht war, nur um die Frau zu verletzen, die ihr geholfen hatte. »Was hast du gesehen? Bitte sag mir, dass es nichts Schlimmes war.«

»Nein«, antwortete Tess ruhig und freundlich. »Gar nichts Schlimmes.«

»Sagst du's mir nicht?« Mira konnte die Sorge nicht bezwingen, die ihr immer noch auf der Seele lag. »Denn wenn ich dir wehgetan habe – «

Tess schüttelte langsam den Kopf. Ihr Mund kräuselte sich hinter den Fingern, die sie an die Lippen hielt, und in ihren Augen flackerte ein heimliches Lächeln auf. Sie streckte die Hand aus und nahm Miras Hände. »Deine Gabe ist etwas absolut Außergewöhnliches, Mira. Kein Fluch. Sie ist vielleicht nicht immer gnädig zu uns, aber manchmal … manchmal ist sie wunderschön.« Dann umarmte Tess sie liebevoll und ohne Eile, legte ihr den Mund nah ans Ohr und flüsterte: »Danke, dass du mir die unglaubliche Familie gezeigt hast, die mein Sohn einmal haben wird. Ich wünschte nur, meine Gabe könnte dir dasselbe Wunder bringen wie deine eben mir.«

»Ich auch«, sagte Mira und umarmte Tess zurück.

Wieder begann ihr alles vor den Augen zu verschwimmen … aber nicht weil sie blind war, sondern von aufsteigenden Tränen.

Der GN-Vorsitzende Charles Benson musste sich durch eine krakeelende Demonstrantenmeute vor dem Tor seines Anwesens kämpfen, als er von der Pressekonferenz am frühen Morgen zurückkehrte, wo er die Verhaftung des Rebellenführers bekannt gegeben hatte, der Jeremy Ackmeyers Entführung Anfang der Woche zu verantworten hatte. Bowmans schnelle, verdeckte Verhaftung durch den Orden war eine willkommene Neuigkeit und kam genau zur rechten Zeit – am heutigen Tag würde der Friedensgipfel eröffnet.

Aber es war die andere Neuigkeit in Verbindung mit der Verhaftung des Rebellen gewesen – dass es sich bei diesem Schurken nicht um einen Menschen, sondern um einen Stammesvampir und außerdem um ein ehemaliges Mitglied des Ordens handelte –, die alle überrascht hatte, einschließlich Benson.

Die öffentliche Empörung hatte sich durch diese Neuigkeit verdoppelt. Auf den Transparenten der Demonstranten draußen vor Bensons Anwesen wurde der Gipfel als Farce, vereinzelt sogar als Geschäft mit dem Teufel bezeichnet. Andere, beunruhigendere Transparente richteten sich gegen Benson persönlich, stellten ihn als Marionette dar, die an Fäden tanzte; Fäden, die eine Karikatur von Lucan Thorne hielten, die langen Fänge gebleckt und geifernd, mit geschlitzten Katzenaugen voll irrer Schadenfreude.

Sobald die Menge den heimkehrenden Benson entdeckte, schwollen Lautstärke und Feindseligkeit ihrer Verhöhnungen von herzhaftem Gebrüll zu ohrenbetäubendem Lärm an. Erkannten diese Leute etwa nicht, dass er auf ihrer Seite stand? Verstanden sie nicht, dass er bereit gewesen war, alles zu opfern – zu viel, wie sich herausgestellt hatte –, um einen wahren Frieden zu sichern, für alle, die diesen Planeten mit ihm bewohnten?

Benson stieg hastig aus seinem Wagen und eilte mit geducktem Kopf durch das Gejohle über die gepflasterte Einfahrt ins Haus. Dort angekommen, ließ er sich mit einem langen Seufzer gegen die schwere Eichentür sinken.

Die Demonstranten waren ein neues Problem für ihn. Oh, es war ihm bekannt gewesen, dass vor dem Ordenshauptquartier ständig ein Pulk Querulanten Hassparolen skandierte, aber dass der Aufruhr und die Wut jetzt auch auf andere GN-Mitglieder übergriffen – direkt vor seine Haustür –, war ein Problem, dem er sich gerade nicht gewachsen fühlte. Auch konnte er sich diese Negativ-PR nicht leisten.

Nicht jetzt. Nicht, wenn er das Gefühl hatte, dass seine einst so einfache Welt begann, um ihn herum in Trümmer zu fallen.

Als er sich sammelte, hörte er seine Frau aus der Küche rufen, ob sie ihm ein spätes Frühstück zubereiten solle.

»Ich kann jetzt nicht, Liebes«, rief er ihr zu und versuchte beiläufig zu klingen und trotzdem über den Krawall draußen noch gehört zu werden. »In ein paar Minuten habe ich eine Videokonferenz. Ich bin jetzt eine Weile in meinem Arbeitszimmer und wünsche nicht gestört zu werden.«

Seine gehorsame Gattin der vergangenen sechsundvierzig Jahre würde nicht im Traum daran denken ihn bei der Arbeit zu stören. Das liebte er an Martha. Liebte es, dass sie ihm blind vertraute, dass er alle wichtigen Dinge in ihrer Ehe und dem Haushalt regelte, ein politisches Amt nach strikten moralischen

Grundsätzen führte und sein Leben der Sicherung der Stabilität der freien Welt widmete.

Für Martha war er ein Gott, auch wenn er eine Glatze bekam und grau und faltig geworden war. Keine Marionette, die an den Fäden eines anderen hing.

Nicht der Mann, dem sein Gewissen in letzter Zeit immer schwerer zu schaffen machte.

Benson ging durch das blitzsaubere Foyer seines Hauses zu seinem Arbeitszimmer am Ende der Halle. Statt jedoch einzutreten, schloss er die hohe Flügeltür, um den Anschein zu erwecken, er wäre hineingegangen, dann schlüpfte er die Treppe hinunter zu seinem geheimen zweiten Arbeitszimmer, das sich hinter einer falschen Wand im Weinkeller des alten Anwesens verbarg.

In diesem Raum befand sich ein Computer, der nur einem einzigen Zweck diente. Er schaltete ihn an, tippte das Passwort ein und wartete, ohne zu blinzeln, während das Sicherheitsprogramm zur Bestätigung seiner Identität seine Netzhäute scannte. Sobald es fertig war, war er über Videostream zu einem vorab ausgemachten Treffen mit seinen Kollegen verbunden. Nicht mit dem GN, sondern einem anderen, neueren Gremium, dem Benson unterstellt war.

Diese Gruppe, die aus dreizehn mächtigen Männern, sowohl Menschen als auch Stammesvampiren, bestand – Staatsoberhäuptern, Geschäftsmagnaten, religiösen Führern –, war auf dem ganzen Planeten stationiert. Gemeinsam bildeten sie eine geheime Bruderschaft, die sich Opus Nostrum nannte.

Während Benson ihnen allen bekannt war, kannte er die Namen der anderen nicht und hatte auch ihre Gesichter nie gesehen. Anonymität hatte höchste Priorität, glaubhafte Abstreitbarkeit war ein Muss. Ihre Ziele waren zu wichtig, um diesbezüglich ein Risiko einzugehen. Und ihre Methoden waren oft zu übel, um sie akzeptieren zu können.

So wie ihre letzte Entscheidung, die ihn veranlasst hatte, diese außerplanmäßige Sitzung einzuberufen.

Benson setzte sich nervös in seinem Stuhl zurück, als eine Weltkarte seinen Monitor ausfüllte und sich die Mitglieder von Opus Nostrum einer nach dem anderen in ihren jeweiligen Standorten einloggten. Mehrere meldeten sich aus Nord- und Südamerika, andere aus Europa und Asien, sogar einer aus Afrika. Jedes Mitglied wurde auf dem Bildschirm von einem Punkt auf der Karte repräsentiert, ihre Stimmen waren digital unkenntlich gemacht.

Benson jedoch war für alle dreizehn Männer über Videokamera sichtbar, seine Identität völlig offen gelegt. Er wusste, dass ihn das an seine Verwundbarkeit gegenüber der Bruderschaft erinnern sollte, und es funktionierte. Sie hatten ihn jetzt völlig in der Hand. Nach dem, was er in den letzten Monaten für sie getan hatte, besaß Opus Nostrum ein Stück seiner Seele.

Eines der Mitglieder aus Nordamerika war der Erste, der das Wort ergriff, als sich alle dreizehn Positionen auf dem Bildschirm eingeloggt hatten. Seine computerverzerrte Stimme war unnatürlich tief. »Eine sehr erfreuliche Pressekonferenz heute Morgen, Direktor Benson. Es freut uns, zu hören, dass der GN den Schurken verhaftet hat und die Öffentlichkeit bald die Gerechtigkeit bekommt, die sie fordert. Und besonders freut uns, dass der Orden ausgerechnet von einem seiner eigenen Mitglieder ins Gefecht hineingezogen wird.« Aus dem Lautsprecher des PCs dröhnte ein leises Lachen. »Wir hätten keine bessere Falle für Lucan und seine Krieger auslegen können, selbst wenn wir Ackmeyers Entführung und Ermordung selbst geplant hätten.«

Benson hoffte, dass sein zittriges Lächeln sein Unbehagen nicht verriet. Inzwischen war allgemein bekannt, dass Benson kurz vor der Entführung seines Neffen zu seinem Schutz den Orden engagiert hatte. Benson hatte sich um Jeremys Sicherheit gesorgt, hatte Angst gehabt, dass dem Wissenschaftler etwas zustoßen könnte – und zwar genau durch diese gesichtslosen politischen Strippenzieher, die jetzt auf seine Antwort warteten.

Benson räusperte sich. »Ich bin … erleichtert, dass die Bruderschaft mit dem Lauf der Dinge zufrieden ist. Und ich teile die Vision von Opus Nostrum für eine friedliche Zukunft für die Welt. Aus diesem Grund habe ich Ihnen auch die UV-Technologie meines Neffen zur Verfügung gestellt.«

»Und wurden dafür großzügig entlohnt«, antwortete der Mann, der immer den Vorsitz dieser Versammlungen zu führen schien. »Ich hoffe, Sie und Ihre Gattin haben in den letzten Monaten Gefallen an Ihrem repräsentativen neuen Domizil gefunden.«

Benson antwortete nicht. Tatsache war, dass er in der Tat Gefallen an dem stattlichen Anwesen im exklusivsten Viertel der Hauptstadt gefunden hatte. Die Hausschlüssel und eine notariell beglaubigte Urkunde über Barzahlung waren von einem anonymen Kurier in seinem Büro abgegeben worden, am Morgen, nachdem er ihnen Jeremys Prototypen und Daten des Geheimprojekts Morningstar übergeben hatte. Das Haus als Belohnung für gestohlene Informationen zu akzeptieren, war eine Sache; eine andere war es, unter einem Dach zu leben, das mit dem Blut von Unschuldigen bezahlt worden war.

»Sie haben richtig gehandelt, uns die Technologie zu geben«, sagte die distanzierte, emotionslose Stimme durch den Computer. »Unsere Operation auf der Festveranstaltung des Friedensgipfels heute Abend wäre ohne sie nicht durchführbar.«

»Ja, aber …« Bensons Stimme wurde heiser, drohte völlig zu versagen. In der Stille konnte er die Blicke der dreizehn Augenpaare fast auf sich spüren, die ihn aus ihren geheimen, auf der ganzen Welt verstreuten Schlupfwinkeln der Organisation unbarmherzig musterten. »Es ist nur, dass ich dachte … ich wollte nie, dass Jeremy etwas zustößt, das ist alles.«

»Ist das der Grund, warum Sie den Orden kontaktiert und die Eskorte für Ihren Neffen zum Friedensgipfel arrangiert haben?«

Benson spürte, dass er blass geworden war, obwohl er wusste, dass diese Frage unvermeidlich kommen musste. »Er war unschuldig, in den meisten Dingen des Lebens so unschuldig wie ein Kind. Ich wollte nicht, dass er durch meine Mitwirkung bei Opus Nostrum in irgendeiner Weise zu Schaden kommt. Ich habe befürchtet, dass die Bruderschaft ihn als eine Art Bürde betrachten würde. Ich habe befürchtet, dass ihm etwas zustoßen könnte –«

»Also hielten Sie es für angebracht, stattdessen unser Vertrauen zu missbrauchen.«

»Nein«, antwortete Benson und schüttelte heftig den Kopf. »Nein, ich habe Sie nicht verraten. Das würde ich nicht tun. Ich habe den Orden gebeten, Jeremy sicher zum Friedensgipfel zu bringen, das ist alles.«

Und sobald er dort angekommen wäre und Opus Nostrums Mission für den Friedensgipfel entfesselt wurde und die Welt versuchte, sich unter einem neuen Herrschaftssystem einzurichten, hatte Benson geplant, seinen Neffen zusammen mit Martha und dem Rest seiner Familie in den Untergrund zu schicken.

Langes Schweigen senkte sich auf den Raum, bevor der Vorsitzende antwortete. »Sie wollten Ihren Neffen schützen, und doch waren es Ihre eigenen Handlungen, die seinen Tod unumgänglich machten. Seine Entführung machte ihn nur zu einer größeren Belastung für unsere Mission, als er es schon war. Ein noch größeres Risiko, wenn man bedenkt, dass es ein ehemaliges Ordensmitglied war, das ihn gefangen hielt. Warum wollten diese Rebellen ihn? Was hat er ihnen erzählt?« Die elektronisch verzerrte Stimme war leise und drohend geworden. »Das sind beunruhigende Fragen, Direktor Benson. Seien Sie dankbar, dass wir einen Teil Ihres Fehlers korrigieren konnten.

Der Tod Ihres Neffen ist der einzige Grund, warum Sie und der Rest Ihrer Familie noch am Leben sind. Und die zusätzliche Technologie, die wir aus seinem Labor bergen konnten, bevor wir es zerstörten, wird die Ziele von Opus Nostrum für Jahre weiterbringen.«

Benson schluckte an dem Angstknoten, der ihm wie ein kalter Stein in der Kehle saß. Diese Männer konnten nicht aufgehalten werden. Und ein Leben war ihnen nichts wert, wenn es ihren Plänen im Wege stand. Das hätte er von Anfang an wissen sollen, als sie ihn anonym eingeladen hatten, Teil einer neuen, mächtigen Zukunftsvision zu sein.

Er hätte es schon vor drei Monaten wissen sollen, als einige Männer auf Anordnung von Opus Nostrum einen unbewaffneten zivilen Stammesvampir in Boston getötet hatten, ihn grundlos auf offener Straße erschossen hatten, als Praxistest für Jeremys für Waffen adaptierte UV-Technologie.

»Wir sind in unserem Ziel vereint, wahren, dauerhaften Frieden herbeizuführen«, sagte die Stimme von Opus Nostrum. »Unser Ziel ist, eine Neue Morgendämmerung herbeizuführen – was nicht möglich ist, solange der Orden existiert. Mit ihm gehen wir das Risiko ein, dass Lucan Thorne und seine ständig wachsende Kriegerarmee alles im Keim erstickt, was Opus Nostrum in Bewegung bringt. Ich bin sicher, keiner von uns braucht daran erinnert zu werden, wie Lucan nach dem Unfall in Russland vor knapp zehn Jahren eigenmächtig alle Chemie- und Nuklearanlagen des Planeten vernichtet hat.«

»Unfall«, schnaubte ein anderes Mitglied der Bruderschaft. »Ich frage mich, ob wir je erfahren werden, wer dafür verantwortlich war, dieses riesige Gebiet in die Deadlands zu verwandeln.«

»Ob Menschen oder Stamm, es ist nicht von Belang«, sagte der Vorsitzende. »Die Lektion für uns ist, dass Lucan Thorne diese Art von Macht nie wieder ausüben darf. Was denken Sie, wie lange er sich damit zufrieden geben wird, sich unter dem politischen Joch des GN zu plagen? Wie lange, bevor er und seine Krieger beschließen, dass die Zeit für Diplomatie und Verhandlungen vorüber ist? Will jemand hier im Raum die Zukunft unserer gemeinsamen Welt auf diese Weise riskieren?«

Es erhob sich zustimmendes Gemurmel aller dreizehn Mitglieder, und Benson stimmte eifrig ein, weil ihm klar war, dass er mit einem Widerspruch nur Martha und den Rest seiner geliebten Familie in Gefahr bringen würde. Die Fangarme seiner Taten der Vergangenheit fesselten ihn jetzt an dieses Bündnis, und er hatte keine andere Wahl, als mitzuspielen.

Nachdem die Gruppe sich wieder beruhigt hatte, ergriff der Vorsitzende erneut das Wort. »Der Orden muss eliminiert werden. Und welche bessere Gelegenheit für eine Machtdemonstration von Opus Nostrum kann es geben, als sie heute Abend auf der Festveranstaltung alle auf einen Schlag auszulöschen, live übertragen für die ganze Weltöffentlichkeit?«

Benson machte sich nicht die Mühe, ihn darauf hinzuweisen, dass der Plan, Lucan und den Rest des Ordens zu töten, auch den Tod aller anwesenden Stammesdiplomaten und -zivilisten bedeutete. Darüber mussten sich auch die dreizehn Mitglieder von Opus Nostrum, Menschen und Stammesvampire, im Klaren sein.

Zweifellos war ihnen auch klar, dass ein solcher Vernichtungsschlag sehr wohl einen globalen Krieg zwischen dem Stamm und der Menschheit provozieren konnte.

Ein Krieg, der Jahrzehnte dauern konnte. Oder noch länger.

»Kein Opfer ist zu groß für das höchste Ziel, dauerhaften Frieden zu schaffen«, erinnerte sie der Anführer der Verschwörer. »Wahren Frieden, der nur zu erreichen ist, wenn wir den Orden aus dem Weg geschafft haben.«

Die Gruppe antwortete mit einhelliger Zustimmung. Dann begann jemand das Motto der Bruderschaft zu skandieren: »*Pax opus nostrum.*«

Nacheinander fielen alle Mitglieder ein, bis die Parole so laut aus dem Computer dröhnte, dass Benson sich Sorgen machte, Martha könnte sie durch die Kellerwände ihres unrechtmäßig erworbenen Domizils hören. Aber weil er wusste, dass alle Augen auf ihn gerichtet waren, fiel auch er ein und murmelte den lateinischen Satz, der behauptete: »Frieden ist unsere Arbeit.«

»Dann bis heute Abend, meine Brüder«, sagte die unmenschliche Computerstimme, die Benson wahrscheinlich für den Rest seines Lebens in seinen Albträumen hören würde. »Und noch ein Rat an Sie, Herr Direktor. Die Augen von Opus Nostrum sind überall. Denken Sie nicht einmal daran, unser Vertrauen noch einmal zu missbrauchen.«

Benson nickte. Er wartete, bis die Gruppe sich ausgeloggt hatte, dann schaltete er seinen Computer ab, stieß einen schweren Seufzer aus und sank kraftlos auf seinem Schreibtisch zusammen. »Was habe ich getan?«, stöhnte er in seine Armbeuge. »Gott vergebe mir. Was habe ich getan?«

24

Mira hatte eben die Dusche angestellt, als an ihrer Schlafzimmertür im Anwesen des Ordens ein Klopfen ertönte. Immer noch in den Kleidern, in denen sie vor einigen Stunden angekommen war, drehte sie den Wasserhahn im Badezimmer ab und ging hinaus, um zu sehen, wer es war.

»Nathan.«

Grimmig und ohne zu lächeln, stand er draußen im Gang, eine Gestalt in Schwarz mit seinem kurzen dunklen Haar, seinem hautengen T-Shirt, den Drillichhosen und Kampfstiefeln. »Ich habe gehört, Tess hat deine Augen geheilt. Freut mich, dass es dir wieder gut geht. Wie fühlst du dich?«

Sie hob leicht die Schulter. »Mir wird es besser gehen, wenn ich Kellan wiedersehe.«

Nathan antwortete nicht, stattdessen sah er auf den Gegenstand in seiner Hand hinunter. »Ich wollte ihn dir eher zurückbringen, aber bei allem, was gerade los ist …«

Er reichte ihr den Dolch, den sie verloren hatte an dem Tag, als ihr ganzes Leben aus den Fugen geraten war.

»Du hast ihn gefunden.«

Er nickte. »In der ersten Nacht, als du vermisst wurdest, sind Rafe, Eli, Jax und ich dich suchen gegangen. Wir fanden den Dolch auf Ackmeyers Rasen. Ich habe ihn für dich aufbewahrt.«

»Ich danke dir.« Mira drehte die Waffe in den Händen, dankbar, sie wiederzuhaben. Während sie die kunstvoll gearbeiteten Ornamente und Schriftzeichen am Griff betrachtete, spielte sich vor ihrem inneren Auge noch einmal alles ab, was geschehen war, seit sie die geliebte Klinge verloren hatte. Gott, es fühlte sich an, als wäre es hundert Jahre her. »Danke dafür, dass du mir immer ein Freund gewesen bist, Nathan … und auch Kellan. Ich weiß, dass die Dinge gestern Abend für ihn auch viel schlimmer hätten laufen können.«

Er stieß ein Knurren aus. »Ich wollte ihn umbringen für alles, was er getan hat. Was er dir und dem Orden angetan hat, allen, die er mit seiner Täuschung verletzt hat.«

Mira sah ihren Freund an, den im Labor gezüchteten Killer, der immer so undurchdringlich und distanziert war, immer der stoischste Krieger. Jetzt spürte sie, dass er tief verletzt war. Und wütend. Sein gut aussehendes Gesicht war beherrscht und zeigte nur steinerne Neutralität, aber Mira entging nicht, dass in seinen graugrünen Augen bernsteinfarbene Funken knisterten. »Du bist wütend, aber du hasst ihn doch nicht, oder, Nathan?«

Er runzelte finster die Stirn, schien über die Frage nachzudenken. »Gestern Abend, als ich das Archer-Wappen im Rebellenbunker fand und plötzlich die Wahrheit erkannte, habe ich ihn gehasst. Noch nie in meinem Leben habe ich etwas so stark empfunden oder war mir bei etwas so sicher. Ich wollte ihn wirklich töten, Mira. Bis ich ihn sah und erkannte, dass ich meinen Freund nicht hassen konnte. Nicht einmal, nachdem ich entdeckt habe, dass er mein Feind war.« Er stieß einen schweren Seufzer aus. »Aber wie musst du dich erst fühlen. Dich hat er sicher am tiefsten verletzt.«

»Das hat er«, gab sie leise zu. »Aber nicht so schlimm, wie es wehtun wird, ihn wieder zu verlieren. Das werde ich nicht zulassen, Nathan. Wenn der GN mir Kellan nehmen, ihn vor Gericht stellen will, um an ihm eine Art politisches Exempel zu statuieren, werden sie ihn nicht ohne einen verdammt blutigen Kampf bekommen.«

Nathan machte die Lippen schmal, runzelte die dunklen

Brauen und schüttelte den Kopf. »Mira, du kannst nicht erwarten –«

»Ich muss es versuchen«, beharrte sie. »Ich gebe ihn nicht auf. Scheiß auf den GN und scheiß aufs Schicksal, ich lasse ihn nicht im Stich, auch nicht wenn er es so haben will. Und genau das werde ich Kellan auch sagen, wenn ich ihn heute sehe, wo immer JUSTIS ihn gefangen hält.«

»Mira«, sagte Nathan, und etwas an seinem Ton – der so voller Besorgnis war, so sanft – ließ ihr das Blut in den Adern gefrieren. »Mira, dafür ist keine Zeit mehr.«

Ihr Herz setzte einen Schlag aus und wurde schwer wie Stein. »Was soll das heißen?«

Sie sah ihn an, erkannte erst jetzt, dass er nicht nur zu ihr gekommen war, um ihr den Dolch zurückzubringen.

»Sag mir, was los ist, Nathan.«

Er senkte den Blick und stieß einen leisen Fluch aus. »Da Kellan ein ehemaliges Mitglied des Ordens ist, konnte Lucan den GN dazu bringen, einem internen Verfahren zuzustimmen, statt ihn für ein öffentliches Verfahren an die Gerichte zu überstellen.«

»Okay«, sagte Mira vorsichtig. »Das ist gut, nicht?«

Nathan sah sie kaum an. »Wegen der Unruhen und weil die Öffentlichkeit Gerechtigkeit fordert und weil heute Abend der Friedensgipfel eröffnet wird, hält der GN es für nötig, entschlossenes Durchgreifen zu demonstrieren, um potenzielle Störungen während der Festveranstaltung zu vermeiden. Sie haben dem internen Verfahren zugestimmt, aber sie werden es leiten und Kellans Strafe bestimmen. Und zwar heute noch, auf einer Sonderversammlung im GN-Hauptquartier.«

Eine Woge der Panik brandete in Mira auf. Sie taumelte nach hinten, hatte das Gefühl, als würde ihr schlagartig die Luft aus den Lungen gepresst. »Sie werden *heute* über Kellans Strafe entscheiden? Kann Lucan keine Verzögerung verlangen? Er muss doch etwas tun können.«

»Er legt sich schwer ins Zeug, Mira. Er hat sich persönlich an jedes einzelne Ratsmitglied gewandt und versucht, ihnen ein Versprechen für Milde abzuringen.«

»Wie viele sind das?«, fragte sie, benommen von einer Angst, die ihren Magen in Aufruhr brachte. »Wie viele haben bislang zugestimmt?«

Nathan schwieg lange. »Der Rat hat sechzehn Mitglieder, die die acht wichtigsten Nationen repräsentieren, je ein Mensch und ein Stammesvampir.« Nathan räusperte sich. »Er hat ein paar Zusagen bekommen, muss aber immer noch mehrere Ratsmitglieder überzeugen, um eine Mehrheit zusammenzubekommen. Lucan verspricht ihnen eine Menge, Mira. Er riskiert seine Eier für Kellan, tut wirklich alles, was er kann.«

Sie wollte Hoffnung spüren. Sie wollte glauben, dass alles irgendwie gut gehen würde und dass sie und Kellan diese fürchterliche Situation durch irgendein Wunder gemeinsam überstehen würden. Aber in ihrer Brust lag ein schwerer, eisiger Angstknoten.

»Ich muss los«, murmelte sie und wich von der offenen Tür und Nathans besorgter Miene zurück. »Ich dachte, ich hätte mehr Zeit. Ich muss Kellan sehen, bevor er vor den Rat tritt.«

Nathan schüttelte langsam den Kopf. »Dafür ist keine Zeit mehr. Der Rat tritt in der nächsten Stunde zusammen.«

»Nein.« Sie schluckte, ihre Kehle war schlagartig ausgedörrt. »Nein, das kann doch nicht sein. Wir brauchen mehr Zeit …«

Die Stimme versagte ihr, ihre Angst überflutete sie. Vor Nathans entschuldigendem, bedauerndem Blick wich sie weiter ins Schlafzimmer zurück, schloss die Tür vor ihm und ließ sich dagegen sinken, die Stirn an das kühle Holz gepresst.

Sie musste Kellan sehen. Und auf keinen Fall würde sie ihn

vor diese Ratsversammlung treten lassen, ohne das Wort zu seiner Verteidigung zu ergreifen. Sie würde für seine Freiheit kämpfen, wenn nötig auch mit Blut und Dolchen.

Sie warf ihren Dolch aufs Bett, ging ins Badezimmer und drehte die Dusche an. Sie zog sich aus und stand vor dem Spiegel, starrte in das Gesicht der Frau, die sie geworden war.

Blutsverbunden, verliebt.

So verängstigt wie noch nie in ihrem Leben.

Sie wusste, die Vision würde grausam sein, noch bevor sie ihre violetten Kontaktlinsen herausnahm und den Blick hob, um sich ihrer Sehergabe zu stellen.

Die Vision erschien schlagartig. Dasselbe schreckliche Ergebnis spielte sich vor ihren Augen ab.

Kellan, der tot vor ihr auf dem Boden lag.

Sie, wie sie in herzzerreißendem Kummer über seinem leblosen Körper weinte.

Mira starrte entsetzt und gramgebeugt hin, bis der Dampf der Dusche den Raum erfüllte und einen dicken Nebel über die schreckliche Vision von Kellans Tod legte, der unaufhaltsam näher rückte.

Als kurz vor zwölf Uhr an diesem Tag die Phalanx schwer bewaffneter JUSTIS-Beamten – vier Stammesvampire und zwei Menschen – kam, um Kellan aus seiner Zelle zu holen, wusste er, dass ihm nichts Gutes bevorstand.

Aber das ganze Ausmaß seiner Lage traf ihn erst, als sie ihn in einen fensterlosen Gerichtssaal im GN-Hauptquartier führten. Dort fand er sich vor einem Gremium aller sechzehn Ratsmitglieder wieder, die auf dem Podium hinter einer breiten hufeisenförmigen Gerichtsbank saßen. In der Mitte der Versammlung war Lucan Thorne, ernst und würdig in seiner Rolle als Ratsvorsitzender.

Auch die meisten älteren Mitglieder des Ordens waren da, die Krieger und ihre Stammesgefährtinnen saßen auf mehreren Bankreihen unter dem Podium.

Aber was Kellan wirklich beunruhigte, war der Anblick von Mira, die direkt vor dem Rat stand. In schwarzem Drillich und Kampfstiefeln, das lange blonde Haar zu einem straffen Zopf geflochten, der ihr über den Rücken fiel, sah sie aus, als wäre sie für die Schlacht gekleidet.

Was zur Hölle machte sie da?

Kellan schrie es fast zu ihr hinüber, aber dann drehte sie sich heftig zu ihm um, als seine Wächter ihn in den Raum stießen. Mit erhitzten Wangen und geröteten Augen sah sie zu ihm hinüber.

Ihre Augen ... *Herr im Himmel.* Ihre Augen waren nicht mehr milchig und trüb, sondern blitzten hinter den violetten Kontaktlinsen und waren direkt auf ihn gerichtet.

Sie war geheilt.

Sie konnte sehen.

Er hatte seiner Blutsverbindung nicht ganz trauen wollen, die ihm schon gesagt hatte, dass sie geheilt war, aber jetzt spürte er eine Woge der Erleichterung und Euphorie darüber, mit eigenen Augen zu sehen, dass es Tess oder Rafe gelungen war, für Mira zu tun, was ihm mit seinem Blut nicht gelungen war.

Am liebsten wäre er zu ihr gerannt und hätte sie in seine Arme gerissen. Er hätte es auch getan, aber er wusste, dass er mit einem plötzlichen Ausbruch nur seine JUSTIS-Eskorte veranlassen würde, das Feuer auf ihn und womöglich auch auf Mira zu eröffnen.

Die Wächter führten ihn nach vorn, die beiden Stammesvampire flankierten ihn, die beiden Menschen bildeten die Nachhut. Die grimmigen Gesichter der Ordenskrieger und ihrer Stammesgefährtinnen entgingen Kellan genauso wenig wie die finsteren, missbilligenden Blicke der meisten Männer und

Frauen auf dem Podium. Er war hier, um verurteilt zu werden, und seine Schuld dürfte bereits beschlossene Sache sein, dem schweren Schweigen nach, das sich wie ein Leichentuch über den Gerichtssaal senkte.

Und da war Mira, stand ganz allein vor dem Rat.

Selbst ohne das Vorwissen ihrer Vision verstand Kellan, warum Mira im Gerichtssaal war. Sie war gekommen, um zu seiner Verteidigung auszusagen.

Seine wunderschöne, störrische Mira.

Seine standhafte Gefährtin, die zu ihm hielt, obwohl er ihr mit seiner Kapitulation das Herz gebrochen hatte.

Stolz und Demut vermischten sich in ihm. Er hatte sie aus alldem heraushalten wollen. Und doch wusste er, dass keine Macht der Welt sie hätte aufhalten können.

Als sie ihn jetzt ansah, stand ihr der Kummer ins Gesicht geschrieben, und sie drehte sich heftig zu Lucan und den Ratsmitgliedern um. »Nein, warten Sie! Bitte hören Sie mich an. Kellan ist kein Killer. Er hat versucht, Leben zu retten – die Entfesselung einer gefährlichen Technologie zu verhindern. Nur aus diesem Grund hat er Jeremy Ackmeyer entführt. Ich versuche nicht, zu entschuldigen, was er getan hat, ich bitte Sie nur, seine Gründe mit zu berücksichtigen.«

Am anderen Ende des Podiums räusperte sich ein älterer Normalsterblicher mit eingesunkenen Augen und blasser, ungesunder Gesichtsfarbe. »Der Rat hat Ihr Plädoyer gehört. Er wird bei seiner Entscheidung alle wichtigen Faktoren angemessen berücksichtigen.«

»Direktor Benson«, flehte sie und wandte sich direkt an den alten Mann. »Ich möchte Ihnen und Ihrer Familie mein ehrliches Beileid aussprechen. Es ist mir klar, wie schwer dieses Verfahren auch für Sie persönlich sein muss. Jeremy war Ihr Neffe, er war ein guter Mann, und er war unschuldig. Sie müssen wissen, dass

Kellan versucht hat, ihn zu retten. Nachdem er die Wahrheit erkannt hatte, hat Kellan getan, was er konnte, um Jeremy zu finden. Er versuchte, seinen Fehler wiedergutzumachen, aber es war zu spät –«

»Das genügt!« Der Ausbruch des alten Mannes schoss durch die Versammlung wie Gewehrfeuer. Seine Augen mit den schweren Lidern waren träge, als er einen Blick in den Raum warf, den grauen Kopf zwischen den hängenden Schultern. »Ich habe … genug gehört. Bitte, bringen wir die Sache zum Abschluss.«

Auf einen Wink von Lucan kam Nikolai aus dem Publikum, um Mira zu holen. Zuerst sträubte sie sich, dann ließ sie sich mit einem angsterfüllten Blick in Kellans Richtung von Niko zu ihrem Platz zurückführen.

Kellan spürte ihre Unruhe in seinen eigenen Adern widerhallen, als die bewaffneten Wächter ihn vor das Podium führten. Sie brachten ihn vor dem Rat zum Stehen, und Lucan richtete seine ernsten Augen auf ihn.

»Kellan Archer«, verkündete er den Versammelten. »Aufgrund der speziellen Umstände deines Falles als ehemaliges Ordensmitglied hat der Rat einem internen Verfahren zugestimmt. Das Urteil wird per Mehrheitsbeschluss gefällt. Der Rat hat die Anklagepunkte zusammengestellt und ein Plädoyer zu deiner Verteidigung angehört. Es sind schwere Verbrechen, die schwere Bestrafung erfordern. In jedem einzelnen Anklagepunkt steht auf ›schuldig‹ die Todesstrafe.«

»Ich verstehe«, antwortete Kellan und nahm die düsteren Gesichter der Männer und Frauen in sich auf, die über sein Schicksal entscheiden würden. In keinem von ihnen sah er Erbarmen.

Aber er hatte auch keines erwartet.

Er hörte zu, wie nacheinander die einzelnen Anklagepunkte gegen ihn verlesen wurden, dann antwortete er auf jeden. Er registrierte die Worte kaum. All seine Gedanken und Sinne waren auf die einzige Person im Raum konzentriert, die ihm etwas bedeutete.

Mira starrte von ihrem Platz neben Niko und Renata zu ihm herüber, ihre Augen voller Tränen, die Finger an die Lippen gepresst. Es brachte ihn um, dass sie diese Angst, dieses Grauen spüren musste. Dieses verdammte Gefühl der Hilflosigkeit, während sie darauf warteten, dass der Rat mit der Urteilsverkündung begann.

Und dann war dieser Augenblick gekommen, und Kellan stählte sich für das Ende seines Weges, das er die letzten acht Jahre seines Lebens zu vermeiden versucht hatte.

Lucan wandte sich an den Rat und gab die Anweisung, nacheinander ihre Stimmen abzugeben, entweder für lebenslange Haft oder die Todesstrafe. »Als Vorsitzender würde ich gewöhnlich als Letzter meine Stimme abgeben«, sagte er. »Als Bedingung für diese interne Verhandlung jedoch – weil es sich um einen ehemaligen Krieger unter meinem Befehl als Anführer des Ordens handelt – hat der Rat mir Stimmenthaltung verordnet. Ich werde keine Stimme abgeben, und das Urteil des Rates wird endgültig sein.«

Kellan nahm das mit einem Nicken zur Kenntnis, dann stand er stramm, als die Abstimmung begann. Der Rat brauchte wenig Bedenkzeit. Jedes Mitglied verkündete seine Entscheidung, und das Ergebnis war zwischen menschlichen Ratsmitgliedern und Vampiren überraschend gespalten.

Sieben Ratsmitglieder beider Spezies sprachen sich für lebenslänglich aus.

Acht weitere für die Todesstrafe.

Eine Stimme fehlte noch.

Das Verfahren würde entweder mit einem Unentschieden oder einer klaren Entscheidung für Kellans Exekution enden.

Jetzt hing alles von dem Ratsmitglied ab, das am Ende des Podiums zusammengesackt war, Jeremy Ackmeyers Onkel. Kellan spähte zu Benson hinüber, und er spürte noch etwas anderes als Kummer oder Rache im trüben Blick des alten Mannes. Er hatte getrunken, vermutete Kellan, als er jetzt die hängenden Schultern und glasigen, geröteten Augen registrierte.

»Direktor Benson«, drängte Lucan und sah zu ihm hinüber. »Sind Sie bereit, Ihre Entscheidung zu verkünden?«

Der alte Mann grunzte, hob den Kopf und starrte in Kellans Richtung. Als er redete, war das Wort schonungslos endgültig. »Tod.«

Kellan hörte, wie Mira scharf Luft holte. Durch seine Blutsverbindung spürte er, wie ihr Erschrecken und ihre Sorge auch durch seinen Körper schossen und wie ein elektrischer Schock seinen Puls beschleunigten.

»Nein.« Ihre Stimme im Publikum hinter ihm klang gebrochen, erstickt von Tränen. »Nein! Er hat Ihren Neffen nicht getötet, Direktor Benson. Er hatte nichts mit dem Brand in Jeremys Labor oder seinem Tod zu tun. Sie müssen mir glauben! Tun Sie jetzt das Richtige, Sie müssen ihn begna—«

»Mira, nicht.« Kellan drehte sich hastig zu ihr um, als sie aus ihrem Sitz aufsprang und zu seiner Verteidigung nach vorne eilen wollte. Die vier Vampirwächter neben ihm spannten sich an. Er spürte ihre Alarmbereitschaft, wusste, dass sie gleich ihre Waffen ziehen würden.

»Nein!«, schrie Mira. »Lucan, lass das nicht zu, bitte!«

Kellan sah Lucans grimmigen Blick. Er verstand, dass der Anführer des Ordens schon alles für ihn getan hatte, was er konnte. Jetzt gab es nichts mehr, was gesagt oder getan werden konnte, um Kellan zu retten.

»Nein«, schluchzte Mira und ließ das Gesicht in die Hände sinken.

Ihr Kummer schnürte ihm das Herz zusammen. Er hasste es, dass er ihr das alles zumuten musste, genau wie er es all die Jahre seiner Abwesenheit befürchtet hatte. Er hatte so gehofft, genau diesen Augenblick vermeiden zu können.

Am anderen Ende des Raumes schüttelte Benson den Kopf und murmelte leise vor sich hin. »Das alles ist schon zu weit gegangen«, sagte er mit schwerer Zunge, sein Kopf tief gesenkt, sein Gesicht schlaff. »Viel zu weit. Das sehe ich endlich ein, jetzt, wo es zu spät ist, um den Lauf der Dinge noch zu ändern.«

Mit erwachender Neugier hörte Kellan Bensons düsterem, kryptischem Gemurmel zu. Da war Reue in der Stimme des alten Mannes, so viel war unverkennbar. Und da war noch etwas anderes, etwas, das Kellan das Blut in den Schläfen dröhnen ließ.

»Zu spät für Jeremy«, murmelte Benson, völlig in seinen persönlichen Kummer versunken. »Ein so brillanter Mensch, so jung gestorben. Er war eine reine Seele, der Junge, absolut unbestechlich. Ein echter Lichtbringer, der die Welt hätte verändern können.«

Lichtbringer.

Ein ungewöhnlicher Ausdruck. Genau denselben hatte Ackmeyer verwendet, um sein noch geheimes UV-Technologieprojekt zu beschreiben.

Verdammt.

Benson war es gewesen, der den Prototyp gestohlen hatte. Die Erkenntnis schlug ihre Krallen in Kellan. Sein Blut gefror, und dann wurde es vor Wut schlagartig zu heißer Lava.

»Morningstar«, knurrte er, all seine Wut auf den alten Mann am anderen Ende der Ratsversammlung konzentriert. Prompt riss Benson entsetzt und schuldbewusst die vom Trinken glasigen Augen auf. »Du Bastard. Das warst du.«

Mit einem wütenden Aufbrüllen machte Kellan einen Satz auf ihn zu.

Er spürte die plötzlichen hektischen Bewegungen hinter sich, als er durch die Luft zum Ende des Podiums sprang. Er hörte Miras Schrei. Das Stakkato von Schüssen.

Spürte den plötzlichen Hagel von Schmerz, als eine endlose Kugelsalve ihm Rumpf und Glieder zerfetzte, gerade als er im Flug Benson packte und das korrupte Ratsmitglied mit sich zu Boden riss.

Miras Schrei der Qual war herzzerreißend. »Kellan!«

Er wusste, dass sie das Echo seiner Schusswunden und seiner Wut spüren konnte. Ihr Entsetzen vermischte sich mit seinen eigenen Emotionen, aber jetzt konnte er sich nicht mehr zügeln. Er packte Benson am Hals. »Sag mir, wem du die UV-Technik gegeben hast, du gottverdammter Bastard!«

Der Mann schwieg hartnäckig. Er biss die Backenzähne zusammen, die betrunkenen Augen angstgeweitet, aber mehr aus Angst vor einer unsichtbaren Gefahr als vor dem tödlichen Vampir, der ihm gerade die Luft abdrückte. Kellans Herzschlag dröhnte ihm in den Ohren, laut und mühsam, es war das Einzige, was er hören konnte, als sein Herz sein Blut aus ihm herauspumpte, durch die zahllosen Schusswunden, die ihm Oberkörper und Glieder zerfetzt hatten. Er war schwer verletzt, und die Blutung wollte nicht versiegen.

Er würde sterben.

Der Gedanke kam ihm rasch und gewiss, schnitt durch das Chaos, das um ihn herum ausbrach, als die Zeit immer schneller an ihm vorbeiraste.

Es hätte ihn nicht überraschen sollen, nach allem, was Miras Vision ihm prophezeit hatte. Aber verdammt, der Schock seiner Erkenntnis schoss ihm durch den Körper wie ein schnelles Gift.

»Wer hat ihn umgebracht? Du hast dein eigen Fleisch und Blut verkauft – sag mir, an wen, Benson.« Mit einem Fauchen mühte er sich ab, den Druck um die Kehle des Menschen zu halten, als seine Kraft zu schwinden begann. Er musste es wissen, durfte nicht sterben ohne dem Orden etwas zu liefern, mit dem er weiterarbeiten konnte, wenn er selbst tot war. Wenn der Mann sich weigerte zu singen, dann würde Kellan sich die Wahrheit eben aus seinem Kopf holen.

Kellans übernatürliche Gabe registrierte Bedauern in dem alten Mann. Reue für seine Rolle bei der Ermordung seines Neffen und bald auch am Tod von zahllosen anderen. So viele würden sterben müssen, alle unter dem Deckmantel des Friedens.

Kellans Finger begannen zu erschlaffen. Er konnte nicht mehr zupacken. Nicht einmal, als Benson aus seiner Reichweite kroch und rasch von den GN- und JUSTIS-Wächtern weggebracht wurde. Er rollte auf den Rücken und starrte zu den schemenhaften Gestalten von Lucan und dem Rest des Ordens auf. Er versuchte zu sprechen, hustete aber nur, spuckte Blut, als Schmerzpfeile durch jeden Zentimeter seines Körpers schossen.

Mehrere Krieger fluchten leise.

»Bring mir jemand Benson«, knurrte Lucan. »Gottverdammt. Bringt mir den Bastard zum Verhör. Sofort.«

»Kellan.« Miras Stimme klang gebrochen von Tränen und Qual. Sie zwängte sich zwischen den Kriegern hindurch und fiel neben ihm auf die Knie. Sie packte seine Hand und presste sie an ihre Brust, während sie von einem Schluchzen geschüttelt wurde. »Oh Kellan. Nicht sterben!«

Mira legte sich auf ihn und weinte in einem wilden Kummer, der ihn noch mehr vernichtete als die Kugeln oder sein Versagen der Vergangenheit. Er wollte ihr sagen, dass es ihm leidtat. Dass er sie liebte. Dass er sie immer geliebt hatte und sie immer lieben würde, was auch immer ihn jetzt auf der anderen Seite erwartete.

Aber das wusste sie.

Sie sah ihm ins Gesicht und nickte durch ihre Tränen, dann wischte sie ihm mit zitternden Fingern das Blut vom Mund und küsste ihn.

Kellan wollte es ihr trotzdem sagen, aber es gab etwas anderes, das sie wissen musste. Das der ganze Orden erfahren musste.

»Opus Nostrum«, murmelte Kellan, kaum mehr als ein Flüstern, er kämpfte mit aller Kraft um Atem, um zu sprechen, während die Zeit zwischen einem Herzschlag und dem nächsten jede Sekunde länger wurde. »Stoppt Opus Nostrum.«

25

Nein.

Oh Gott … nein, das konnte nicht passieren.

»Kellan.« Mira drückte seine Hand, spürte, wie seine Kraft ihn verließ, als ihm die Augen zufielen. »Kellan? Oh nein … Kellan, bitte, bleib bei mir. Verlass mich nicht.«

Aber schon trieb er fort von ihr, von unsichtbaren Händen gezogen, die ihn nicht mehr losließen. Sie spürte, wie der Faden ihrer Blutsverbindung sich anspannte und immer dünner wurde, ein Spinnwebfaden, den sie nicht wieder einholen konnte, so sehr sie es auch versuchte.

Und dann riss er.

Sie spürte den Schock, als die Verbindung abriss. Spürte, wie ihr Herz taub und leer wurde, alleingelassen in ihrer Brust.

Oh Gott. Sie hatte ihn verloren.

Dieses Mal für immer.

»Kellan, nein«, rief sie und würgte an heißen, brennenden Tränen. »Nein!«

Sie konnte ihren Kummer nicht zurückhalten, er brach mit wildem, abgehacktem Schluchzen aus ihr hervor, als sie auf seinem leblosen Körper zusammenbrach und um ihn weinte.

Kellan war fort.

Tot.

Genau wie von ihrer Vision prophezeit.

Wieder und wieder rief sie seinen Namen, außer sich vor Kummer und seelenzerreißender Qual. Sie wollte nicht glauben, dass er fort war, aber seine Hand in ihrer war schlaff, sein starker

Körper reglos und blutüberströmt, übersät von so vielen schrecklichen Wunden.

Sie hatten ihn umgebracht.

Ihren Liebsten.

Ihren Gefährten.

Ihren besten Freund, ihren Partner ... ihr Alles.

Er war fort.

Während Mira sich schluchzend und verlassen an Kellans leblosen Körper klammerte, registrierte sie kaum, dass sich sanfte Hände auf ihre Schultern legten. Sie hörte kaum Nikolais tiefe Stimme, der mit seinem ungewohnt vorsichtigen, ruhigen Ton das Entsetzen noch viel realer für sie machte. »Mira«, sagte er sanft.

Auch Renata war bei ihm, sie versuchten beide, ihr beizustehen. Rennies Finger streichelten ihr den Hinterkopf. »Komm, Maus. Lass ihn gehen, Liebes.«

»Nein«, knurrte sie und schlug die Hände weg, die ihr als Kind immer so viel Trost gespendet hatten. Als sie ein kleines Mädchen gewesen war, war es Niko und Renata immer gelungen, für sie alles Schlimme wiedergutzumachen. Sie waren ihre Eltern auf jede Art und Weise, auf die es ankam, ihre starken Schultern und liebevolle Arme waren immer für sie da, wenn sie sie brauchte. Aber nicht heute. Nicht jetzt. Das hier konnten sie nicht wiedergutmachen.

»Sie haben ihn umgebracht«, murmelte sie, elend vor Verzweiflung. »Oh Gott ... sie haben ihn umgebracht.«

Sie sah wild zu Nikolai und Renata auf. Lucan und die meisten Ordensmitglieder waren auch da, die Krieger und ihre Stammesgefährtinnen versammelten sich feierlich um Kellans Leiche, alle sprachlos vor Schock.

Und hinter ihnen allen starrten die Ratsmitglieder, von denen die meisten bereitwillig die Todesstrafe über Kellan verhängt hatten, mit morbider Neugier zu ihnen herüber. Stammesvampire wie Menschen verrenkten sich die Hälse, um einen Blick auf die Leiche des verunglimpften Mannes zu erhaschen. Bei ihrem Anblick schoss Mira heiße Wut durch die Adern. Sie waren genauso für Kellans Tod verantwortlich wie die JUSTIS-Wächter, die das Feuer auf ihn eröffnet hatten.

Heiße Verachtung stieg in ihr auf und machte sich Luft in einem qualvollen Schrei. »Raus mit euch«, fauchte sie den Rat an. »Weg von ihm, alle!«

Sie wollte sich auf sie stürzen, aber Niko packte sie und hielt sie mit festem Griff zurück, als jede Zelle ihres Körpers nach Rache schrie. Ihr verzweifelter Klageschrei klang wie der eines Tieres, sogar für ihre eigenen Ohren. Sie sackte in Nikolais Armen zusammen, und alles verschwamm ihr vor den Augen.

»Bringt sie ins Hauptquartier zurück«, sagte Lucan zu Niko und Renata, seine tiefe Stimme war ernst, aber voller Mitgefühl. »Kümmert euch um sie, sorgt dafür, dass sie alles hat, was sie braucht.«

Mira konnte nicht ankämpfen gegen die Arme, die sie jetzt fortzogen. Sie hatte keine Kraft, keinen Willen, überhaupt kein Gefühl mehr.

Ihr Brustkorb fühlte sich an, als wäre er aufgebrochen und mit einem kalten, betäubenden Wind gefüllt.

Kellan war tot.

Hölzern ging Mira mit, nicht einmal sicher, ob sie noch atmete, als Nikolai und Renata sie aus dem stillen Raum führten.

Lucan warf den gaffenden Ratsmitgliedern einen wütenden Blick zu, als Mira den Raum verließ. In seinen Augen glühten bernsteinfarbene Funken, beim Sprechen spürte er seine scharfen Fänge an der Zunge, und in seiner Stimme vibrierte tödliche Wut. »Die Show ist vorbei. Ihr wolltet seinen Kopf, jetzt habt ihr ihn. Und jetzt zum Teufel macht, dass ihr rauskommt.«

Die Gruppe zerstreute sich, stumm und furchtsam. Als sie aus dem Gerichtssaal flohen, kam Dante aus dem hinteren Teil des Raumes, wo Benson entkommen war. »Der Direktor ist tot, Lucan. Hab ihn eben im hinteren Korridor gefunden. Dreimal aus unmittelbarer Nähe in den Kopf geschossen. Keine Spur von den JUSTIS-Beamten, die ihn rausgebracht haben.«

»Der verdammte Bastard.« Lucan fuhr sich mit gespreizten Fingern über den Kopf. Benson hatte etwas von Ackmeyers UV-Technologie gewusst. Das hatte er praktisch gestanden in den Sekunden, bevor Kellan ihn angefallen hatte. Offenbar hatte er genug über Morningstar gewusst, und wer immer die Technologie jetzt in den Händen hatte, hatte offenbar dafür gesorgt, dass Benson keine Gelegenheit bekam, noch mehr zu sagen. Aber wer?

Wie weit reichte diese Verschwörung wirklich?

Und jetzt gab es auch noch eine andere Frage, die eine schnelle Antwort erforderte: Wer oder was war Opus Nostrum?

Lucan sah zu Kellan zurück, auf die Dutzenden von Schusswunden, die den jungen Mann gefällt hatten. »Es hätte nicht so ausgehen müssen, verdammt. Er hatte Besseres verdient. Er hatte eine Chance verdient – er und Mira.«

Dante nickte grimmig. »Vielleicht können wir noch etwas für ihn tun.«

Der Krieger warf seiner Stammesgefährtin Tess, die beim Rest des Ordens und ihren Gefährtinnen stand, einen bedeutungsvollen Blick zu. Bevor Lucan oder Dante noch etwas sagen konnten, hatte Tess ihn verstanden und trat in Aktion. Sie kniete sich neben Kellan und strich ihm mit ihren heilenden Händen über den Körper. »Sein Blut ist immer noch warm, aber sein Herz ist stehen geblieben.«

»Kannst du's kurzschließen?« Jetzt erinnerte Lucan sich an etwas, was Dante ihm einmal von Tess erzählt hatte, aus der Zeit, bevor sie ihren Kriegergefährten kennengelernt hatte. Als junge Frau hatte sie einmal jemanden wiederbelebt, der überraschend an Herzversagen gestorben war. Später als Tierärztin hatte sie mit ihrer außergewöhnlichen Stammesgefährtinnengabe einen kleinen Straßenköter von seinem Krebs und anderen Krankheiten geheilt.

In ihren letzten zwanzig Jahren beim Orden hatte sie weiß Gott jede Menge Kampfverletzungen kuriert.

Aber jetzt schien Tess wenig zuversichtlich. »Ich kann sein Herz wieder zum Schlagen bringen«, sagte sie, »aber ich kann nicht gleichzeitig die Blutungen stoppen und die Schusswunden heilen. Ich kann ihn wiederbeleben, aber er könnte schneller verbluten, als ich ihn wiederherstellen kann.«

»Ich helfe dir.« Tess' und Dantes gemeinsamer Sohn Rafe kauerte sich neben sie. Das Gesicht des jungen Kriegers war feierlich, in seinen Augen – vom selben Ultramarinblau wie die seiner Mutter – brannte dieselbe Entschlossenheit, die Lucan auch auf dem Schlachtfeld an ihm gesehen hatte. Rafe legte seine Handflächen auf zwei der Schusswunden und nickte seiner Mutter zu. »Du wirfst seine Pumpe wieder an, ich kümmere mich um den Rest.«

Tess lächelte voll mütterlichem Stolz, als die beiden Heiler sich gemeinsam an die Arbeit machten.

Lucan wollte so gerne wie alle anderen im Raum wissen, ob der Orden hier und heute ein Wunder erleben würde oder einen Verlust erleiden müsste, einen Verlust, der dazu führen würde, dass sie morgen früh den Körper eines der Ihren in einem Bestattungsritual der Sonne überantworten müssten.

Aber ungeachtet der Frage, in welcher Verfassung Kellan Archer ins Hauptquartier des Ordens zurückkehren würde, so hatten Lucan und seine Krieger jetzt ihre eigenen ernsten Probleme zu bewältigen.

Probleme, die nur noch dringender wurden, nachdem der GN-Vorsitzende Benson vor einigen Minuten praktisch hingerichtet worden war.

Lucan sah sich in der Runde von Gideon, Tegan, Dante und dem Rest der Ordensältesten um. »Opus Nostrum«, sagte er grimmig, und in seinem düsteren Tonfall lag eine Frage.

Gideon schüttelte den Kopf und reihum auch die anderen Krieger. »Das ist Latein. Bedeutet unsere Arbeit oder unser Werk.«

»Irgendeine Ahnung, was das sein soll, oder noch wichtiger, wie das mit Ackmeyers Morningstar-Projekt zusammenhängen könnte?«

»Ich höre das zum ersten Mal«, antwortete Gideon.

Tegan senkte den Kopf, sein Blick war kalt und ausdruckslos. »Ich stelle ein Team zusammen und gehe mit ihm auf Erkundungstour. Wir können zu Sonnenuntergang loslegen.«

Lucan nickte. »Wir werden brauchen, was immer ihr finden könnt. Geht jedem Hinweis nach. Gebt mir jedes Mal sofort durch, wenn ihr was habt.«

Tegan drehte sich schwungvoll um und winkte mehreren Kriegern, ihn zu begleiten.

»Was ist mit der Festveranstaltung auf dem Gipfel?«, fragte Dante. »Willst du die Sicherheitsstufe erhöhen, mehr Präsenz zeigen, falls heute Abend irgendjemand auf die Idee kommt, irgendwelche Dummheiten zu machen?«

Lucan überlegte einen Augenblick. So versucht er auch war – das Letzte, was er jetzt tun durfte, war, den Friedensgipfel mit einer Armee schwer bewaffneter Stammesvampire in voller Kampfmontur zu stürmen. Damit könnte er jedem direkt in die Hände spielen, der den Waffenstillstand zwischen den Menschen und dem Stamm platzen lassen wollte.

Welcher Ort wäre besser geeignet, um einen Krieg zu provozieren als ein globaler Friedensgipfel?

Bei der Erinnerung an Darions Worte sah Lucan zu seinem Sohn hinüber. Dares Bemerkung vor einigen Tagen, bevor all dieses Chaos begonnen hatte, hatte ihm schon damals zu denken gegeben. Und jetzt schien es nur allzu möglich, dass sein Sohn mit seinem wachen Geist für Taktik und Strategie die richtige Vorahnung gehabt hatte.

Was, wenn jemand die Festveranstaltung des Friedensgipfels heute Abend stören wollte?

Was, wenn jemand alle Erfolge seit der Ersten Morgendämmerung vor zwanzig Jahren zunichtemachen und die Uhr zurückstellen wollte auf eine Zeit, als es keinen Frieden gab? Oder dafür sorgen würde, dass es in der Zukunft keine Chance auf Frieden mehr gab?

Um das zu tun, würde derjenige sich zuerst mit dem Orden anlegen müssen.

Lucan sah Dante an und schüttelte knapp den Kopf. »Wir sollten nichts überstürzen. Wenn etwas im Busch ist, sollen die Schweine sich in Sicherheit wiegen. Sollen sie sich zuerst zeigen, wir werden bereit für sie sein. Und bis es so weit ist, ist niemand unverdächtig.«

26

Mira erwachte mit einem Keuchen, wie ein Fisch, den der Ozean aufs Trockene geworfen hatte.

Erschrocken.

Verwirrt.

Übergangslos in eine brutale neue Realität gestoßen.

Sie schoss im Bett auf, atmete heftig. Ihr Herz hämmerte so wild, als wollte es ihr aus der Brust springen.

Sie war wieder im Hauptquartier des Ordens, allein in einem abgedunkelten Schlafzimmer. Tiefe Stille umgab sie. Sie registrierte ihre Umgebung kaum, verschwendete kaum einen Gedanken daran, wie sie hierhergekommen oder wie lange sie bewusstlos gewesen war.

Sie konnte sich vage daran erinnern, dass Nikolai sie in Trance versetzt hatte, nachdem sie das GN-Gebäude verlassen hatten. Sie konnte es ihm nicht verübeln. Sie war anders nicht zu beruhigen gewesen, hysterisch vor Kummer.

Das alles schien ihr wie ein schrecklicher Albtraum. Aber nein, es war alles real gewesen. Sie hatte immer noch Kellans Blut an ihren Kleidern.

Er war erschossen worden.

Kellan war tot.

Und doch…

Sie rieb ihre Brust, spürte ihren stetigen, starken Herzschlag unter ihrer Handfläche. Ihr Blut summte in ihren Adern, alle ihre Sinne auf einen Punkt in ihr konzentriert, wo Energie sich sammelte.

Kellan.

Sie spürte ihn mit jeder Faser ihres Körpers und ihrer Seele.

Sie spürte seine Schmerzen, seinen Kampf, als er sich an etwas zu klammern versuchte, das ihm bis jetzt immer wieder aus den Fingern schlüpfte.

Leben.

Sie spürte, wie er danach griff. Sie spürte, wie er um jeden Atemzug kämpfte, wie er sein Herz bei jedem mühsamen Schlag zwang, ihm mehr Blut durch die Adern zu pumpen. Sie spürte, wie sein Geist sie suchte. Spürte, wie ihre Verbindung zueinander sich wiederherstellte und ihm die Kraft gab, die er so nötig brauchte.

Oh Gott …

Kellan lebte.

Mira schwang die Füße auf den Boden und stand auf, gerade als Renata in den Raum trat.

»Kellan?«, stieß Mira hervor, gleichzeitig Frage und Stoßgebet.

Renata lächelte, ihre Erleichterung stand ihr ins Gesicht geschrieben. »Ja, Maus. Er ist noch nicht ganz über den Berg, aber Tess und Rafe …«

Mira war zu euphorisch, um sie ausreden zu lassen. Mit einem ungläubigen Schrei warf sie sich Renata wild und überglücklich in die Arme. »Ich muss ihn sehen.«

Sie rannte durch das Anwesen, folgte dem dünnen Faden ihrer Blutsverbindung. Sie führte sie die Treppe hinunter zum Erdgeschoss, dann noch weiter hinunter, zum unterirdischen Flügel, wo das Technikzentrum des Hauptquartiers lag, und zur Flügeltür der Krankenstation am anderen Ende des Gangs.

Kellan lag in einem Krankenhausbett in einem der sechs Behandlungsräume. Tess und Rafe waren bei ihm. Nikolai, Dante und Lucan standen etwas entfernt an einer Seite des Bettes. Und

Nathan war da, steif wie ein Wachtposten, von seiner Einheit und Miras Team flankiert.

Die Teams, mit denen sie trainiert und gelacht hatte, mit denen sie in die Schlacht gezogen war, nickten ihr grüßend und unterstützend zu, als sie in den Raum trat. Was Nathan anging, war trotz seiner sorgfältig beherrschten Haltung die Sorge in seinen Augen mit den dunklen Wimpern unverkennbar, als er sich zu Mira umsah. Er hatte sich auch Sorgen um Kellan gemacht.

Mira ging zum Bett. Sie merkte gar nicht, dass sie den Atem angehalten hatte, bis sie sah, wie Kellans Brustkorb sich hob und senkte, und ihre eigenen Lungen stießen einen abgehackten Seufzer aus.

Sie flüsterte seinen Namen, streckte die Hand nach ihm aus und strich ihm das kupferbraune Haar aus der blassen Stirn.

»Er ist sehr schwach«, sagte Tess sanft. »Er hat eine Menge Blut verloren.«

»Er lebt«, sagte Mira. Das war all die Hoffnung, die sie brauchte. Sie küsste ihn auf den Mund und schmeckte ihre eigenen Tränen, als sie die Arme um seine muskulösen Schultern schlang und ihre Erleichterung sich Bahn brach.

Sie brauchte lange, bis sie ihn wieder loslassen konnte. Sie wandte sich ab und ging zu Tess und Rafe hinüber, ihren persönlichen Wundertätern. Sie umarmte sie beide, drückte Tess aber voll unendlicher, sprachloser Dankbarkeit an sich.

Erst an diesem Morgen hatte Tess Mira gesagt, dass ihre Vision ihr ein Geschenk gemacht hatte, für das sie sich wohl nie würde revanchieren können. Nie hätte Mira sich vorstellen können, wie sehr sie Tess' übersinnliche Gabe brauchen würde. Wie konnte sie jemals ausdrücken, wie tief sie in ihrer Schuld stand?

»Tess, ich …«

Die andere Stammesgefährtin lächelte nur und drückte Miras

Hand. »Ich weiß. Jetzt geh zu ihm. Kellan braucht dich mehr als alles, was wir hier für ihn tun können.«

Mira ging wieder zu ihm zurück und nahm seine Hand. Seine Haut war warm. Seine Finger zuckten in ihrer Hand, dann verstärkten sie ihren Druck. Er konnte sie spüren. Er wusste, dass sie bei ihm war.

»Er hat ein sehr starkes Herz«, sagte Tess. »Er hat sehr darum gekämpft zurückzukommen. Er wollte nicht gehen.«

Mira konnte ein leises Schluchzen nicht unterdrücken. »Du bist zu mir zurückgekommen«, murmelte sie, beugte sich nah zu ihm und streichelte sein gut aussehendes Gesicht. »Jetzt bist du für immer mit mir geschlagen, Kellan Archer. Hörst du mich? Verlass mich bloß nie wieder.«

Tess legte ihr leicht die Hand auf den Rücken. »Ich werde später noch mal nach ihm sehen, mich davon überzeugen, dass er außer Gefahr ist. Aber jetzt hängt seine Heilung von dir ab. Dein Blut wird den Rest für ihn tun, Mira.«

Sie nickte und registrierte, dass Tess ihr im Gehen ein schmales Skalpell auf den Kleiderstapel auf dem Nachttisch gelegt hatte.

Miras Erleichterung darüber, dass Kellan lebte, hätte nicht größer sein können, aber sie spürte Lucans schwere, strenge Präsenz im Raum. Kellan hatte eine Chance bekommen, den tödlichen Schusswunden zu trotzen, die ihn vor dem Rat der Globalen Nationen zugefügt worden waren, aber wie stand er jetzt mit Lucan und dem Rest des Ordens?

»Was passiert jetzt, Lucan? Wenn Kellan aufwacht, was passiert dann mit ihm?«

Lucans grimmige Miene verriet nichts. Er starrte Kellan an, dann richtete er seinen strengen Blick wieder auf Mira. »Nichts von dem hier ändert etwas daran, was geschehen ist. Tot oder lebendig, der Rat hat ihn schuldig gesprochen. Er kann nicht zu seinem vorigen Leben zurück. Zu keinem seiner früheren Leben.«

Mira wusste, dass ihr die Enttäuschung anzusehen war. Sie hatte so auf eine Absolution von Lucan gehofft. Dass er Kellan wieder in den Orden aufnehmen würde und das Leben weitergehen würde wie früher. Besser als je zuvor.

Sie hatte auf ein Wunder gehofft. Aber das hatte sie doch auch bekommen, oder nicht? Kellan lebte. Alles andere würden sie einfach später in Angriff nehmen müssen. Sie beide gemeinsam.

Und wenn das bedeutete, dass sie den Orden verlassen musste, um bei Kellan zu sein?

Sie versuchte, den Anflug von Schmerz zu ignorieren, den dieser Gedanke in ihr auslöste. Der Orden war ihre Familie. Ihr Daseinszweck. Ihr Zuhause.

Sie sah von Lucan weg zu Renata, wunderschön und hochschwanger, unter Nikolais starken, schützenden Arm geschmiegt. Dann sah sie zu Nathan, ihrem lieben Freund. Kellans Freund. Und zu den drei Stammeskriegern, die schon seit langer Zeit viel mehr als einfach nur ihre Mitstreiter waren. Alle, die in diesem Raum und unter diesem Dach versammelt waren, waren Teile von Miras Leben.

Nachdem sie tagelang versucht hatte, Kellan zu überzeugen, zusammen mit ihr zu fliehen, alles hinter sich zu lassen und dem Schicksal davonzulaufen, das er in ihren Augen gesehen hatte, erkannte sie erst jetzt, welch hohen Preis sie dafür bezahlt hätte.

Aber Kellan hatte es gewusst.

Selbst angesichts seines eigenen Todes, der über ihm schwebte, hatte er Mira nicht erlaubt, allen den Rücken zu kehren, die sie liebte, nur um mit ihm ein Leben im Exil und im Untergrund zu führen. Er hatte sich dafür entschieden, seinem tödlichen Schicksal ins Auge zu sehen, um sicherzugehen, dass sie ihren Weg zurückfand, dorthin, wohin sie gehörte.

Für dieses Opfer liebte Mira ihn mehr als je zuvor.

Sie nahm das Skalpell vom Nachttisch neben dem Bett. Sie machte einen kleinen Einschnitt an ihrem Handgelenk und hielt die blutende Wunde an seinen schlaffen Mund. Sie streichelte sein Haar, seine Wange und ermutigte ihn leise zum Trinken. Tiefrot rann ihr Blut auf seine Zunge, sein kupfriger Geschmack vermischt mit ihrem typischen, individuellen Lilienduft. Kellan reagierte nicht sofort, er schluckte langsam, als ihr Blut ihm in die Kehle rann.

»Gut so«, flüsterte Mira. »Trink von mir, Kellan. So viel du brauchst.«

Seine Lippen bewegten sich, um ihre offene Ader zu finden. Dann drückte sich seine Zunge an ihre Haut, warm und suchend. Er nahm einen weiteren Schluck. Dann noch einen.

Mira streichelte ihn, als er von ihr trank, spürte durch ihre Blutsverbindung, wie langsam seine Kräfte wiederkehrten. »Trink weiter«, sagte sie sanft zu ihm. »Komm zurück zu mir.«

Sie bemerkte die anderen im Raum kaum noch, war völlig auf Kellan konzentriert. Darauf, ihn zu heilen. Ihn wieder ganz gesund zu machen.

»Lassen wir sie jetzt alleine«, sagte Renata und führte die Gruppe der Krieger und ihrer Gefährtinnen aus dem Raum. An der Tür blieb sie noch einmal stehen und lächelte Mira liebevoll zu. »Ich hab dich lieb, Maus.«

Mira nickte und lächelte traurig zurück. »Ich dich auch, Rennie.«

Sie liebte sie alle, die einzige Familie, die sie je gekannt hatte. Und sie liebte Kellan, den Mann, dem vom ersten Augenblick an ihr Herz gehört hatte.

Sie wollte sich nicht entscheiden. Sie wollte beides.

Egoistisch und verzweifelt wollte sie beides.

Vier Stunden später stand Lucan Thorne neben seiner Stammesgefährtin Gabrielle auf der Festveranstaltung des Friedensgipfels und kam sich in seinem schwarzen Anzug, dem schwarzen Hemd und den polierten schwarzen Schuhen wie ein verdammter Leichenbestatter vor.

Der Rest des Ordens, der auf dem Empfang Dienst schob, war ähnlich ausstaffiert, ein Sicherheitsteam von fast zwanzig Mann in maßgeschneiderten Anzügen und diskret verdeckten Waffen. Nicht, dass sie unauffällig waren. Die Präsenz der fast zwei Meter großen, muskelbepackten Stammeskrieger, die ernst und bedrohlich in allen Ecken der eleganten Halle stationiert waren, war kaum zu übersehen.

Das war der von Lucan beabsichtigte Effekt auf die über tausend Würdenträger und Staatsoberhäupter, Menschen und Vampire aus diversen Teilen der Welt.

Der Orden war präsent und wachsam.

Um das zu demonstrieren, brauchten sie kein Waffenarsenal. Es war offensichtlich, im Gang jedes Kriegers, in ihren stählernen Augen und strengen Gesichtern. Und in der übernatürlichen Macht, die jeder einzelne von Lucans Kriegerbrüdern ausstrahlte, sogar in entspanntem Zustand. Sie waren tödlich kühl und wachsam. Aber sie waren hier, um den Frieden zu wahren, nicht um die Flammen von Unruhe oder Misstrauen zu schüren.

Was er von den über dreißig Cowboys nicht sagen konnte, die in Uniformen von Crowe Industries umherstolzierten, jeder mit einem Paar Schießeisen an den Hüften. Lucan machte ein finsteres Gesicht, als der eitle Pfau, der diese unqualifizierten Trottel kommandierte, vom anderen Ende der Menge auf ihn zugeschlendert kam.

Gabrielle legte ihm die Hand auf den Arm, lehnte sich leicht an ihn und sprach durch ihr hübsches, diplomatisches Lächeln. »Versuch, nett zu sein. Das ist eine Party, weißt du noch?«

Lucan, Reginald Crowe im Blick, senkte den Kopf und stieß ein Knurren aus.

Schwerreich und mit dem schmierigen Grinsen des geborenen Verkäufers kam Crowe in seinem schwarzen Smoking und weißen Hemd auf sie zu, ein schlankes Sektglas mit prickelndem Champagner zwischen den Fingern seiner linken Hand. Er war hochgewachsen und durchtrainiert, mit einem Gebaren, als gehöre ihm hier alles, und schon bei seinem Anblick juckten Lucan die Fäuste, die Arroganz aus ihm herauszuprügeln. Crowes dichte blonde Mähne, heute Abend zurückgegelt, glänzte wie ein Goldbarren und ließ das Grinsen in seinem Gesicht mit der mediterranen Dauerbräune noch breiter wirken.

»Präsident Thorne«, sagte er, und aus der Nähe wirkte sein Grinsen angespannter und irgendwie unecht. »Ich wünsche Ihnen einen guten Abend.«

Lucan blieb wenig übrig, als seine ausgestreckte Hand zu nehmen und zur Begrüßung fest zu schütteln. Aber seine Miene blieb unverändert finster, als Crowes Blick zu Gabrielle hinüberglitt. Er musterte sie von Kopf bis Fuß, sie sah umwerfend aus in ihrem engen taubengrauen Kleid und den zierlichen hohen Schuhen. »Ich glaube, wir hatten noch nicht das Vergnügen.«

»Meine Gefährtin«, fauchte Lucan. »Gabrielle.«

Sie nickte Crowe höflich zu, und er strahlte sie anerkennend an. »Wirklich entzückend.« Er verbeugte sich leicht, dann machte er eine Geste mit seinem Champagnerglas. »Darf ich Ihnen einen Cocktail oder Horsd'œuvres bringen? Es wäre mir ein Vergnügen, Lady Thorne.«

Gabrielles Lächeln wurde etwas angestrengt angesichts der ungewollten Aufmerksamkeit. »Nein danke.«

»Was wollen Sie, Crowe?«

Crowe sah zu Lucan zurück. »Ihnen zu Ihrer Entscheidung gratulieren, die Gala trotz allem stattfinden zu lassen. Ich bin sicher, Direktor Benson hätte das auch so gewollt. Er und der Rest des GN – Sie natürlich eingeschlossen – haben so viel getan, um diesen Gipfel zu ermöglichen. Es wäre ein Jammer gewesen, ihn in letzter Minute abzusagen.«

Lucan knurrte zustimmend. »Besonders, wo Sie persönlich so viel in dieses Event investiert haben.«

Wohin er auch sah, überall hatte Crowe Industries der Party seinen Stempel aufgeprägt: vom Sicherheitspersonal zum Cateringservice bis zum Videoteam, das die internationale Liveübertragung sendete. Herrgott, sogar das zehnköpfige Orchester im hinteren Teil der verschwenderisch dekorierten Halle spielte unter einem digitalen Werbebanner mit Reginald Crowes grinsender Fresse.

Und dann war da der Inbegriff seines Egos – die Kristallskulptur im Mittelpunkt des eleganten Saals, die er dem GN heute Abend schenken würde, zum Gedenken an die Erste Morgendämmerung und die Mission des Gipfels, wahren Frieden zu sichern. Wenigstens war diese keine schamlose Ode an Crowes Arroganz. Nicht die lebensgroße Statue des Mannes, mit der Lucan schon fast gerechnet hatte, sondern ein schlanker Obelisk aus glitzerndem geschliffenem Kristall. Die etwa drei Meter hohe Skulptur lief am oberen Ende spitz zu, und darauf saß eine Kugel vom kühlen, makellosen Glanz eines Diamanten, in deren Mittelpunkt ein schwacher Lichtschein glühte, pfirsichfarben und golden.

Ein wirklich erstaunliches Kunstwerk, wie Lucan zugeben musste, wenn auch nur sich selbst gegenüber. Auch die meisten Gäste waren seiner Ansicht, der Obelisk im Mittelpunkt der Halle zog die wogende, förmlich gekleidete Menge magisch an.

Crowe nippte an seinem Champagner und blickte über den Empfang, für den er wohl mehrere Millionen hatte springen lassen. Er stieß einen betrübten Seufzer aus und schüttelte langsam den Kopf. »Wirklich ein Jammer. Dieser Abend hätte eine Feier sein sollen, all des Guten, das uns noch erwartet. Eine Würdigung aller Verheißungen der Zukunft. Einen der brillantesten Wissenschaftler der Welt und einen respektierten Staatsmann innerhalb einer Woche durch brutale Gewalt verloren zu haben ...« Crowe schnalzte mit der Zunge. »Nun, es ist einfach unfassbar. Eine Tragödie.«

»In der Tat«, antwortete Lucan.

Crowe sah ihn an, seine Augen so gerissen und scharf wie die eines Raubvogels. »Und auch der Orden muss durch seinen Verlust diese Woche erschüttert sein. Schreckliche Geschichte, erfahren zu müssen, dass ein Mitglied Ihrer Truppe zum Verräter geworden ist. Ein ehemaliger Krieger, der sich den Rebellen angeschlossen hat ... wirklich erstaunlich.« Crowe bleckte die Lippen zu einem kalten Lächeln. »Ich hoffe, Sie nehmen es mir nicht übel, wenn ich sage, dass *sein* Tod für mich heute Abend definitiv ein Grund zum Feiern ist.«

Lucan zuckte ungerührt mit den Schultern, weigerte sich, den Köder zu schlucken. »Wie es aussieht, war er nicht der Einzige, der in Verschwörungen verwickelt war. Bensons Ermordung durch JUSTIS-Beamte heute bedeutet offensichtlich, dass der Direktor seine eigenen geheimen Feinde hatte.«

Crowe runzelte die Stirn, wie um Bedauern auszudrücken, aber es erreichte seine Augen nicht. »Wir leben in gefährlichen Zeiten, wie Sie mir sicher zustimmen werden. Und ich muss sagen, ich bin überrascht über den Mangel an Sicherheitsvorkehrungen nach dem Zwischenfall bei der Verhandlung heute. Ich hätte ja gedacht, der Orden würde heute Abend wie ein Kampfbataillon hereinstürmen.«

Lucan knurrte, kühl und ungerührt. »Das ist ein Friedensgipfel, kein Kampfgebiet. Ihren Männern ist offensichtlich das Memo entgangen.«

Crowe lachte leise und sah sich zu seinen uniformierten Männern um, die die Party wie ein Sonderkommando patrouillierten.

»Da fragt man sich doch, wessen Interessen Sie eigentlich schützen«, fügte Lucan hinzu. »Die des Gipfels, die der Teilnehmer … oder nur Ihre eigenen.«

Jetzt verschwand die gute Laune des Magnaten, und sein Lächeln war alles andere als angenehm. »Zufälligerweise ist mir beides gleich wichtig. Besonders, nachdem der Orden es zuließ, dass Jeremy Ackmeyer, der unter seinem Schutz stand, entführt wurde – und das auch noch von einem seiner abtrünnigen Mitglieder. Ich bin der Ansicht, dass wir nicht vorsichtig genug sein können, wenn es darum geht, die Interessen unserer Zukunft zu schützen, Präsident Thorne.«

»Darin sind wir uns einig«, antwortete Lucan steif.

Crowe hob sein Glas und leerte es in einem langen Zug. Er sah zu Gabrielle hinüber und nickte ihr galant zu. »Wenn Sie mich entschuldigen, ich habe Gäste zu begrüßen.«

Er wartete die Antwort nicht ab. In der Menge hatte er den Botschafter des Stammes aus Südamerika entdeckt, der eben mit seiner attraktiven blonden Gefährtin ankam, und glitt geschmeidig davon, verschwand in der Menge zwischen Smokings und Abendkleidern.

Gabrielle starrte ihm nach, dann schnaubte sie leise. »Was für ein Arschloch.«

Lucan knurrte und zog sie enger an seine Seite. »Das ist er allerdings. Und ich seh's ihm an, er führt was im Schilde.«

Er signalisierte Tegan und Dante am anderen Ende des Raumes mit einem Blick und nickte vielsagend in Crowes Richtung. Sie würden den Menschen heute Abend genau im Auge haben.

Und wenn ein Mitglied des Ordens auch nur den kleinsten Grund zur Besorgnis registrierte, würden sie den Bastard ausschalten – ob die ganze Welt live zugeschaltet war oder nicht.

27

Kellan träumte von Lilien.

Ihr süßer Duft wand sich wie ein Seidenband in seine Sinne. Es zog ihn sanft hoch zur Oberfläche, heraus aus einem dunklen, schweren Schlaf.

Er war am Leben.

Er öffnete die Augen und blinzelte, als langsam die Welt um ihn herum deutlich wurde. Er lag in einem Bett. In einem Krankenhaus – nein, auf der Krankenstation im Hauptquartier des Ordens in Washington. Er kannte diesen Ort, weil er in seinem früheren Leben mehr als einmal nach einem Kampf hier gelandet war. Aber nie hatte er sich so gefühlt wie jetzt.

Und nie hatte Mira an ihn geschmiegt neben ihm gelegen.

Eine Flut von Gefühlen überrollte ihn.

Er war am Leben.

Und dennoch wusste er, dass er tot gewesen war. Er erinnerte sich an den Moment, als die Schwärze über ihm zusammenschlug und er den Halt in der physischen Welt verlor. Mit aller Kraft hatte er versucht, am Leben zu bleiben. Er hatte nicht sterben wollen, hatte Mira nicht verlassen wollen. Noch immer spürte er das Gefühl von Panik, von einem Verlust, der bis ins Mark ging, als seine Verbindung zu Mira immer schwächer wurde, sich löste und schließlich … abbrach und er von ihr wegtrieb und sich ohne Anker in einem dunklen Ozean verlor.

Er war gestorben.

Das wusste er.

Dennoch war er hier und hatte eine zweite Chance bekommen. Es dämmerte ihm, dass er sein neues Leben Tess und Rafe zu verdanken hatte. Ihre Hände hatten ihn geheilt. Ihre Stimmen hatten ihm befohlen durchzuhalten und nach der Rettungsleine zu greifen, die sie ihm zugeworfen hatten.

Und dann war da Mira gewesen.

Auch sie hatte ihn gerettet. Er schmeckte immer noch ihr Blut auf der Zunge, süß wie Lilien. Sie hatte ihn gefunden und geheilt, genau dann, als er sie am meisten brauchte. Als er ihre Stärke, ihre Kraft, ihre Liebe am nötigsten hatte.

Ihr Verbindung hatte dem Tod getrotzt, und noch nie in seinem Leben hatte er solche Ehrfurcht empfunden. Er liebte diese Frau – *seine* Frau, seine ewige Gefährtin. Sein wiedergeborenes, neues Herz ging ihm auf, so sehr liebte er sie, und es schlug laut und stark wie eine Trommel.

Mira neben ihm regte sich und erwachte mit einem leisen Seufzer. Sie trug immer noch den Kampfanzug aus Drillich, in dem er sie das letzte Mal gesehen hatte. Der feste schwarze Stoff war zerknittert, weil sie darin geschlafen hatte, und verschmiert von seinem Blut. Ihr blonder Pferdeschwanz hatte sich völlig aufgelöst, und feine helle Strähnen lagen ihr wild ums Gesicht. Er hatte noch nie etwas Schöneres gesehen.

Sie hob den Kopf und schnappte überrascht nach Luft, als sie sah, dass er die Augen offen hatte und sie betrachtete. »Kellan … oh Gott. Du bist wach. Du bist zu mir zurückgekommen.« Er lächelte und wollte etwas sagen, aber da küsste Mira ihn schon wild und voller Inbrunst mitten auf den Mund. Sie lehnte sich zurück und starrte ihn an, und ihre Augen hinter den violetten Kontaktlinsen glitzerten vor Freude. »Du bist wirklich hier bei mir.«

Er schaffte es zu nicken, da küsste sie ihn schon wieder, aber dieses Mal zärtlicher, und sie nahm sein Gesicht dabei in beide Hände. Die ganze Zeit schaute sie ihm voller Glück in die Augen und konnte sich offenbar an seinem Anblick nicht sattsehen.

Doch dann verfinsterte sich ihr Gesicht, und sie stieß einen dunklen Fluch aus. »Verlass mich ja nicht noch einmal, Kellan Archer.«

»Niemals«, schwor er, und seine Stimme klang belegt und heiser.

Sie blickte noch finsterer. »Falls doch, dann schwöre ich Stein und Bein, dass ich dir nachjage und dich eigenhändig umbringen werde. Hast du das kapiert?«

Er grinste und zog sie näher zu sich heran. »Jawohl, Ma'am.«

Sein Körper war schon wieder einsatzfähig, das Blut schoss mit Kraft durch seine Adern. Unter der Decke, die auf seinem nackten Körper lag, spannten sich seine verjüngten Muskeln, als könnten sie es kaum erwarten, wieder ihre Dienste zu tun. Auch ein weiteres Körperteil konnte es kaum erwarten, und es dauerte nur einen Moment, da bemerkte Mira, dass er ganz und gar aufgewacht und voller Leben war.

»Du bist unglaublich«, murmelte sie, aber ihre Augen blitzten belustigt – und ziemlich interessiert. »Du hast mindestens zwei Dutzend Schusswunden, falls dir das noch nicht aufgefallen ist.«

Seine Verletzungen waren ihm wirklich noch nicht aufgefallen, und er spürte die Verbände kaum. Alles, was er spürte, war seine Gefährtin, seine kostbare Mira, die warm und süß in seinen Armen lag. Er fuhr ihr mit der Hand über den Rücken hinunter bis zu der festen Rundung ihres Pos. Sie fühlte sich so gut an unter seinen Händen und dicht an seinen ganzen Körper gepresst, dass er laut aufstöhnte. »Jemand hier hat zu viele Klamotten an.«

Kellan wollte diesen Augenblick nur genießen, und ja, er war verdammt froh, dass sein Herz wieder schlug und er am Leben war – und das Beste daran war, dass er neben der Frau lag, mit der er hoffentlich noch eine ziemlich lange Ewigkeit verbringen würde. Er war so froh, dass er sich zur Feier des Tages nichts Besseres vorstellen konnte, als sich tief in die vertraute Wärme von Miras wundervollem Körper zu vergraben.

Aber sie wollte nichts davon wissen. Sie stützte sich neben ihm auf einen Ellbogen und betrachtete ihn voller Ernst. Schließlich atmete sie zittrig aus und fluchte dabei leise. »Ich dachte heute, ich hätte dich verloren, Kellan. Ich habe dich sterben sehen. Ich habe es gespürt.« Sie runzelte die Stirn, bis eine Falte zwischen ihren hellen Augenbrauen erschien, und sie senkte kopfschüttelnd den Blick. »Ich wollte dich hassen dafür, dass du dich in dem Dunklen Hafen in Maine gestellt hast. Ein bisschen hab ich dich wirklich dafür gehasst. Ich hatte mir so sehr gewünscht, dass wir so lange wie möglich zusammenbleiben. Und du hast mir das genommen. Uns beiden hast du die letzten Stunden genommen.«

Er strich ihr übers Gesicht und über das seidenweiche Haar. Sein Mund war trocken und er musste schlucken, bevor er sprechen konnte. »Ich wollte dir nicht wehtun. Ich wollte nicht, dass du deine Vergangenheit – deine Familie – aufgibst, so wie ich es getan habe. Ich wollte dir diese unmögliche Entscheidung ersparen, die ich damals treffen musste. Ich wollte nicht, dass du den gleichen Fehler machst wie ich.«

»Das weiß ich inzwischen«, sagte sie und fuhr leicht mit den Fingern über die Wunden auf seiner Brust. »Fast hätte ich dich verloren. Aber nur jetzt weiß ich wirklich zu schätzen, was du in dieser Nacht für mich getan hast.« Sie schaute wieder hoch zu ihm, und ein schiefes Lächeln lag auf ihren Lippen. »Und übrigens bin ich immer noch total sauer auf dich.«

Er grinste, strich mit der Hand ihren Arm entlang und über ihren vollen Busen. »Ich freu mich schon darauf, wenn ich das wiedergutmachen kann.« Dann hob er sanft ihr Kinn und küsste sie ohne Eile und voller Ehrfurcht. »Du gehörst mir, Mira. Ich liebe dich. Das hätte ich dir früher schon tausendmal sagen sollen. Aber dieses Mal werde ich es nicht wieder vermasseln. Ich habe eine zweite Chance bekommen, und diesmal mache ich es richtig.«

»Wir haben beide eine zweite Chance bekommen«, sagte sie leise. »Aber wo fangen wir an? Du bist offiziell tot, Kellan. Du und Bowman. Die Nachricht von deinem Tod ist durch die Medien gegangen, wahrscheinlich auf der ganzen Welt. Die Öffentlichkeit forderte Vergeltung für den Tod Ackmeyers, und der Rat der Globalen Nationen konnte es kaum erwarten, vermelden zu können, dass die Schuldigen ihre gerechte Strafe erhalten haben.«

Er dachte einen Moment über diese Neuigkeiten nach. »Was ist mit Candice und Doc und Nina?«

»Lucan hat sie heute Morgen freigelassen, noch bevor man dich vor den Rat gebracht hat. Sie haben inzwischen sicher die Nachricht gehört, dass du bei einem Schusswechsel im Gerichtssaal ums Leben gekommen bist.« Sie starrte ihn mit einer wilden Entschlossenheit in den Augen an. »Niemand außerhalb des Ordens darf die Wahrheit erfahren. Sonst ist dein Leben sofort wieder in Gefahr. Und das kann ich nicht mehr aushalten. Nicht noch einmal.«

»Das verlange ich auch nicht von dir.« Er fuhr mit dem Finger über ihre zusammengepressten Lippen und wünschte sich, er könnte ihre Sorgen einfach wegstreicheln. Er lachte ein leises, bitteres Lachen. »Kannst du einen Geist lieben, was meinst du?«

»Ich habe acht Jahre lang einen Geist geliebt.«

»Das hast du wirklich. Gott sei Dank.« Er strich ihr über die Wange und wollte sie nur noch mehr, wenn er daran dachte, dass sie ihm all die Jahre treu geblieben war, so verlässlich und stark. Sie war immer schon seine Gefährtin gewesen, in jeder Hinsicht. Sie hatten so viele Schwierigkeiten durchgestanden, da würde er doch jetzt nicht eine Kleinigkeit wie den Tod zwischen sie und ihre gemeinsame Zukunft kommen lassen.

Und er würde nicht erlauben, dass irgendjemand Mira oder seinen Freunden etwas antat. Deshalb hatte er nun eine neue

Aufgabe: Er musste alles daransetzen, Benson zu Fall zu bringen. Kellan wollte die Wahrheit herausfinden, die hinter dem
Namen steckte, den der korrupte Ratsvorsitzende ihm bei der
Urteilssprechung in seinen letzten bewussten Momenten verraten hatte.

Opus Nostrum.

Kellan richtete sich auf. Das Blut pochte ihm in den Ohren, als
er sich plötzlich an Bensons Schuldgefühle erinnerte.

»Was ist los?«, fragte Mira und setzte sich ebenfalls auf. Er
schob die Beine über die Bettkante, und Mira tat es ihm nach.
»Was machst du?«

»Ich muss mit Lucan sprechen.«

»Worüber?«

»Benson.« Kellan stand auf. Er dachte, dass er sich vielleicht
noch schwach oder wacklig fühlen würde, aber seine Beine
waren stark. Das Blut seiner Gefährtin gab ihm Kraft. Sogar die
Wunden kamen ihm nebensächlich vor. Er löste den Verband
von einer Schusswunde, und das Loch war fast verheilt. Die
Stelle war noch wund und rosa, aber es hatte sich schon neue
Haut gebildet. Kellan wickelte die Binden von seinem Oberkörper und warf die Wundverbände in einen Abfalleimer, der unter
dem Nachttisch stand. Eine frische Hose und ein T-Shirt lagen
auf dem Nachttisch für ihn bereit. Kellan schlüpfte schnell in die
Hose. »Lucan muss erfahren, was ich heute Morgen über Benson
herausgefunden habe.«

»Du hast es ihm schon gesagt.« Mira stellte sich vor ihn und
strich vorsichtig mit den Fingerspitzen über die verheilenden
Wunden. »Wenn es um Opus Nostrum geht, was immer das sein
soll, darum kümmert Lucan sich schon. Du hast ihm den Namen
gesagt, kurz bevor du –«

»Da ist noch mehr, Mira. Wir müssen Benson verhören. Er hat
Informationen über einen geplanten Anschlag. Es hat irgendwas

mit Ackmeyers Morningstar-Technologie zu tun. Wir müssen den Scheißkerl sofort in die Zange nehmen.«

Sie warf ihm einen seltsamen Blick zu, dann schüttelte sie den Kopf. »Benson ist tot. JUSTIS-Beamte haben ihn getötet, die gleichen, die auch auf dich geschossen haben. Sie haben ihn auf einem abgelegenen Korridor im GN-Gebäude richtiggehend hingerichtet, als er abhauen wollte.«

Scheiße.

Kellan nahm das T-Shirt und zog es an. »Lucan muss erfahren, um was es hier geht. Ich muss sofort mit ihm sprechen.«

»Das geht nicht.« Mira schüttelte den Kopf. »Er ist nicht mehr hier. Er hat das Hauptquartier mit Gabrielle und den übrigen Ordensmitgliedern und ihren Gefährtinnen schon vor einer ganzen Weile verlassen. Sie sind alle bei der Festveranstaltung des Friedensgipfels heute Abend.

Der Friedensgipfel.

Mit scharfer, eisiger Deutlichkeit wurde Kellan das Ausmaß der Katastrophe klar.

»Es wird auf der Gala passieren«, flüsterte er. »Als ich Bensons Gedanken gelesen habe, war er voller Schuldgefühle. Weil Opus Nostrum seinen Neffen getötet hatte, nur weil sie an seine UV-Technologie herankommen wollten. Und weil noch viel mehr Menschen sterben würden – alles unter dem Deckmantel der Friedensmission. Sie werden Morningstar heute Abend auf der Gala als Waffe einsetzen.«

Lucan zerquetschte vor Wut fast sein Kommunikationsgerät, als er das Gespräch mit Mira beendet hatte. Schon seit geschlagenen zwanzig Minuten textete die Stammesgefährtin eines anwesenden Botschafters Gabrielle und Gideons Gefährtin mit ihren neuesten Kunsterwerbungen zu. Lucan stieß einen lauten, hässlichen Fluch aus, und die Frau schnappte geschockt nach

Luft. Sie starrte Lucan an, doch der blickte nur finster zurück. Die beunruhigenden Neuigkeiten beschäftigten ihn zu sehr, als dass er noch den netten Partygast spielen konnte.

Die Frau entschuldigte sich und verschwand in Windeseile. Gabrielle warf ihm einen amüsierten Blick zu. »Danke, dass du sie uns vom Leib geschafft hast. Was wollte Mira? Es ist doch hoffentlich alles in Ordnung mit Kellan, oder nicht?«

»Ihm geht es gut, er ist schon wieder auf den Beinen. Und er hat sich an etwas erinnert, das er erfahren hat, als er Benson vor seinem Tod noch berührte.« Lucan blickte über die Menschenmenge, die zu der Veranstaltung eingeladen worden war. Ein kalter Schauer lief ihm durch die Adern. Gideon stand auf der anderen Seite der beiden Stammesgefährtinnen und redete mit Darion. Lucan suchte seinen Blick. »Kellan sagt, Benson wusste von einem geplanten Anschlag von Opus Nostrum. Etwas Großes, bei dem Ackmeyers UV-Technologie als Waffe eingesetzt werden soll. Er glaubt, dass der Anschlag vielleicht schon heute Abend stattfinden wird. Und zwar hier.«

»Hier? Auf der Gala?«, flüsterte Gabrielle. »Du glaubst doch nicht im Ernst, dass das möglich ist. Oder?«

Gideon brummte etwas Unverständliches. Seine blauen Augen blickten zweifelnd über das moderne Gestell der silbergetönten Brillengläser. »Dieser Ort wird sowohl von den Sicherheitsleuten des Ordens als auch von Crowes Wachschutz-Team gesichert. Nur ein Verrückter würde glauben, dass er hier überhaupt hereinkommt, geschweige denn, dass er irgendeine Art von Anschlag durchführen kann.«

»Außer sie sind schon drin«, sagte Dare.

Lucan spürte, wie sich seine Gesichtszüge verhärteten, als er sich den Einwurf seines Sohnes durch den Kopf gehen ließ. Wenn wirklich ein Anschlag auf die Festveranstaltung geplant war, dann war es das wahrscheinlichste Szenario. Tegan, Nikolai und Hunter befanden sich auf der anderen Seite des Saals, und Lucan wies sie mit einer knappen Kinnbewegung an, schnell zu ihnen zu kommen. »Jeder der Anwesenden hat einen Metall-detektor passiert und ist auf Waffen durchsucht worden, richtig?«

Tegan nickte mit ernster Miene. »Heutzutage kommt niemand mehr in ein Regierungsgebäude, ohne am ganzen Körper mit Röntgenstrahlen durchleuchtet zu werden. Alle sind beim Betreten des Gebäudes gescannt worden.«

Niko grinste. »Was meint ihr, sollen wir Crowe noch für eine Leibesvisitation rausholen? Ist es dafür zu spät? Oder vielleicht lieber doch nicht. Der Kerl steht wahrscheinlich drauf.«

Crowe bahnte sich im Moment einen Weg auf die prächtig geschmückte Bühne zu, die vorn in der großen Empfangshalle aufgebaut war. Bei seinem Bad in der Menge schüttelte er Dutzenden von Gästen die Hand. Dabei lachte er und klopfte den Würdenträgern auf den Rücken, während er ihren Gattinnen in den Ausschnitt glotzte und sich überhaupt aufführte, als wäre das hier seine Veranstaltung und alle im Saal wären allein ihm zu Dankbarkeit verpflichtet.

Lucan senkte den Kopf und blickte wütend in Crowes Richtung. »Das ist doch heute mehr als die übliche Arroganz von dem Kerl«, zischte er mit tiefer, grollender Stimme. »Was, wenn Crowe die Morningstar-Technologie in die Finger bekommen hat? Alle mussten durch die Metalldetektoren am Eingang des Gebäudes, aber hat auch jemand die Munition von Crowes eigenen Sicherheitsleuten überprüft?«

»Du glaubst, sie könnten mit UV-Kugeln bestückt sein?« Niko, der Waffenexperte des Ordens und zuständig für alles, was mit Ausrüstung zu tun hatte, stieß einen leisen Pfiff aus. »Da hilft nichts, wir müssen sie überprüfen. Wer hat Lust auf eine Runde Hosen runter?«

Tegan erwiderte Nikos Blick. »Es darf nicht auffallen. Holt

Crowes Sicherheitsleute einzeln aus dem Saal, bringt sie irgendwo außer Sichtweite und durchsucht sie, einen nach dem anderen. Wenn alle zwanzig von uns seine Wachleute überprüfen,
haben wir sie in ein paar Minuten durch.«

Hunter nickte. »Im Gang links runter von der Empfangshalle
sind ein paar leere Konferenzräume.«

Niko grinste. »Worauf warten wir noch?«

»Macht schnell«, sagte Lucan, »aber passt auf, dass niemand
etwas von dieser verdammten Aktion mitbekommt. Setzt Crowes
Wachleute in Trance, wenn ihr sie aus dem Saal geholt habt,
löscht ihnen die Erinnerungen, wenn ihr sie wieder gehen lasst.
Und falls ihr irgendetwas Verdächtiges entdeckt, dann wird diese
ganze Party sofort abgeriegelt.«

Die drei Krieger bestätigten den Befehl und gingen dann los,
um die anderen, die Dienst hatten, zu informieren. Darion wollte
sich ihnen anschließen, aber Lucan legte die Hand fest auf die
muskulöse Schulter seines Sohnes und hielt ihn zurück. »Bleib
in der Nähe. Ich möchte, dass du auf deine Mutter aufpasst, falls
die Situation brenzlig wird.«

Dare zog die Brauen zusammen, sein Mund wurde schmal.
Aber er fügte sich mit einem Nicken, blieb neben Gabrielle
stehen und schaute zu, wie der Rest des Ordens unauffällig die
Durchsuchung von Crowes Sicherheitsteam startete.

Lucan ließ Reginald Crowe nicht aus den Augen. Der Magnat stand oben auf der Bühne und sonnte sich im tosenden
Beifall der Menschenmenge im Saal. Crowe genoss den Applaus
mit sichtlicher Befriedigung. Ein eingebildeter, aufgeblasener,
pompöser Angeber, der sich aufführte, als wäre er ein goldener
König, der zu seinen rückständigen Untergebenen sprach. Als
der Applaus endlich abebbte, stellte sich Crowe ans Mikrofon.
Er eröffnete die Gala des Friedensgipfels offiziell und begrüßte
die Würdenträger als seine persönlichen Gäste.

Lucan blendete die eitle Ein-Mann-Show aus und schaute nach, wie weit seine Krieger mit ihrer Überprüfung der Wachleute im Saal waren. Nikolai führte gerade unauffällig einen von Crowes Männern aus der Halle, während Tegan einen der uniformierten Wachposten wieder in die Menschenmenge entließ. Er fing Lucans Blick auf und schüttelte grimmig den Kopf. Nichts.

Einen nach dem anderen geleiteten die Stammeskrieger des Ordens Crowes Leute aus dem Saal. Und einzeln brachten sie sie alle wieder zurück, ohne dass sie etwas Nennenswertes gefunden hätten.

Vielleicht lag Kellan doch falsch.

Vielleicht sollte der Anschlag, in den Benson eingeweiht gewesen war, an einem anderen Ort und zu einem anderen Zeitpunkt stattfinden.

Und doch sagten Lucans sämtliche Kämpfer-Instinkte ihm, dass heute Abend etwas im Busch war. Irgendetwas stimmte nicht, und er würde darauf wetten, dass es etwas mit Reginald Crowe zu tun hatte.

Vorne auf der Bühne hatte Crowe inzwischen einen ernsteren Ton angeschlagen. Gerade drückte er seinen Schock und seine Trauer über den tragischen Verlust von Jeremy Ackmeyer und des GN-Vorsitzenden Benson aus. »Beide waren sie große Männer mit großen Visionen«, sagte er, und seine Stimme trug weit über die schweigende Menge der Gäste. »Der eine glaubte an eine Verbesserung der Welt durch innovative wissenschaftliche Forschung. Der andere widmete sein Leben der Aufgabe, für uns alle eine sichere Zukunft zu schaffen …«

Lucan hörte nicht länger der kurzen Totenrede zu. Immer noch wurden die Wachleute von Crowe Industries einer nach dem anderen von Tegan und den anderen Kriegern durchsucht und wieder freigelassen.

Crowe hatte sich inzwischen wieder in Fahrt geredet. »Dass wir gleich zwei so brillante Fürsprecher für unsere Zukunft in einem Moment verlieren, wenn wir hier versammelt sind, um den Frieden zwischen der Menschheit und den Stammesvampiren zu feiern, beweist nur, wie viel Arbeit noch vor uns liegt. Unser Traum ist Frieden. Frieden ist unser Ziel.«

Aus der applaudierenden Menge kam ein zustimmendes Raunen, und Crowe lenkte die Aufmerksamkeit der Gäste auf die Mitte der Empfangshalle. Im weichen Licht des Saals leuchtete sein glitzernder Kristallobelisk wie ein Signalfeuer. »Heute Abend übergebe ich Ihnen ein Symbol meiner Vision für die Zukunft unserer Welt. Heute Abend schlage ich Ihnen eine Zukunft vor, in der echter Frieden herrschen kann. Die Erste Morgendämmerung ist vorbei, wir werden eine Neue Morgendämmerung erleben.«

Bei Crowes Worten gefror Lucan plötzlich das Blut in den Adern. Er schaute sich den Obelisken genauer an. Die auf der Skulptur sitzende Kristallkugel leuchtete viel intensiver als noch vor einigen Minuten. Jetzt schien die Kugel geradezu mit Energie zu pulsieren.

Verfluchte Scheiße.

Ihm wurde schlagartig klar, dass Waffen, die vielleicht mit UV-Geschossen geladen waren, ihre geringste Sorge waren.

»Unsere Vision heißt Frieden«, verkündete Crowe, und bei den Worten ließ er seinen Blick über die Menge gleiten. Er entdeckte Lucan und schaute direkt zu ihm herüber. »Der Frieden ist das Ziel unserer Arbeit. *Pax opus nostrum.*«

Morningstar.

Crowe hatte die tödliche Waffe direkt unter ihren Augen in die Empfangshalle geschmuggelt.

»Auf den Boden! Alle!«, brüllte Lucan. Er stieß Gabrielle in Dares Arme und bedeutete den beiden, so schnell wie möglich den Saal zu verlassen. Köpfe wandten sich zu ihm, und Lucan zog seine Neunmillimeter-Halbautomatik unter dem Jackett hervor und zielte damit auf den Obelisk. »Runter! Alle flach auf den Boden!«

Das Licht in der Kugel wurde mit jeder Sekunde heller. Es schien kurz vor der Explosion zu stehen.

»Eine UV-Bombe in der Kugel«, schrie Lucan den anderen Ordensmitgliedern zu. »Bringt alle Zivilisten vom Stamm raus aus der verdammten Halle!«

In der Menge wurden Schreie laut, noch bevor Lucan den ersten Schuss abfeuerte.

Chaos brach aus, verwirrte Menschen und Stammesvampire liefen in wilder Panik durcheinander, alle drängten mit Gewalt zu den Ausgängen.

Die Kristallkugel hatte einen Riss, wo Lucans Kugel in sie eingeschlagen war, doch das gleißende Licht wurde nicht schwächer.

Die anderen Krieger versuchten, die Würdenträger des Stammes so gut sie konnten in Sicherheit zu bringen, doch es war fast unmöglich, in der wogenden Masse aus übereinander stolpernden Männer- und Frauenkörpern etwas zu erkennen. Die Gäste stürzten hysterisch in alle Richtungen davon, die Festveranstaltung schlug in eine wilde Massenpanik um.

Inmitten der fliehenden Menschenmenge entdeckte Lucan Crowe, der von der Bühne sprang und rasch in den Schatten am vorderen Ende des Saals verschwand. Lucan wollte dem Scheißkerl hinterher, aber seine ganze Aufmerksamkeit – die volle Kraft seiner vampirischen Instinkte – war auf den Kristallobelisken konzentriert. Er musste das tödliche Kunstwerk zerstören, das in der Mitte der Versammlung in einem immer heller werdenden Licht erstrahlte.

28

Eigentlich sollten ihn keine zehn Pferde nach Boston bringen – schon gar nicht mit Mira an seiner Seite. Doch mit einiger Wahrscheinlichkeit würde Ackmeyers UV-Technologie heute Abend auf dem Friedensgipfel gegen die Mitglieder des Ordens eingesetzt. Kaum hatte Kellan das Ausmaß der Gefahr für die Stammesvampire begriffen, konnte ihn nichts und niemand mehr zurückhalten.

Er und Mira hielten in einem Fahrzeug des Ordens am Straßenrand vor dem Gebäude an, und in diesem Moment wurde Kellan klar, dass die Situation sogar noch schlimmer war, als er befürchtet hatte. Viel schlimmer.

Hunderte von Leuten – Menschen und Stammesvampire – strömten aus dem GN-Gebäude hinaus in die Nacht. Sie flohen zu Fuß und schrien in Todesangst. Feierlich in Frack und Anzug gekleidete Männer und Frauen in glitzernden Abendkleidern und hochhackigen Schuhen rannten in alle Himmelsrichtungen davon.

Es war das reinste Chaos.

»Oh Gott.« Mira kam um den Wagen herum und stellte sich neben Kellan. Wie er war sie von Kopf bis Fuß in schwarzen Drillich gekleidet und für den Nahkampf ausgerüstet. Im Mondlicht glitzerten die Messerknäufe ihrer Zwillingsdolche, die sie rechts und links in ihrem Waffengurt stecken hatte. Sie starrte auf die panische Menschenmenge, die sich aus dem Gebäude drängte. Ihr Gesicht war vor Schreck wie starr. »Der Anschlag ist schon passiert. Kellan, was, wenn wir zu spät kommen?«

Er sah einige Krieger, die Würdenträger des Stammes nach draußen und weg von dem Gebäude in Sicherheit brachten. »Uns bleibt noch ein wenig Zeit. Komm.«

Mira rannte ihm nach, eine breite Treppe hoch. Sie mussten sich durch die Menge der fliehenden Gäste drängen, die ihnen mit Macht entgegenkam wie Vieh, das blind vor Panik in einer Massenflucht vorwärtsrast. Kellan entdeckte eine offene Seitentür, die etwas abseits lag von dem irren Gewühl, das sich durch dem Haupteingang schob und drückte. Er nahm Mira bei der Hand, rannte los und wich geschickt der Menge aus. Im nächsten Moment waren sie im Gebäude.

Doch der Anblick, der sich ihnen im Foyer bot, war nicht besser: Es war fast unmöglich, entgegen der Richtung der Massen von fliehenden Gästen vorwärtszukommen. Vor ihnen sah Kellan Rafe, dessen blonder Schopf und breite Schultern die meisten Menschen, die an ihm vorbei in das überfüllte Foyer stürzten, überragten. Der Krieger schaute zu ihnen herüber, und seine ultramarinblauen Augen blitzten entschlossen.

»Was ist passiert?«, rief Kellan ihm zu.

»Crowe«, zischte Rafe über die Köpfe der fliehenden Menschenmenge. »Der Scheißkerl hat eine UV-Bombe mitten in der verfluchten Gala platziert. Lucan versucht gerade, sie abzuschalten. Er hat Befehl gegeben, das gesamte Gebäude zu evakuieren.«

Herr im Himmel!

Das war noch furchtbarer als Kugeln, die mit UV-Licht gefüllt waren. Eine Bombe, die mit dieser Art von Technologie ausgestattet war, würde die anwesenden Ordensmitglieder und alle Würdenträger des Stammes im Gebäude auf einen Schlag auslöschen.

Und das, wurde Kellan klar, war genau der Plan von Opus Nostrum.

»Kellan, da drüben.« Mira deutete mit dem Kopf auf die andere Seite des Foyers. »Bei den Aufzügen.«

Einen uniformierten Sicherheitsmann an jeder Seite trat Reginald Crowe gerade in einen Lastenaufzug, während in dem vor Menschen berstenden Foyer das absolute Chaos herrschte. Die Fahrstuhltüren schlossen sich schon. Kellan blieb keine Zeit mehr, die Distanz blitzschnell zu überwinden und das Schwein aufzuhalten. Im nächsten Moment war Crowe verschwunden.

»Verdammt«, brummte Kellan, als er und Mira zu den verschlossenen Fahrstuhltüren rannten. »Er will hoch zum Dach. Bleib hier. Halt dich an Rafe und die anderen Krieger.«

»Und du gehst ihm alleine nach?«, fragte sie, aber es klang nicht wie eine Frage. »Den Teufel werd ich hier unten bleiben.«

Es gefiel ihm nicht, aber er hatte keine Zeit, sich mit ihr zu streiten, vor allem nicht, wenn sie schon so trotzig das Kinn hob. Und außerdem war Crowe nur ein Mensch. Seine beiden Sicherheitsmänner waren auch keine Stammesvampire. Auch zu dritt waren sie nur ein kleines Problem für Kellan. Mit Miras tödlichen Dolchen zu seiner Unterstützung war Crowes Fluchtversuch jetzt schon zum Scheitern verurteilt.

Kellan warf einen Blick ins Treppenhaus. Mit der Geschwindigkeit, die ihm seine Stammesgene verliehen, konnte er in wenigen Sekunden oben auf dem Dach sein. »Ich gehe zu Fuß hoch. Nimm du den anderen Aufzug.«

Mira nickte, und er raste los, mehrere Stockwerke hoch bis zum Personalzugang auf das Dach. Als er aus der Tür trat, waren Crowe und seine Leibwächter schon mehrere Schritte vom Aufzug entfernt. Ein Hubschrauber wartete nur ein paar Meter weiter auf sie. Hinter dem Steuer saß ein Pilot, ebenfalls ein Mensch. Der Motor sprang an, als Crowe rasch über den Asphalt auf den Hubschrauber zueilte.

Ohne zu zögern schoss Kellan in den Hinterkopf des einen, dann des anderen Leibwächters. Die beiden brachen auf der Stelle zusammen, als hätte sie der Schlag getroffen. Crowe blieb stehen, als seine beiden Männer zu Boden gingen.

»Keine Bewegung«, knurrte Kellen. »Rühr dich auch nur einen beschissenen Zentimeter, und du bist als Nächster dran.«

Crowe hob die Hände und drehte sich langsam um. Er hob amüsiert die goldenen Augenbrauen. »Na, das nenn ich mal eine überraschende Wendung. Der Rebellenführer, der früher einmal Bowman hieß. Das hätte ich nicht erwartet, dass mir heute Abend noch ein Toter mit einer Knarre über den Weg läuft.«

Kellan brummte. »Komisch, dabei ist mir gerade ein Toter vor die Knarre gelaufen.«

Crowe lächelte. »Du kannst mich nicht töten. Das wissen wir doch beide. Du brauchst mich noch. Ihr braucht Informationen, die nur ich euch geben kann. Du möchtest doch sicher alles über Opus Nostrum wissen. Oder etwa nicht?«

Kellan bewegte seine Hand keinen Millimeter, die Pistole war immer noch mitten auf Crowes Stirn gerichtet. »Ich weiß alles, was ich wissen muss.«

»Wirklich?«

Kellan bedachte den Mann mit einem dunklen Blick. »Ich fasse es gerne für dich zusammen: Du und Benson, ihr wolltet heute Abend den Orden auslöschen, damit der Weg frei wird für dich und deine perverse Gier nach Macht. Aber so einen Anschlag konntest du nicht alleine durchführen. Ohne die Technologie von Jeremy Ackmeyer hättest du überhaupt nichts ausrichten können. Du hast eine Waffe gebraucht, mit der man innerhalb von Sekunden Massenmord begehen kann. Morningstar war die Lösung.«

Crowe lächelte immer noch. Anscheinend fand er Kellans Ausführungen belustigend.

»Benson hat seinem Neffen den Prototyp der Waffe gestohlen. Aber dann hast du entschieden, dass Ackmeyer sterben muss. Du wolltest keine losen Enden, würde ich vermuten. Und du hast unverschämtes Glück gehabt. Die Entführung war die perfekte Gelegenheit für den Mord an Ackmeyer. Du konntest den Rebellen die Schuld an seinem Tod in die Schuhe schieben und den Jungen wie einen Bauern beim Schach von deinem persönlichen Spielfeld fegen.«

Kellan hörte, wie sich die Tür vom Personalzugang zum Dach öffnete. Mira sagte leise ihren Namen, und nur wenige Sekunden später stand sie neben ihm. Mit den gezogenen Dolchen in den Händen sah sie wild und gefährlich aus. Und wahnsinnig sexy, was Kellan für einen Moment ziemlich ablenkte.

Er konzentrierte sich wieder auf Crowe und die Verachtung, die er für den Mann empfand. »Benson wusste nichts davon, dass du seinen Neffen töten wolltest, habe ich recht? Deshalb ist er heute Morgen bei der Anhörung betrunken aufgetaucht. Er hat im Suff zu viel geredet, und deine Spione haben ihn auf der Stelle hingerichtet.«

Crowe lachte leise. »Du glaubst tatsächlich, dass du alles durchschaust. Aber du weißt gar nichts.«

»Ich glaube schon. Als ich Benson berührte, konnte ich in seinen Gedanken lesen, was Opus Nostrum heute Abend hier geplant hatte.«

»Ihr habt ein viel größeres Problem als Opus Nostrum«, erwiderte Crowe. Er senkte die Arme und ließ die Hände an seine Seiten gleiten. Dabei ging er langsam auf Kellan und Mira zu.

Kellan war so überrascht, dass er die Waffe kurz senkte, sie aber sofort wieder hob. Wenn es sein musste, würde er, ohne zu zögern, einen Schuss direkt zwischen Crowes amüsiert glitzernde Augen abfeuern. »Keinen Schritt weiter, Arschloch. Sonst erschieß ich dich auf der Stelle.«

Aber Crowe hielt nicht an. Er ging noch einen Schritt.

Kellan drückte ab – einmal und noch einmal. Zwei direkte Treffer mitten zwischen die Augen, beides tödliche Schüsse in den Schädel des Scheißkerls.

Doch Crowe zuckte nicht einmal, als die Kugeln ihn trafen. Das austretende Blut schien sofort zu verdampfen, die Haut heilte noch schneller als bei einem Stammesvampir.

Mira schnappte nach Luft. »Mein Gott …«

»Was ist das denn für ein Scheiß?«, brummte Kellan, vollkommen schockiert und verwirrt. »Du bist kein Mensch. Aber auch kein Stammesvampir.«

Crowe grinste. »Jetzt kapierst du allmählich, was hier wirklich los ist.«

Kellan feuerte, bis sein Magazin leer war, doch Crowe wich den meisten Kugeln mit übernatürlicher Gewandtheit aus. Kellan griff nach seinem zweiten Revolver, doch Mira war schneller. Mit einem Kampfschrei schleuderte sie ihre Dolche. Die eine Klinge traf Crowe mitten in die Brust, die andere versank tief in seiner Kehle.

Doch Crowe legte nur den Kopf ein wenig schief. In seinen Augen lag ein grausames animalisches Glitzern.

Er zog sich die Dolche aus Brust und Hals und warf die blutigen Klingen auf den Asphalt. Die tiefen Verletzungen schienen ihm überhaupt nichts auszumachen.

Immer noch strömten durcheinanderschreiende Festgäste in wilder Panik aus dem Empfangssaal in Richtung Foyer. Doch das immer stärker werdende glühende Licht brachte Nathan zurück in die Halle.

Lucan stand in der Mitte bei der Skulptur. Er versuchte, den Kristallobelisken abzuschalten und die leuchtende Kugel zu zerstören. Als Nathan durch die Türen trat, warf Lucan gerade ein leeres Neunmillimeter-Magazin weg und schob ein weiteres in die Waffe. Die Kugel war voller Scharten und Löcher, doch nicht zerbrochen.

»Das Glühen wird stärker.« Darion Thorne trat von hinten neben Nathan. »Die Kugel kann nicht mit Schusswaffen zerstört werden. Aus was besteht dieses beschissene Ding eigentlich?«

Nathan schüttelte den Kopf. Er wusste keine Antwort auf Dares Frage, aber er hatte noch eine andere Waffe in seinem Arsenal – eine, die er von seiner Mutter geerbt hatte. Er warf seine beiden Pistolen Darion zu. »Macht dem verdammten Ball Feuer unterm Arsch. Ich bin direkt hinter dir.«

Dare nickte und ging mit großen Schritten durch den inzwischen leeren Saal auf seinen Vater zu. Lucan hatte den Obelisken immer noch unter Beschuss. Mit einer Neunmillimeter in jeder Hand eröffnete Darion das Feuer im gleichen Moment, als Lucan seine Waffe erneut geladen hatte und wieder loslegte. Bei jedem Schritt feuerte Darion eine neue Runde.

Nathan konzentrierte sich auf den Donner der knallenden Schüsse und die widerhallenden Schreie der Menschen vor der Tür. Er sammelte den Lärm um sich und setzte sein übersinnliches Stammestalent ein, mit dem er Schallwellen manipulieren und sie entweder verstärken oder zum Stillstand bringen konnte. Jetzt verstärkte er die tobende Kakofonie und formte aus den lärmenden Geräuschen eine energiegeladene Kugel.

Lucan blickte zu seinem Sohn, dann zu Nathan und nickte den beiden Kriegern feierlich und voller Respekt zu. Er verstand, was sie vorhatten, und war dankbar für Nathans Plan.

Zusammen feuerten Lucan und Darion ohne Unterlass auf die glühende Lichtkugel. Unter ihrem Dauerbeschuss zeigten sich tiefe Risse in ihr. Nathan sammelte immer noch mehr Geräusche um sich, bis selbst er die vibrierende Masse an tonaler Energie kaum mehr zusammenhalten konnte.

Mit einem Schrei ließ er sie schließlich los.

Die Luft kräuselte sich, als die sonokinetische Druckwelle in hohem Bogen auf den gesprungenen Obelisken zusteuerte.

Lucan und Dare sprangen zur Seite, doch beide Krieger feuerten immer noch auf die Skulptur. Gerade noch rechtzeitig gingen sie zu Boden, als der Obelisk zerbrach.

Lichtstrahlen schossen aus der Kugel, doch schon nach einem Moment erloschen sie wieder. Das gesplitterte Kristall des Obelisken und die ihn krönende Kugel explodierten. In alle Richtungen fielen Tausende von Splittern wie winzige Diamanten auf den Boden der Empfangshalle.

Die Morningstar-Bombe war entschärft.

Lucan schaute erst zu seinem Sohn, dann zu Nathan. »Gute Arbeit, ihr beiden.« In seinen grauen Augen blitzten bernsteingelbe Funken. »Und jetzt schnappen wir uns Crowe und erledigen den Scheißkerl.«

29

Mira starrte vollkommen perplex auf Crowes Hals und Brust, wo sich die tiefen Stichwunden innerhalb von wenigen Sekunden wieder geschlossen hatten.

Wer – oder was – war der Kerl?

Auf jeden Fall konnten sie ihn so nicht aufhalten, egal, was er war.

Kellan gab dennoch nicht auf und versuchte es weiter. Mit der gesamten Kraft seines muskulösen Körpers stürzte er sich auf Crowe. Die Wucht des Angriffs schleuderte beide Männer seitlich gegen die Tür des Personalzugangs, die hinunter ins Treppenhaus führte. Die schwere Stahlplatte wurde durch den Aufprall nach innen gedrückt und ächzte in den Scharnieren.

Crowe lachte nur. »Das muss ein ganz neues Gefühl für dich sein, dass dich jemand, der einer vermeintlich schwächeren Rasse angehört als ihr Stammesvampire, im Kampf schlägt, was Krieger? Aber wenn du denkst, ich wäre dir nicht gewachsen, machst du einen großen Fehler.«

Kellan griff ihn wieder an und stieß Crowe gegen die Seite des Aufbaus. Doch Crowe steckte den Schlag weg, als sei nichts geschehen. Er drehte sich noch mitten im Fall in der Luft und packte Kellan, sodass sie zusammen gegen die Wand krachten. Crowe ging zum Gegenangriff über und riss Kellan mit sich. Sie taumelten im Kampf halb stehend, halb fallend über die weite Asphaltfläche fast bis zur Kante des Daches.

»Deine Art ist eine Perversion. Bastarde seid ihr, Mischlings-kreaturen aus dem Blut derer, die ihr die Ältesten nennt, und dem Blut der weiblichen Halbwesen, die von den Menschen und den ruchlosen Abtrünnigen meiner eigenen Rasse abstammen. Der Stamm verdient diesen Planeten nicht, genauso wenig wie die Menschen. Eure Vorfahren, die Ältesten, dachten, sie hätten uns geschlagen. Sie vertrieben uns aus unserer Welt zu diesem kargen Steinhaufen hier. Doch selbst hierher folgten sie uns und zerstörten unser perfektes Atlantis. Unsere Königin haben sie ins Exil gejagt. Und sie dachten, dieses Mal hätten sie endgültig gegen uns gewonnen. Aber wir warten nur auf eine Gelegenheit, um wiederaufzuerstehen. Unsere Zeit wird kommen, und zwar schon sehr bald. Die Dinge sind schon in Bewegung.«

Mira hörte genau zu, während sie versuchte, Kellan zu helfen, damit sie zusammen den Kerl erledigen konnten. In den letzten Jahrzehnten hatte sie immer wieder solche Theorien mitbekommen. Danach waren Stammesgefährtinnen wie sie selbst die Nachfahren einer unsterblichen Rasse, die einst eine Zivilisation aufgebaut hatte, die in den Legenden der Menschen Atlantis genannt wurde. Die Tagebücher von Jenna im Archiv des Ordens waren voll mit Einträgen, in denen diese überwältigende Hypothese diskutiert wurde. Aber noch nie hatte jemand wissentlich einen Atlanteaner zu Gesicht bekommen. Bis jetzt.

Wenn Crowe die Wahrheit sprach, wenn wirklich Mitglieder seiner Rasse die Zerstörung von Atlantis überlebt und sich insgeheim vermehrt hatten und nun ihren eigenen Krieg planten, dann waren diese überraschenden Enthüllungen von äußerster Wichtigkeit. Mira schauderte. Crowes Worte machten ihr Angst. Die Vorstellung eines Krieges mit einer anderen unsterblichen Rasse erschütterte sie bis ins Mark.

Doch im Moment war das Wichtigste, dass Kellan den Kampf überlebte.

Ihre Dolche konnten Crowe nichts anhaben, deshalb griff Mira nach ihrem Revolver. Kugeln richteten bei diesem Gegner offenbar auch nicht viel aus, doch sie hatte keine andere Waffe. Wenn sie den Kerl doch nur kurz in ihre Schusslinie bekommen könnte.

Kellan und Crowe kämpften mit den Fäusten und verpassten sich abwechselnd krachende Schläge oder setzten mit brutaler Gewalt ihren ganzen Körper ein. Beide verfügten über eine übernatürliche Geschwindigkeit, die nicht mit der von Menschen zu vergleichen war. Und sie bewegten sich so schnell, dass Mira ihnen kaum folgen, geschweige denn Crowe zielsicher ins Visier nehmen konnte. Sie konnte nicht riskieren, dass sie aus Versehen Kellan traf. Schon einmal hatte sie heute mit ansehen müssen, wie auf ihn geschossen worden war. Sie hatte nicht mehr den Mut abzudrücken, wenn er so leicht in ihre Schusslinie geraten konnte.

Mehrmals setzte sie zum Schuss an, aber sie konnte kein sicheres Ziel finden. Schließlich wurde ihr klar, dass ihr nichts anderes übrig blieb, als sich auch in den Kampf zu stürzen.

Sie sprang Crowe auf den Rücken und versuchte, ihre Waffe direkt mit dem Lauf gegen seinen Kopf zu drücken. Eine einzelne Kugel hatte ihn nicht aufhalten können, aber wenn er nur einen Moment stillhielt, dann würde Mira ihm das ganze Magazin in den Schädel feuern.

Doch sie bekam keine Gelegenheit dazu.

Crowe richtete sich auf und schüttelte sie ab. Sie fiel auf den rauen Asphalt des Dachs, und ihre Waffe entglitt ihr und schlug außerhalb ihrer Reichweite auf dem Boden auf. Crowe ließ von Kellan ab und wandte sich ihr zu. Er war außer sich vor Wut, und in seinem Gesicht schienen die Knochen unter der Haut hervorzutreten.

Er sah nicht mehr menschlich aus, sondern unirdisch, ein Wesen nicht von dieser Welt. Erst in diesem Moment wurde Mira richtig klar, wie zutreffend diese Beobachtung war.

Mit einem Fauchen packte Crowe sie, riss sie vom Boden hoch und hielt sie vor sich, als wäre sie ein Schild. Kellan hatte sich Miras Revolver geschnappt und zielte damit auf Crowe, doch der war genauso schnell gewesen. Mira hatte die blitzartigen Bewegungen kaum mitbekommen, doch Crowe hatte sich eine Waffe von einem seiner Leibwächter geschnappt.

Er drückte den kalten Lauf der Pistole gegen Miras Schläfe und zog sie mit sich, als er rückwärts Schritt um Schritt auf den wartenden Hubschrauber zuging.

»Lass sie los«, befahl Kellan.

»Das werde ich bestimmt nicht tun.« Crowe ging weiter rückwärts, sie kamen immer näher zum Hubschrauber. Der Wind von den sich langsam drehenden Rotorblättern spielte mit Miras Haaren und blies ihr Strähnen, die sich aus ihrem Zopf gelöst hatten, ins Gesicht.

Sie starrte Kellan an und hoffe inständig, dass er in ihrem Blick lesen konnte, was sie wollte: dass er den Kerl endlich erschießen sollte. Hoffentlich spürte er durch die Blutsverbindung, dass sie keine Angst hatte. Sie war sich sicher, dass er Crowe treffen würde.

Schieß. Mach den Wichser kalt, bevor er in den Vogel steigt und abhaut.

Sie sah, wie sich Kellans Finger am Abzug krümmten, sie spürte, wie sein Pulsschlag vor Angst aussetzte, weil er sie treffen könnte, und sie konnte die eisige Entschlossenheit fühlen, dass er den Mann töten musste, der sie festhielt. Aber im letzten Moment veränderte Kellan seine Schusslinie. Er zielte knapp an Crowe vorbei und feuerte auf den Hubschrauberpiloten.

Der Mensch wurde von der Wucht des Geschosses im Sitz zurückgeschleudert, dann sank er über dem Steuerknüppel zusammen. Der Motor wurde gedrosselt, und die Rotorblätter drehten sich langsamer.

Crowe stieß ein bellendes Lachen aus. Er schien völlig unbeeindruckt vom Tod des Piloten. »Glaubst du wirklich, dass ich nach ein paar Tausend Jahren auf diesem Felsbrocken noch nicht gelernt hätte, wie man eure primitiven Flugmaschinen steuert? Ich bitte dich.« Er ging immer noch rückwärts und bereitete sich auf seine Flucht vor. Dabei lockerte sich sein Griff um Mira nicht für einen Moment.

Sie konnte nicht viel tun, um sich loszumachen. Sein Arm lag wie eine Eisenklammer um ihre Taille. Der metallene Lauf der Waffe bohrte sich wie Eis in ihre Schläfe. Sie schluckte die Panik hinunter, die in ihr hochsteigen wollte. Das beständig sirrende Geräusch der sich drehenden Rotorblätter kam näher, es verdrängte alle anderen Geräusche auf dem Dach des GN-Gebäudes.

»Wie schade, dass ich nur einen von euch beiden erledigen kann, bevor ich mich davonmache«, provozierte Crowe Kellan. »Ich denke, du wirst dran glauben müssen.«

Mira spürte, wie Crowes Muskeln fast unmerklich zuckten, als er Kellan ins Visier nahm. Kaum ließ der Druck an ihrer Schläfe nach, da wand sie sich aus Crowes Griff und stieß seinen Arm nach oben, während sie sich rasch aus seiner Reichweite entfernte. Sie spürte noch, wie etwas Schweres mit plötzlicher Wucht seinen Körper traf. Dann hörte sie das leise Knirschen, als die messerscharfen Rotorblätter ihm das Handgelenk durchtrennten.

Crowe taumelte zurück, und er starrte mit offenem Mund auf den blutenden Stumpf, wo seine Hand gewesen war.

Dann schaute er zu Mira.

Ein seltsames Zucken lief über sein Gesicht, als er in ihre Augen starrte. Er schien die furchtbare Wunde an seinem Arm vergessen zu haben. Der Stumpf heilte nicht sofort wie seine vorigen Verletzungen. Die abgetrennte Hand lag neben seiner Pistole auf dem Boden. Das Blut schoss ihm in pulsierenden

Stößen aus dem Unterarm und auf den schwarzen Asphalt. Und doch starrte Crowe in Miras Augen und rührte sich nicht.

Ihre Augen …

Sie spürte ein leichtes Kitzeln auf ihrer Wange, wo eine ihrer Kontaktlinsen klebte. Sie musste ihr während des Kampfes herausgerutscht sein. Dabei war der hypnotische Spiegel ihrer silbernen Pupillen enthüllt worden. Crowe schien sich nicht mehr von ihrem Blick losreißen zu können.

Doch er ging immer noch rückwärts; seine taumelnden Schritte waren langsamer geworden, weil er im Bann ihrer Vision gefangen war.

Mira wusste nicht, was er sah.

Sie wollte es auch nicht wissen.

Und im nächsten Moment war es auch egal.

Crowe – oder was immer sein wirklicher atlanteanischer Name sein mochte – stolperte. Er kam dem Hubschrauber zu nahe, und er war zu groß, während die langsamer werdenden Rotorblätter schon angefangen hatten, sich zu senken.

In diesem Moment drehte Crowe den Kopf, fast so, als hätte ein Überlebensinstinkt in seinem Unterbewusstsein die Gefahr erkannt, die er im bewussten Zustand unter dem Einfluss von Miras Vision nicht sehen konnte. Er schaute nach hinten … genau in diesem Moment erwischte ihn ein Rotorblatt des Hubschraubers und durchtrennte seinen Nacken, sodass sein Kopf vom Rumpf gespalten wurde.

Mira wandte den Blick ab, doch es war zu spät, um ihr den furchtbaren Anblick zu ersparen.

Als Crowes Körper zu Boden sank, erschien ein Licht in seinem Innern. Es war gleißend hell und rein und außerirdisch, und es flutete durch seine Glieder und strömte aus seinem blutenden Hals. Und in der Mitte seiner Handflächen formte sich ein Zeichen, das von innen heraus erleuchtet wurde.

Es war eine Träne, die in eine liegende Mondsichel fiel.

Mira und jede andere Stammesgefährtin trug dieses Zeichen irgendwo an ihrem Körper.

Es war der letzte Beweis, dass Crowe die Wahrheit gesagt hatte.

Die Atlanteaner gab es wirklich, sie waren die außerirdischen Vorfahren der Stammesgefährtinnen.

Die Atlanteaner waren am Leben, und eine Gruppe von unbekannter Größe hielt sich an einem geheimen Ort mit ihrer verbannten Königin versteckt. Dort warteten sie auf den richtigen Zeitpunkt, an dem sie sich gegen den Stamm und die Menschheit erheben konnten.

Sie waren unsterblich und tödlich.

Sie waren der Feind.

Lucan stürzte durch die zerbeulte Tür des Personalzugangs aufs Dach, Darion und Nathan waren direkt hinter ihm. Das Dach schien der einzige logische Ort, von dem aus Crowe unbemerkt aus dem GN-Gebäude hätte fliehen können, doch mit dem Anblick, der ihn hier oben erwartete, hatte Lucan nicht im Traum gerechnet.

Mira und Kellan standen zusammen in der Dunkelheit. Sie hatte die Arme fest um den Hals des Stammesvampirs geschlungen, ihr blonder Kopf war an seine Brust gepresst, während er sie mit seinen muskulösen Armen an sich drückte.

Zwei von Crowes Sicherheitsleuten lagen mit Schusswunden im Kopf tot auf dem schwarzen Asphalt direkt vor ihm. Etwas entfernt stand ein Hubschrauber, dessen Rotorblätter sich träge drehten. Der Pilot lag vornübergebeugt in seinem Sitz, der Motor kam langsam von selbst zum Stillstand.

Und direkt unter den langsam schwingenden Rotorblättern lag die Leiche von Reginald Crowe, der der Kopf fehlte.

Lucan starrte auf den toten Körper. Es kam ihm so vor, als würde ein schwaches Glühen Crowes Rumpf und Glieder erleuchten, aber noch während er hinschaute, erlosch das Licht.

Hinter ihm keuchten Dare und Nathan entsetzt auf.

Lucan blickte zu Mira und Kellan. »Was zum Teufel ist hier gerade passiert?«

Die beiden setzten an, um alles zu erklären, doch da traten hinter Nathan und Dare noch mehr Ordensmitglieder aufs Dach. Die jüngeren Teams und jene Krieger, die Lucan schon fast von Anfang an, seit der Gründung des Ordens, begleiteten. Gabrielle und die anderen Stammesgefährtinnen kamen wenig später, und bald war Lucan umringt von seiner Familie und den Freunden, die ihm am meisten bedeuteten.

Sie alle hörten schweigend und voller Erstaunen zu, als Mira und Kellan berichteten, was Crowe getan hatte, wer er war … und die Dinge, die der Unsterbliche ihnen in seinen letzten Momenten verraten hatte.

Mira und Kellan hatten Crowe ganz alleine geschlagen. Lucan zollte ihnen Respekt, auch wenn der Anführer in ihm die beiden am liebsten erst einmal dafür zur Rede stellen wollte, dass sie ohne sein Wissen und ohne seine Erlaubnis Crowe im Alleingang aufgehalten hatten. Vielleicht steckte doch ein Rebell in Kellan, ein natürlicher Anführer, der sich ohne Furcht vor die Frontlinie einer Schlacht stürzte. Und, bei Gott, Mira war wahrlich keine Kriegerin, die sich immer strikt an die Regeln hielt.

Heute Nacht hatten sie gemeinsam und geschlossen gehandelt, ein Zweierteam, das zusammen stärker war als jeder für sich. Der Anblick des blutsverbundenen Paares, das sich eng umarmt hielt, fühlte sich stimmig an. Ihre Liebe hatte mehr Prüfungen bestehen müssen als die der meisten anderen Paare, sie hatten schwer um diesen Bund gekämpft und gewonnen.

Lucan ging zu ihnen und reichte ihnen die Hand, zuerst Mira, die er kurz väterlich in die Arme nehmen musste, denn er war so stolz auf dieses kleine Mädchen, aus dem ein so wertvolles Mitglied des Ordens geworden war. Als sie sich wieder lösten, umschloss Lucan ihre Hand mit einem festen Griff. »Du tust uns Ehre an, Kriegerin.«

Als er Kellans starke Hand schüttelte, schenkte er dem Stammesvampir ein dankbares Nicken. »Auch du tust uns Ehre an«, sagte er. »Vielleicht ist in den Rängen des Ordens doch Platz für einen rebellischen Geist.«

Kellan grinste und zog Mira etwas näher an seine Seite, als er mit einem Nicken Lucans Angebot annahm.

Lucan blickte ihn an, dann schaute er zu seinem Sohn und den jüngeren Kriegern, die um ihn herumstanden. Er sah die Zukunft des Ordens vor sich, eine neue Generation, die sich jetzt schon den Herausforderungen stellte.

Der Orden würde sie brauchen, jeden Einzelnen von ihnen.

Lucan blickte hinunter auf Reginald Crowe, und ihm wurde klar, dass er auch hier etwas Neues vor Augen hatte: einen Feind, wie der Orden noch nie einen gehabt hatte, einen Feind, der nur nach seinen eigenen Regeln spielte.

»Heute Nacht ist hier etwas geschehen, das einen neuen Anfang markiert«, sagte er zu den Männern und Frauen des Ordens, die mit ihm unter dem dunklen Nachthimmel standen. »Ein neuer Krieg ist ausgebrochen … ein Krieg, den wir gewinnen müssen.«

Zustimmendes Gemurmel erhob sich von allen Seiten, in den grimmigen Gesichtern um ihn herum standen Entschlossenheit und feuriger Zorn.

Lucan erwiderte die wilden Blicke. »Von diesem Augenblick an spielen wir nur noch nach unseren Regeln. Egal, wie schwierig es wird und was immer es uns auch kosten wird. Unsere neue Mission beginnt jetzt.«

Epilog

Am nächsten Tag wurde der Friedensgipfel des Rates der Globalen Nationen wie geplant fortgesetzt. Lucan hatte in einer weltweiten Ansprache verkündet, es könne keinen besseren Zeitpunkt für ernsthafte Diskussionen über die Zukunft geben als direkt nach einem Anschlag, der die Friedensbemühungen der Menschen und der Stammesvampire um ein Haar um Jahrhunderte zurückgeworfen hätte.

Reginald Crowe war als Drahtzieher hinter dem vereitelten Bombenschlag auf die Gala entlarvt worden. Die Tatsache, dass er kein Mensch war, wurde nicht veröffentlicht. Lucan und der Orden waren sich einig, dass eine solche Enthüllung die sowieso schon nervöse Öffentlichkeit nur noch mehr beunruhigen würde. Für die Nationen der Menschen und Stammesvampire war Crowe ein Möchtegerneterrorist und Mitglied einer geheimen Gruppierung gewesen, deren Auflösung sich der Orden zu seiner neuen Aufgabe gemacht hatte.

Doch insgeheim war die neue Mission des Ordens weitaus wichtiger.

Jede regionale Kommandozentrale und jedes Krieger-Team, das irgendwo in einem noch so entlegenen Winkel des Planeten seinen Dienst versah, wurde in diese neue Mission miteinbezogen.

Die Atlanteaner und ihre Königin mussten gefunden werden. Sie mussten aufgehalten werden, bevor sie der Menschheit und den Stammesvampiren den offenen Krieg erklärten.

Noch nie hatte Mira erlebt, dass Lucan so ernsthaft und unermüdlich an einer Mission arbeitete. Und angesichts der vielen

Kriege und Schlachten, die er in den über neunhundert Jahren seines Lebens geschlagen hatte, musste ihm diese Mission verdammt wichtig sein.

Fast hatte sie ein schlechtes Gewissen, weil Lucan ihr und Kellan nach dem gewaltsamen Tod von Reginald Crowe Urlaub gegeben hatte. Doch sie empfand nur tiefe Dankbarkeit, als sie vollkommen glücklich und erschöpft auf Kellans nacktem Körper lag, nachdem sie sich gerade vor einem knisternden Feuer geliebt hatten.

Dies war die dritten Nacht ihrer Woche zu zweit in dem abgelegenen Dunklen Hafen tief in den Wäldern im Norden von Maine. Sie genossen ihre Ferien in vollen Zügen, und das nicht nur im Schlafzimmer. Heute hatten sie einen langen Spaziergang durch die Wälder gemacht, in denen sie als Kinder Krieg gespielt und Schneeballschlachten gemacht hatten. Danach hatten sie es sich statt im Bett auf den weichen Schaffellen vor dem offenen Kamin im Wohnzimmer des Dunklen Hafens bequem gemacht.

Kellan malte mit seinen Fingerspitzen kleine Kreise auf ihren unteren Rücken, wo er sie fest umschlungen hielt. Sein Körper unter ihr fühlte sich warm und stark an, und sie hörte seinen Herzschlag an ihrem Ohr. Mira hatte angenommen, er sei eingeschlafen – sie hatte gedacht, er müsse erschöpft sein nach ihrem heftigen Liebespiel in der letzten Stunde. Doch er war hellwach. Und zwar in jeder Hinsicht. Sie fühlte, wie sein Schwanz in ihr dicker wurde und schon wieder pochend ihr empfindliches Inneres ausfüllte.

Mira hob den Kopf und blickte in sein Gesicht. Dabei zuckten ihre Mundwinkel amüsiert, weil sie es einfach nicht glauben konnte. »Das ist nicht dein Ernst.«

Er erwiderte ihren Blick mit einem entspannten, genüsslichen Grinsen. »Fühlt es sich an, als würde ich Spaß machen?«

Sie lachte, als er sie auf dem weichen Tierfell auf den Rücken warf und seine Hüften zwischen ihre weit gespreizten Schenkel drückte. Er stützte sich mit beiden Fäusten ab, sodass er nicht mit seinem ganzen Gewicht auf ihr lag. »Ich bin so glücklich, Kellan. Mir platzt fast das Herz vor lauter Glück.«

Er lächelte und küsste sie, wobei er sich mit einem tiefen langsamen Stoß in ihr bewegte. Ihre Adern loderten auf, als hätte sie ein heißer Stromschlag getroffen. »Weißt du auch, wie sehr ich dich liebe?«, fragte er, obwohl er ihr in den letzten Tagen seine Liebe hundertmal gezeigt hatte, in jedem zärtlichen Blick, jeder glühenden Berührung und jedem besitzergreifenden, leidenschaftlichen Kuss. »Ich liebe dich, Mira … meine Gefährtin. Mein Leben. Du bist alles für mich.«

Sie streichelte sein Gesicht, als er ihr in die Augen schaute. Sie trug keine Kontaktlinsen, und automatisch wandte sie den Blick ab, doch Kellan senkte den Kopf und küsste sie. »Lass mich dich sehen«, sagte er und drehte ihr Gesicht wieder zu sich. »Deine Augen sind wunderschön. Du brauchst sie nie wieder vor mir zu verstecken. Ich habe keine Angst mehr davor, was ich in ihnen sehen werde. Das Schlimmste, was uns passieren konnte, haben wir schon hinter uns gebracht.«

»Und haben es beide überlebt«, sagte sie. Ein süßer Schmerz füllte ihre Brust, so sehr liebte sie ihn. »Zusammen werden wir mit allem fertig, was jetzt noch kommen kann.«

Er nickte, und seine Stöße wurden rhythmischer, drängender. »Du gehörst mir, Mira. Für immer.«

»Ich habe dir schon immer gehört.« Sie lächelte, denn sie wusste, dass er durch die Blutsverbindung spüren konnte, wie tief und wahrhaftig ihre Worte waren. Sie waren vereint, Herz, Geist, Körper und Seele.

Er bedeckte sie mit seinem Körper, mit seiner Stärke, seiner Hitze und seiner Leidenschaft, die ihr immer den Atem nehmen würde, das wusste sie.

Er liebte sie ganz und gar, sogar den Teil von ihr, der ihn fast zerstört hätte.

Wieder küsste Kellan sie, intensiv und ohne Eile, und er kostete jeden Winkel ihres Mundes aus, so als wüsste er, dass sie für ihre Liebe alle Zeit der Welt hatten. »Du gehörst mir, Mira«, flüsterte er heiser. »Und ich werde dich nie wieder verlassen, solange wir leben.«

ENDE

Danksagung

Wie immer möchte ich meiner Familie, meinen Freunden und Mitarbeitern danken, für all die Liebe, Unterstützung und Geduld (mein Gott, ihr seid ja so geduldig!), solange ich mich aus dem realen Leben ausklinke und in meine Bücher vertieft bin.

Meinen Leserinnen und Lesern in den Vereinigten Staaten und auf der ganzen Welt: Ich danke euch so sehr für euren unglaublichen Enthusiasmus für meine Bücher! Ich bin völlig überwältigt von eurem netten Feedback, eurer Freundschaft und Unterstützung (seid umarmt!).

Meinen Verlags- und Vertriebsteams auf der ganzen Welt: Danke, dass meine Bücher durch euch zu ihrem Publikum finden, und für eure Sorgfalt und Mühe, mit der ihr meine Arbeit noch besser macht.

Mein ganz spezieller Dank geht an meine Leserin Candice Brady, die großzügig eine Benefizveranstaltung für ein Mitglied der Romance Community unterstützt hat, das uns am Herzen liegt und das einen tragischen Verlust in der Familie erleiden musste.

Mit ihrem Höchstgebot hat Candice sich einen speziellen »Gastauftritt« in dieser Geschichte ersteigert.

Thea Harrison

Die Welt der alten Völker

Romantic Fantasy

Pia, halb Mensch und halb Werwesen, zieht den Zorn eines gefährlichen Werdrachen auf sich. Als er auf ihre Spur kommt ist Rache jedoch das Letzte, woran er bei ihr denkt! Der mächtige Tiago soll die Thronerbin der Dunklen Fae beschützen. Diese weckt schon bald ungeahnte Gefühle in dem abgebrühten Krieger.
Der Wyr-Krieger Rune riskiert alles, um das Leben einer kranken Vampirkönigin zu retten ...

Band 1: Im Bann des Drachen
ISBN 978-3-8025-8625-5

Band 2: Gebieter des Sturms
ISBN 978-3-8025-8650-7

Band 3: Der Kuss des Greifen
ISBN 978-3-8025-8651-4

je ca. 448 Seiten, kartoniert mit Klappe
€ 9,99 [D]

www.egmont-lyx.de